D0766112

Les promesses du désir

Surprise par l'amour

KAT CANTRELL

Les promesses du désir

Passions

éditions HARLEQUIN

Collection : PASSIONS

Titre original : MARRIAGE WITH BENEFITS

Traduction française de CLARISSE ARBEZ

HARLEQUIN®
est une marque déposée par le Groupe Harlequin

PASSIONS®
est une marque déposée par Harlequin S.A.

ÉDITIONS HARLEQUIN

83-85, boulevard Vincent Auriol, 75646 PARIS CEDEX 13.

Service Lectrices — Tél. : 01 45 82 47 47
www.harlequin.fr

ISBN 978-2-2803-1311-7 — ISSN 1950-2761

- 1 -

Alors que toutes les jeunes femmes de son âge rêvaient du prince charmant et d'un mariage de conte de fées, Dulciana Allende, elle, rêvait d'un divorce.

Comme Lucas Wheeler était exactement le genre d'homme susceptible de transformer ce rêve en réalité, elle se trouvait ce soir, assez mal à l'aise, au milieu de la meilleure société de Dallas qu'elle n'avait pas l'habitude de fréquenter.

La fête à laquelle elle assistait rassemblait un grand nombre d'invités de tous âges, mais son regard se fixa sur un beau trentenaire blond aux épaules larges qui se tenait à l'autre bout de la grande salle de réception. C'est lui qu'elle avait choisi comme cible. Autour d'elle, chacun, ou plutôt, chacune exhibait à l'envi ses signes extérieurs de richesse. Cia posa les yeux sur la vieille dame qui dodelinait du chef à côté d'elle. A son doigt brillait une bague qui à elle seule aurait suffi à approvisionner pendant une année entière le refuge pour femmes battues dont Cia s'occupait comme bénévole.

Elle laissa échapper un soupir désolé. Evidemment, si par un coup de baguette magique elle avait recueilli suffisamment de dons, elle ne se trouverait pas ici, au milieu de tous ces gens qui l'intéressaient uniquement parce qu'ils constituaient son plan de la dernière chance.

Elle avala consciencieusement une gorgée du punch trop alcoolisé qu'un serveur venait de lui apporter. Puisqu'elle avait fait des pieds et des mains pour obtenir une invitation de dernière minute à l'anniversaire de Mme Wheeler, elle se devait au moins de jouer le jeu… Si jamais la négociation qu'elle avait prévue était couronnée de succès, cette imposante dame deviendrait sa belle-mère. Autant faire bonne impression ! songea-t-elle.

Puis elle se ravisa. Etant donné que Mme Wheeler était également sa future ex-belle-mère, l'impression qu'elle produisait sur elle n'était peut-être pas d'une si grande importance… Dès lors, pourquoi courir le risque de souffrir d'une migraine affreuse le lendemain matin au réveil ? Autant aller droit au but, les idées claires et la démarche assurée.

Déterminée, elle s'avança vers Mme Wheeler avec à la main son verre de punch, accessoire indispensable au rôle qu'elle avait choisi de jouer. Un bel homme brun debout à côté du bar s'efforça d'attirer son attention, mais elle continua à se frayer un chemin parmi les invités comme si elle ne s'était aperçue de rien. Ce soir, un homme, un seul, l'intéressait. Par chance, il était à côté de sa mère pour accueillir les nouveaux venus. Malgré les chaussures à hauts talons qu'elle mettait pour la première fois et le fourreau de velours noir qui était resté sur un cintre depuis qu'elle l'avait acheté, car elle ne portait que des jeans, elle continua à fendre la foule avec autant de grâce que le lui permettait sa tenue élégante, mais peu habituelle.

— Bon anniversaire, madame Wheeler. Je suis

Dulciana Allende et je suis très heureuse d'être des vôtres ce soir.

La maîtresse de maison, qui arborait une cinquantaine souriante, écarquilla les yeux de surprise.

— Cia Allende ! Mon Dieu, comme le temps passe vite… J'ai eu plusieurs fois l'occasion de rencontrer tes parents. Quelle terrible tragédie de les avoir perdus tous les deux en même temps !

Le sourire de Cia se fit moins assuré. Mme Wheeler était loin de se douter à quel point le fait d'évoquer ces derniers la bouleversait encore.

Sans remarquer son trouble, l'hôtesse se tourna vers son fils.

— Lucas, est-ce que tu connais Cia ? Son grand-père est le propriétaire de Manzanares Communication.

Le regard de Cia croisa celui de l'homme qu'elle avait froidement décidé d'épouser. Aussitôt, elle tomba sous son charme. Lucas Wheeler était… était tout ce dont une jeune femme pouvait rêver : jeune, beau et rayonnant de dynamisme. Si elle s'était doutée qu'il avait autant de charme, elle aurait envisagé de faire les choses par internet. La froideur d'un écran lui aurait sans doute facilité l'entrevue et la négociation qu'elle était venue conduire avec lui.

— Mademoiselle Allende…

Avec un charme suranné, Lucas Wheeler porta à ses lèvres la main de Cia. Ce geste mondain suffit néanmoins à déclencher chez elle un trouble soudain. *Non, non et non !* se réprimanda-t-elle aussitôt. Elle ne se laisserait pas séduire ! Hors de question de perdre tous ses moyens à un moment où elle avait au contraire grand besoin de garder la tête froide.

Vite, elle retira sa main.

Un peu surpris par la brusquerie de son geste, Lucas la dévisagea un instant en silence, puis lui adressa un sourire malicieux.

— Enchanté de faire votre connaissance, Cia Allende. Dans le genre « Barbie », vous êtes extrêmement charmante !

« Le genre Barbie » ?

Lucas se moquait-il d'elle avant même de lui avoir adressé la parole ?

Elle releva le menton d'un air impertinent.

— Et vous, dans le style potiche de son ami Ken, vous n'êtes pas mal non plus ! rétorqua-t-elle du tac au tac, très vexée d'être assimilée à ce parangon de la vacuité féminine.

Par chance, Mme Wheeler, occupée à parler avec une de ses invitées, n'entendit pas cette réplique que Cia regrettait déjà. Encore une fois, sa langue avait fonctionné plus vite que son cerveau… Décidément, elle n'était pas faite pour les mondanités, et encore moins pour séduire les beaux partis de Dallas. Pourvu qu'elle n'ait pas tout gâché avant d'avoir commencé sa tractation !

Il ne broncha pas. Il se contenta d'examiner Cia de la tête aux pieds, d'un regard à la fois incrédule et amusé, puis levant un sourcil, il répliqua :

— Bravo, mademoiselle Allende. J'ai en effet toutes les qualités de Ken, plus une : une carapace à toute épreuve. On peut me lancer toutes les piques du monde, elles glissent comme l'eau sur les plumes d'un canard.

Elle se retint d'éclater de rire et se força à froncer les sourcils. Pas question de céder si peu que ce soit au charme de ce bel homme plein d'esprit. Si elle l'avait choisi parmi bien d'autres candidats, c'est parce qu'elle pensait pouvoir éviter ce piège. Tout ce qu'elle avait lu sur lui dans les journaux et sur internet l'avait amenée à conclure qu'il était mondain et superficiel, en d'autres termes, pas du tout son genre.

Lucas n'était pour elle rien d'autre que le moyen destiné à lui permettre de sauver la vie de nombreuses femmes. C'était là le seul et unique but du mariage qu'elle allait s'appliquer à négocier avec lui.

Cette pensée lui permit de respirer plus tranquillement et, rassérénée, elle afficha un sourire bien élevé. Comme Lucas lui répondit de la même manière, elle reprit confiance en elle et en sa mission. Après tout, sa relation avec lui devait être une relation d'affaires, rien de plus.

Rien de plus..., se répéta-t-elle en espérant que ses mains s'arrêtent de trembler.

— Je dois reconnaître que vous portez le smoking bien mieux que Ken, lança-t-elle pour montrer qu'elle pouvait être aimable.

— Tiens ! Si je ne me trompe, voilà qui ressemble fort à un compliment...

La tête inclinée sur le côté, il s'était un peu penché vers elle.

— Si nos parents se connaissaient, comment se fait-il que nous ne nous soyons jamais rencontrés ?

Il avait parlé d'une voix un peu rauque, marquée de cet accent texan qui évoquait aussitôt les longues chevauchées sous le soleil dans des paysages arides et splendides.

Elle soutint le regard bleu-gris, consciente de la soudaine faiblesse qu'elle ressentait dans ses genoux.

— Je ne sors pas beaucoup.

— J'espère au moins que vous savez danser le slow ! enchaîna Lucas en l'entraînant vers la piste où les invités évoluaient au son d'un orchestre de jazz installé sur une estrade.

— Je manque de pratique…

Au demi-sourire coquin qui se dessina sur le visage de Lucas, elle fut parcourue d'un frisson.

Etait-il en train d'imaginer les cours privés qu'il avait l'intention de lui donner ?

Elle commençait déjà à regretter d'avoir tout fait pour le rencontrer. Les hommes dans le genre de Lucas, habiles à séduire les femmes avant même qu'elles en aient eu conscience, représentaient un danger pour quelqu'un comme elle qui ne savait pas protéger son cœur, même quand elle s'était promis de le faire.

Mais l'objectif qu'elle s'était fixé valait tous les sacrifices. Elle en avait déjà fait et en ferait encore pour venir en aide aux femmes en difficulté. Sa mission était de réaliser le rêve de sa mère en créant un nouveau refuge. Tant pis pour elle si l'homme avec lequel elle espérait conclure un mariage blanc avait un charme redoutable. Il lui suffirait de redoubler de prudence et de se protéger.

Afin de se donner un peu de courage, elle inspira profondément avant d'exposer son projet.

— Je suis venue vous trouver ce soir parce que j'ai une proposition à vous faire.

Un sourire assassin se dessina sur le visage de Lucas.

— J'adore qu'on me fasse des propositions !

Elle sut tout de suite que ce sourire bien trop séduisant était ce qu'elle aimait le moins chez lui. Ce sourire était trop dangereux. Beaucoup trop dangereux de la part d'un homme avec qui elle n'envisageait qu'un mariage de convenance.

— Ce n'est pas le genre de proposition à laquelle vous vous attendez, précisa-t-elle. Je tiens à être bien claire sur le sujet, et j'insiste sur le fait que mon offre est à des lieues de ce que l'étincelle qui brille dans votre regard me laisse imaginer.

— Ah bon…, rétorqua-t-il avec une mine déçue, mais un éclat machiavélique dans le regard. Dans ce cas, je ne sais plus si je suis si intéressé par ce que vous avez à me dire.

Il se tapotait les lèvres d'un index dubitatif. Son parfum boisé parvenait jusqu'aux narines de Cia, ce qui ajoutait encore à son trouble.

— Et moi, je suis sûre que vous allez l'être, assura la jeune femme en faisant un pas en arrière dans l'espoir d'échapper à la séduction qui émanait de son interlocuteur.

Allons… D'après le résultat de ses recherches, il le serait sans aucun doute. Elle avait méticuleusement épluché tous ses dossiers et soumis son choix au contrôle de Courtney, sa meilleure amie et collaboratrice, avant de se décider pour Lucas.

Evidemment, à ce stade de sa sélection, elle n'avait pas prévu que le candidat retenu allait lui tourner la tête aussitôt rencontré.

— Je vais aller droit au but, poursuivit-elle. Vous savez peut-être que chaque jour, des centaines de femmes souffrent de violences domestiques. Mon but est de les aider à s'y soustraire en leur offrant un lieu où elles pourront se réfugier pour se construire une nouvelle vie, loin des hommes qui les ont maltraitées. Les maisons d'accueil dont nous disposons actuellement sont saturées. Nous avons besoin d'en construire une nouvelle. Grande. Qui va nécessiter beaucoup d'argent. C'est à ce stade que vous allez intervenir.

Les refuges dont Cia parlait abritaient en effet plus de pensionnaires que les normes de sécurité ne l'autorisaient. Tôt ou tard, ces violations de la loi allaient se savoir, et les conséquences de cette découverte seraient dramatiques pour les pensionnaires. Lucas Wheeler pouvait changer cela.

Le visage de Lucas, si avenant tout à l'heure, se ferma brusquement. Il secoua la tête.

— Désolé, mais il est hors de question que je vous donne de l'argent. Vous frappez à la mauvaise porte.

Elle se redressa, pleine d'aplomb tout à coup.

— Rassurez-vous, votre argent ne m'intéresse pas ! J'ai ce qu'il faut à la banque, mais il me manque la possibilité d'y avoir accès. Une fois ce problème réglé, je pourrai faire construire le refuge sans l'aide de personne, ni bienfaiteurs ni investisseurs. Je n'aurai même pas besoin de faire d'emprunt.

Le ton agressif sur lequel elle avait parlé la surprit, mais il y fut sensible, car il réagit aussitôt.

— Dans ce cas, ma chère Cia, je ne vois pas comment je pourrais vous être utile.

Il se tut et se frotta le menton. L'étincelle coquine se ralluma dans son regard.

— En revanche, si vous décidez de me faire une

proposition, disons… plus classique, n'hésitez pas à revenir vers moi.

Puis il s'éloigna en direction d'une créature de rêve, splendide dans sa robe en lamé, qui semblait attendre que le plus beau parti de la soirée mette Cia hors compétition.

— Attendez, je n'ai pas fini ! se hâta d'ajouter Cia en lui emboîtant le pas, non sans lancer un regard assassin à la belle blonde qui se croyait sa rivale.

Elle le retint par la manche et le força à se tourner vers elle.

— Mon argent est immobilisé à la banque. Pour en disposer, je dois attendre d'avoir trente-cinq ans, ce qui représente une éternité, puisque je n'en ai que vingt-cinq. L'autre solution est de me marier.

— Vous marier ? demanda Lucas en écarquillant les yeux de surprise. Je ne vois vraiment pas le rapport !

— Il existe pourtant, car si mon mari décide de divorcer, l'argent me reviendra. Il suffit pour cela que le mariage ait duré six mois. Donc, contrairement à ce que vous dites, vous pouvez être très utile en devenant le mari dont j'ai besoin.

Il eut un petit rire méprisant.

— Le mariage, l'argent ! Les femmes n'ont que ce mot à la bouche, et vous comme les autres !

— Vous faites fausse route. Je suis au contraire l'exception à la règle. Les autres femmes essaient de garder un mari, moi, je souhaite m'en débarrasser au bout de six mois. Vous ne trouvez pas ça original ?

Le regard gris-bleu de Lucas la fixait avec une attention qui la troublait bien plus qu'elle ne l'aurait souhaité. D'une main, elle repoussa la masse de ses cheveux bruns, comme pour reprendre possession d'elle-même. Si elle voulait garder le contrôle de la situation et ne pas souffrir, elle devait se montrer vigilante.

— Soyez honnête, poursuivit-elle, et reconnaissez que vous avez autant besoin de moi que moi de vous.

Il afficha un air extrêmement surpris.

— En voilà une affirmation originale. Que voulez-vous dire au juste ? Je meurs d'envie d'entendre vos explications.

— Vous avez bien été obligé de vendre quelques-unes de vos propriétés récemment ?

A ces mots, il se raidit et redressa ses larges épaules, ce qui le fit paraître encore plus grand et séduisant. Elle serra les poings. Pourquoi était-elle aussi sensible au physique de celui qu'elle avait choisi comme associé ?

Cette fois pourtant, il ne semblait plus vouloir plaisanter.

— Qu'est-ce que mes affaires ont à voir avec l'immobilisation de votre fortune ?

Elle haussa les épaules d'un air désinvolte, comme si la réponse tombait sous le sens.

— C'est tout simple, et je vais vous l'expliquer en deux mots : vous êtes dans une situation financière critique, j'ai besoin d'un divorce. Nous pouvons nous aider mutuellement, et je ferai en sorte que vous n'ayez pas à regretter d'avoir accepté.

Elle s'efforçait de se montrer convaincante, mais comme elle sortait peu et n'éprouvait aucun plaisir à flirter, elle manquait totalement d'expérience quand il s'agissait d'avoir recours aux armes de la coquetterie. Heureusement, elle savait qu'elle disposait d'une monnaie d'échange que son interlocuteur ne pourrait pas refuser.

— Un instant !

Lucas venait d'interpeller une serveuse. Il débarrassa Cia du verre de punch qu'elle avait toujours à la main, s'empara de deux coupes de champagne posées sur le plateau et se tourna vers elle.

— Venez, je vous accorde un moment d'attention, mais je préfère que nous allions discuter dehors. Tout à coup, j'ai besoin d'un grand bol d'air frais. Et d'un gilet pare-balles... histoire de résister au revolver que vous venez de braquer dans mon dos.

En se dirigeant vers l'une des portes-fenêtres, ils passèrent à côté de Matthew, le frère de Lucas. Le clin d'œil que Matthew adressa à son frère en disait long sur ce qu'il supposait être les intentions de ce dernier vis-à-vis de la jeune femme qui l'accompagnait.

Lucas lui rendit son clin d'œil. Après tout, mieux valait sauver les apparences. Ce soir pourtant, contrairement à ce qui se passait d'habitude, ce n'était pas la perspective de quelques baisers ou de caresses plus hardies échangées dans l'obscurité qui occupait son esprit. Loin de là...

La jeune femme brune, au demeurant très charmante, qui venait de lui faire une proposition des plus intrigantes méritait qu'il l'écoute avec attention. Certes, elle avait les mensurations d'une Barbie parfaite, mais plus d'idées dans sa jolie petite tête qu'il ne l'aurait imaginé de prime abord. Il posa les verres sur une petite table en fer forgé placée sur le grand balcon du club pendant que Cia s'asseyait en face de lui.

Cette fois, il prit tout son temps pour la regarder. Cia Allende était plus que charmante, elle était très belle. Mais sans doute aussi un peu dérangée... Son discours était des plus étranges. A quoi devait-il s'attendre maintenant ?

— Tenez, proposa-t-il en lui tendant une coupe. Vous boirez bien un peu de champagne avec moi ?

Elle fut la première surprise de voir qu'elle l'acceptait sans hésiter.

— Oui, merci.

Vingt-cinq étages plus bas, dans la rue en contrebas, une sirène résonna. L'air frais du mois de mars les rafraîchissait agréablement. Lucas se détendit un peu. Après tout, même si, comme il le pensait, rien ne sortait de cette entrevue, elle avait au moins le mérite de lui permettre d'échapper un moment à la chaleur étouffante de la salle de bal. Pourtant, quelque chose lui disait qu'il risquait de ne pas en sortir indemne.

Elle trempa ses lèvres dans le liquide blond, puis releva la tête, bien consciente que c'était elle qui menait le jeu.

— Bon, maintenant que j'ai toute votre attention, vous allez m'écouter soigneusement. Ce que je vous propose est un contrat d'affaires, et rien de plus. Il implique que nous nous mariions pour l'administration et les apparences. J'ai bien dit, pour l'administration et les apparences seulement. Six mois plus tard, vous demandez le divorce, et le tour est joué. Pendant ce temps, vous aurez largement le temps de vous refaire une réputation, et j'aurai accès à mon argent.

Il plissa les lèvres.

Me refaire une réputation ?

Il aurait bien aimé pouvoir répondre qu'il se souciait fort peu de ce que les gens pensaient de lui ! Mais hélas, il était un Wheeler. Un siècle plus tôt, son arrière-grand-père avait fondé la Wheeler Family Partners, qu'il avait implantée à lui seul dans tout le nord du Texas. Peu à peu, « tradition », « famille » et « commerce » étaient devenus autant de mots synonymes de « Wheeler ».

Il sentit la transpiration glisser lentement le long de sa colonne vertébrale.

— Vous plaisantez, n'est-ce pas ? Ma réputation est parfaitement honorable. Je ne dois rien à personne.

Mais la jeune femme brune si joliment moulée dans son fourreau de velours noir ne l'entendait pas de cette oreille. Elle le dévisagea à travers ses épais cils sombres.

— Vous en êtes bien certain ? Ne me prenez pas pour une idiote, Lucas Wheeler. J'ai fait des recherches sérieuses. Je sais que vos affaires vont mal, et que pas plus tard qu'hier, vous avez perdu l'appel d'offres pour la construction de l'hypermarché Rose.

Il haussa les épaules en signe d'impuissance, mais elle ne se laissa pas impressionner.

— Ne faites pas l'innocent ! Vous savez parfaitement que vos clients préfèrent travailler avec des hommes qui ne chercheront pas à séduire leur épouse.

— Je ne savais pas que Lana était mariée ! se récria Lucas.

Il se passa la main dans les cheveux, profondément contrarié de voir évoquée cette aventure malheureuse. Quel idiot il avait été ! Il aurait pu se rendre compte que Lana ne l'appelait que rarement, qu'elle ne voulait sortir que dans des restaurants très simples, éloignés du centre-ville, et n'avait jamais demandé à passer la nuit avec lui. Rétrospectivement, il se rendait compte qu'il avait été un véritable imbécile en négligeant autant d'indices.

— Hélas pour vous, elle l'était, reprit Cia, implacable.

Et vous en subirez longtemps les conséquences si vous ne faites pas amende honorable. Ce que je vous propose, c'est une bouffée d'oxygène. Une chance de mettre un peu de distance entre vous et ce scandale grâce à une épouse dévouée, fidèle, qui disparaîtra de la circulation dans six mois. Je ne vous demande pas de coucher avec moi. Ni même de me trouver sympathique. Juste de signer un papier maintenant et d'en signer un autre dans six mois. Voilà, c'est tout.

De nouveau, il plissa les lèvres.

Une bouffée d'oxygène…

Quelle ironie ! Jamais il n'avait autant manqué d'air qu'en cet instant. Le sang s'était mis à battre douloureusement à ses tempes au rythme de la musique de l'orchestre qui jouait de l'autre côté de la vitre.

Même un mariage de convenance aurait des conséquences. Sa mère aurait un infarctus s'il prononçait le mot « divorce ». Son statut de mouton noir de la famille s'en trouverait renforcé, alors qu'il faisait des efforts surhumains pour redorer son blason depuis son inconcevable manque de jugement dans l'affaire Lana. Pourquoi ruiner les quelques progrès qu'il avait réussi à faire jusqu'à maintenant ?

La migraine qui le menaçait paraissait bien décidée à s'installer.

— Ma chère Cia, vous n'êtes pas mon type, et je n'ai aucune envie de jouer le chevalier servant d'une Barbie, même brune.

Un sourire malicieux étira les lèvres pulpeuses de la jeune femme.

— C'est précisément ce qui assure la garantie de notre contrat ! Il n'y a aucune chance pour que nous ayons la tentation de jouer sur le côté physique de notre accord. Pas de liens entre nous, des affaires et uniquement des affaires. Nous deviendrons associés pour une période de temps déterminée, un point c'est tout. Je ne vois vraiment pas ce qui vous fait hésiter.

Lui voyait très bien ce qui le retenait : le mot « mariage ». Pour lui, le mariage appartenait à un horizon lointain. C'était un engagement qu'il prendrait un jour très éloigné, quand il aurait trouvé la femme qui lui conviendrait. S'il acceptait la proposition de Cia, il devrait donner son nom à une étrangère et partager son quotidien avec elle. Voilà qui le tentait fort peu.

Il s'efforça de plaisanter pour gagner un peu de temps.

— Pour parler franchement, laissez-moi vous avouer que je suis très déçu que mon capital de séduction vous laisse aussi insensible. Ensuite, pour parler sérieusement, votre proposition ne peut pas être aussi simple que ce que vous avez l'air de croire. Que se passera-t-il si quelqu'un découvre que notre mariage est un mariage blanc ? Est-ce que vous aurez le droit de toucher votre argent ?

— Personne ne saura de quoi il retourne. Je ne dirai rien à personne. Vous en ferez autant de votre côté. Il nous suffira de faire deux ou trois fois semblant d'être amoureux en public pour que mon grand-père croie à notre histoire. Une fois la porte refermée sur nous, le rideau sera tiré et la comédie terminée. Chacun fera ce qu'il voudra.

— Comme si c'était aussi simple ! Je n'ai jamais entendu parler d'une clause aussi ridicule que celle qui vous empêche de toucher votre argent. Pourquoi faut-il que vous divorciez pour y avoir droit ?

— On ne vous a jamais dit que vous étiez trop curieux ?

Il haussa un sourcil.

— Ma chère, vous venez de me demander en mariage, n'est-ce pas ? Cela me donne le droit de poser quelques questions, il me semble.

— Oui, je le reconnais. D'ailleurs, la réponse est simple. Mon grand-père est extrêmement vieux jeu. Depuis que mes parents sont morts, il rêve de me voir en sécurité, c'est-à-dire, à ses yeux, pourvue d'un mari. Il ne conçoit pas ma vie autrement que la bague au doigt et entourée d'enfants. L'idée d'un divorce ne l'avait même pas effleuré, c'est moi qui ai insisté pour que la clause dont je vous ai parlé soit incluse. Vous n'imaginez pas le mal que j'ai eu à lui faire comprendre que, de nos jours, il arrive malheureusement que les maris abandonnent leur épouse. Heureusement, son souci de me mettre à l'abri du besoin lui a fait accepter que l'argent me revienne dans l'éventualité où mon mari me quitterait.

Il eut un petit sifflement.

— Eh bien… on dirait que votre grand-père vous connaît bien mal ! Moi qui vous parle depuis cinq minutes à peine, je n'arrive pas à vous imaginer comme une petite chose sans défense ! D'ailleurs, pourquoi a-t-il fixé la barre à trente-cinq ans ? C'est le nouvel âge de raison ? Vous ne me paraissez pas le genre de femme à dépenser votre fortune en jetons de casino ou en doses de cocaïne.

Elle rejeta ses longs cheveux bruns en arrière.

— J'ai donné tout mon argent disponible au refuge où je travaille. Mon grand-père n'a pas apprécié cette initiative. Afin de me « protéger de moi-même », comme il dit, il a bloqué le reste de mon héritage. Il me reste largement de quoi vivre, mais pas de quoi faire construire un nouveau refuge. En fait, mon grand-père espère qu'à trente-cinq ans, j'aurai épuisé mes réserves d'enthousiasme pour les femmes battues et que je dépenserai mon argent d'une façon un peu plus normale à ses yeux.

— Je suis persuadé qu'il se trompe !

— Et vous avez raison. Je suis contrariée de devoir recourir à ce simulacre de mariage, croyez-le bien, mais je n'ai pas le choix.

Elle croisa les bras et hocha la tête avant de continuer :

— Comprenez l'enjeu qui suscite ma démarche et vous la trouverez plus raisonnable qu'elle ne paraît.

Comme Lucas paraissait toujours dubitatif, elle revint à la charge :

— Est-ce que je vous demande de sauter en parachute ou d'avaler une dose d'arsenic ? Pas du tout. Seulement de m'aider à sauver des vies humaines, celles de femmes battues qui ne savent où se réfugier. Pour la plupart d'entre elles, la situation est dramatique.

Un silence s'ensuivit.

— Considérez que vous allez participer à une bonne œuvre, insista-t-elle.

— Hé là… qui vous dit que je ne donne pas déjà à des associations caritatives ?

Elle se rendit compte qu'elle avait marqué un point : il s'était mis à réfléchir.

Effectivement, la proposition commençait à retenir son attention. Après tout, six mois étaient vite passés… Aider des femmes en difficulté était un objectif digne de soutien. Son histoire avec Lana l'avait mis dans un sacré pétrin. Bref, il commençait à considérer le projet de Cia sous un angle nouveau.

Il regarda une fois de plus la jeune femme assise en face de lui, son air décidé, son menton volontaire. Qu'est-ce qui lui avait insufflé tant de passion pour cette cause ? Est-ce qu'elle réservait cette flamme à son militantisme ou bien la laissait-elle brûler dans un contexte plus intime ?

A travers la vitre qui séparait le balcon de la salle de bal, il aperçut ses parents et ses grands-parents danser au milieu de leurs amis. S'il se lançait dans cette histoire de faux mariage, sa famille n'aurait-elle pas à souffrir de son divorce ? Sa mère avait eu tant de mal à se remettre du décès d'Amber, la femme de son frère Matthew, qu'elle accepterait sans doute fort mal de perdre sa nouvelle belle-fille.

Pourtant, Cia avait raison de penser que se stabiliser auprès d'une épouse charmante l'aiderait à régler les problèmes soulevés par sa liaison avec Lana. Finalement, il n'aurait qu'une précaution à prendre : veiller à tenir Cia assez éloignée de sa mère pour que cette dernière ne s'attache pas à la jeune femme. Elle adorait Amber et attendait avec impatience que Lucas à son tour se marie pour reporter son affection sur celle qu'il aurait choisie. Il lui faudrait prendre beaucoup de précautions pour que le divorce ne l'affecte pas outre mesure.

Tout de même, cette histoire de mariage blanc lui paraissait compliquée. Jamais sa mère n'accepterait qu'il vienne dîner chez elle sans sa femme !

Il avala une gorgée de champagne. Les fines bulles pétillantes lui rendirent la raison. Allons, assez déliré !

Cia allait trouver quelqu'un d'autre pour jouer le rôle de son mari, et Matthew l'aiderait à trouver de nouveaux clients. La société Wheeler Family Partners avait encore de beaux jours devant elle, malgré les bourdes qu'il avait accumulées ces derniers temps.

— Cia... votre proposition est tout à fait bien pensée, mais je crains malgré tout de devoir la refuser.

— Pas si vite ! J'ai encore un argument de poids à vous soumettre.

— Vraiment ?

— Oui.

— Je vous écoute.

— Vous avez entendu parler du projet de construction de quatre immeubles résidentiels au centre-ville ? Conçus par Brown et Worthington, les deux architectes récemment primés à New York pour leur esprit novateur et leur respect de l'environnement.

— Oui, bien sûr.

— Eh bien, apprenez que c'est mon grand-père qui les commandite. Je suis sûre qu'il serait très heureux de confier leur réalisation à mon mari.

Elle se cala dans son fauteuil et attendit.

En effet, il s'agissait d'un argument de poids. Le projet dont parlait Cia était quatre fois plus important que le chantier Rose. S'il acceptait, au lieu d'être le mouton noir de la famille, celui qui avait mis la société Wheeler en danger, il en serait au contraire le sauveur. Quel superbe renversement de situation !

Tout à coup, le poids qui oppressait sa poitrine depuis plusieurs jours disparut comme par enchantement.

— Si jamais je donne suite à votre proposition, est-ce que j'aurai le droit de vous appeler Dulciana ?

— Non. On m'appelle Cia. Vous ferez comme tout le monde. Est-ce que vous acceptez mon offre ?

Il remua sur sa chaise, mal à l'aise. Devait-il répondre tout de suite ? De toute évidence, Cia ne partageait pas la même philosophie de la vie que lui qui avait tendance à prendre son temps avant de se décider à faire quelque chose.

— Vous êtes bien sûre de ne pas avoir un petit copain dans votre entourage susceptible de se lancer à ma place dans cette histoire ?

— Non, désolée. Aucun n'est à la hauteur. Les hommes qui m'entourent ne sont bons qu'à une chose...

Un silence s'ensuivit. L'atmosphère se fit lourde de sous-entendus.

— ... à déplacer les meubles dans mon salon, un point c'est tout.

Ah ! Voilà donc pourquoi aucun amoureux n'apparaissait dans les fréquentations de Cia, cette belle fille au corps parfait. Si c'était à cela qu'elle les condamnait, il comprenait qu'ils prennent le large avant d'avoir à jouer les déménageurs !

— Mais, reprit-il, pourquoi m'avoir choisi, moi ?

— Parce que si vous avez une réputation de don Juan, vous avez aussi celle d'un homme honnête. Et c'est ce qu'il me faut, puisque le divorce ne peut pas venir de mon initiative. Je suis obligée de vous faire confiance.

Cet aveu le toucha plus qu'il ne l'aurait souhaité.

Il dévisagea avec attention cette jeune femme qui brûlait de passion. Dommage qu'elle paraisse si décidée à ce que leur mariage soit purement platonique ! Pourtant, ses regrets n'étaient que superficiels. En fait, il préférait la compagnie de femmes sans complications et au caractère insouciant. Cia ne semblant pas appartenir à cette catégorie, il était plus prudent d'en rester avec elle à un niveau purement commercial. Il ne s'en porterait que mieux.

— Bon, vous avez gagné, je vous appellerai Cia.

— C'est-à-dire ? Vous acceptez de m'épouser, oui ou non ?

Il eut un petit grognement. Il était au pied du mur, sans savoir à quel moment il avait commencé à entrer dans le jeu de son interlocutrice. Allait-il vraiment épouser une femme qu'il connaissait depuis moins d'une demi-heure ? Même s'il ne s'agissait que d'une comédie, c'était complètement fou !

Fou peut-être, mais avec quantité d'avantages à la clé, ne serait-ce que le contrat Manzanares avec le grand-père Benicio Allende. Impossible de laisser passer cette chance de relancer les affaires familiales. Il savait pouvoir compter sur le soutien indéfectible de son frère Matthew, mais avec le projet de Cia, il n'aurait même pas besoin de l'aide de ce dernier pour réparer ses torts. En fait, ce qu'elle lui proposait était inespéré.

— Non, répondit-il.

— Non ?

Elle parut surprise.

— Vous rejetez ma proposition ?

— Puisque vous tenez tant à ce que notre relation soit strictement professionnelle, je vous obéis à la lettre. Nous nous retrouverons demain matin dans mon bureau pour en étudier tous les détails. A 9 heures précises.

— J'apprécie votre sérieux.

— Bien entendu, les documents seront étudiés par un avocat et un notaire. Et il n'y aura pas de champagne...

Il porta sa coupe à ses lèvres.

Elle le fixa sans mot dire, puis elle en fit autant.

- 2 -

Le lendemain matin, Cia faisait les cent pas dans les couloirs de Wheeler Family Partners depuis vingt minutes, lorsque Lucas fit enfin son apparition. Un sursaut de colère la submergea en le voyant franchir la porte d'entrée tiré à quatre épingles et d'un air parfaitement dégagé. Dire qu'elle avait dû demander à Courtney de la remplacer pour sa permanence au refuge et qu'il n'avait même pas la correction d'arriver à l'heure ! Il le lui payerait. Et d'autant plus cher qu'il avait eu la veille le culot d'insister sèchement sur l'heure précise de leur rendez-vous.

— Bonjour, mademoiselle Allende, lança-t-il de sa belle voix rauque et nonchalante.

Il alla se pencher par-dessus le bureau de la secrétaire.

— Helen, vous auriez la gentillesse d'envoyer au plus vite le devis que j'ai préparé pour la société Kramer ? Laissez-moi cinq minutes pour prendre un café, et conduisez ensuite Mlle Allende dans mon bureau.

La secrétaire hocha la tête en signe d'acquiescement, mais parut tout à fait surprise de voir Cia emboîter le pas à Lucas sans attendre qu'elle l'accompagne comme il venait de le demander.

Cia se dit qu'elle venait de marquer un point. Les clientes avaient-elles l'habitude de se plier aux désirs du patron ? Eh bien, avec elle, il en allait autrement, voilà tout.

Forte de cette décision, elle interpella Lucas.

— Wheeler, je n'ai pas de temps à perdre. Vous n'êtes pas seul à figurer dans mon agenda aujourd'hui. Oubliez le café et conduisez-moi vous-même dans votre bureau.

Deux minutes à peine passées en sa compagnie, et ses nerfs prenaient le dessus ! Voilà qui augurait fort mal de leur relation. Non seulement elle était incapable d'utiliser les atouts traditionnels de la coquetterie féminine, mais en plus, elle perdait son calme au quart de tour. Si elle continuait sur cette lancée, il allait l'envoyer promener vite fait bien fait, sans prendre le temps de considérer tous les bénéfices que le mariage qu'elle lui proposait allait lui apporter.

Comment faire pour se maîtriser ? Si seulement il pouvait s'arrêter cinq minutes d'être si… Lucas, elle réussirait peut-être à tenir sa langue !

Par chance, il ne répliqua pas sur le même ton et se contenta de la considérer en silence pendant qu'elle le dévisageait sans aménité. Ce matin, il avait des cernes sous les yeux et les traits tirés. Par malchance, tout au moins pour la sérénité qu'elle s'efforçait de conquérir, cette mine de noceur faisait paraître son regard encore plus bleu et son visage encore plus viril.

Dépitée, elle se pinça les lèvres. A voir sa tête, il avait dû faire la fête toute la nuit. Et bien sûr, avait quitté à regret et en retard la belle mondaine dont il avait partagé le lit…

Et après ? se dit-elle en haussant les épaules. Cela ne la regardait pas. Tout du moins, pas encore.

Pour mettre fin au silence qui s'était installé, il lui adressa ce sourire éclatant qu'elle avait déjà appris à détester.

— Eh bien, puisque vous êtes pressée, dépêchez-vous de me suivre.

Il se détourna et se mit à avancer au pas de charge dans le couloir, ce qui laissa tout de même à Cia l'occasion d'admirer les kilims turcs qui recouvraient le sol, ainsi que les toiles accrochées sur les murs. Pas de doute, Wheeler Family Partners représentait le dessus du panier parmi les entrepreneurs du Texas. Restait à espérer que Lucas aurait à cœur de préserver cet héritage… sinon, son mariage n'avait plus de raison d'être.

Une idée fixe la taraudait : elle devait absolument le convaincre d'accepter. Ne serait-ce que pour honorer la mémoire de sa mère qui avait tant et tant travaillé pour la cause qu'elle-même défendait maintenant. Hélas, plus elle se le répétait, plus sa nervosité augmentait.

Ils passèrent devant deux portes closes dont les plaques portaient les noms de « Matthew Wheeler » et « Andrew Wheeler ». La porte suivante était ouverte. Lucas y fit entrer Cia qui découvrit un espace viril, assez austère avec ses lambris de bois vernis, son grand bureau de verre et d'acier et les fauteuils massifs en cuir fauve.

Une soudaine envie de fuir s'empara d'elle. Elle se trouvait sur le territoire de Lucas, dépaysée, quémandeuse. Comment parler de mariage à un homme qui collectionnait les conquêtes féminines comme d'autres les coquillages qu'ils ramassent sur la plage ?

Il ne s'agit que d'un accord professionnel, rien de plus…, se rappela-t-elle. *Inutile de trembler comme ça !*

Comme ses jambes la portaient à peine, elle se laissa tomber dans un fauteuil.

— Mon avocate n'a pas pu se libérer ce matin, expliqua-t-elle. Je propose que nous la fassions intervenir un peu plus tard, lorsque nous serons arrivés à un arrangement qui nous convienne à tous les deux.

En fait, elle n'avait même pas contacté cette dernière que la défense d'une des pensionnaires du refuge mobilisait à plein temps. Pourquoi la déranger pour une proposition que Lucas n'avait pas encore acceptée ? Gretchen avait mieux à faire pour l'instant.

— Je comprends, approuva Lucas. Les avocats sont des gens très occupés.

Au lieu de s'installer derrière son impressionnant bureau, il prit place dans le fauteuil voisin de celui de Cia.

Son attitude conciliante n'aida pourtant pas Cia à se détendre. Au contraire, elle serra les dents. Cette manière de faire relevait forcément d'une tactique qu'il avait soigneusement mise au point. Restait à découvrir laquelle.

Pendant qu'elle se torturait les méninges à l'analyser, il sortit une liasse de papiers de la sacoche en cuir qu'il avait posée par terre. Sur ces entrefaites, Helen entra, un plateau à la main. La bonne odeur du café emplit le bureau qui prit tout à coup une allure plus humaine.

Il tendit une tasse à Cia et en prit une lui aussi dont il huma l'arôme avec délice. Puis il tendit les documents à Cia, interdite.

— Qu'est-ce que c'est que tous ces papiers ?

— Le projet de notre contrat de mariage, ma chère.

Vous y trouverez également les termes de notre futur divorce.

Tout en parlant, il l'observait par-dessus le rebord de sa tasse, mais ferma les yeux en buvant sa première gorgée de café, qu'il sembla savourer avec un plaisir inouï.

Surprise d'avoir en main des documents qu'elle n'attendait pas, elle eut un petit rire.

— Vous plaisantez ?

Il se cala dans son fauteuil.

— Pas du tout. Regardez vous-même.

Elle feuilleta le dossier. Il était sérieux : toutes les pièces nécessaires à leur mariage et à leur divorce étaient bien rassemblées.

Elle ne s'y était pas attendue.

— Mais... comment avez-vous pu obtenir tout cela si rapidement ? Votre avocat a-t-il travaillé toute la nuit ?

— Exactement. Vous imaginez bien que je n'allais pas vous laisser vous occuper de toute cette paperasserie !

Super..., se dit-elle en grinçant des dents. *Il a sûrement veillé à ce que chaque terme du contrat soit en sa faveur.*

Si seulement elle avait pensé à préparer son dossier à l'avance ! Elle avait eu tout le temps nécessaire, mais cela ne lui avait pas traversé l'esprit. Quelle idiote ! Dire que les contrats étaient supposés être son rayon ! Heureusement qu'elle s'avérait plus prévoyante quand il s'agissait des femmes du refuge.

— Allez-y franchement, Wheeler. Quelles jolies surprises m'avez-vous préparées là-dedans ?

Il lui sembla soudain qu'un rayon de soleil venait d'entrer dans son cœur. Lucas était entré dans son jeu. Elle avait réussi à lui faire préparer leur mariage ! L'espace d'un instant, une vague d'euphorie lui donna l'impression de flotter sur un nuage.

Désolée, grand-père !

Oui, pauvre grand-père Allende qui avait cru pouvoir l'empêcher de continuer l'œuvre de sa mère en bloquant son argent… Elle avait réussi à déjouer les mesures qu'il avait prises pour bloquer son héritage. Quelle belle victoire !

— Désolé de vous décevoir, répondit Lucas, ce contrat ne contient aucune surprise. Chacun reste propriétaire de ses biens. Tout est écrit là-dedans, noir sur blanc. Vous m'avez mis sur la bonne voie en demandant que tout soit très clair entre nous. J'apprécie cette attitude. Le meilleur moyen de commencer un partenariat, c'est d'être honnête l'un avec l'autre. Voilà pourquoi j'attire tout de suite votre attention sur la page quinze.

Il attendit qu'elle trouve la page en question, ce qui prit plus de temps qu'elle ne l'aurait souhaité, car la présence de Lucas tout près d'elle la troublait au point de rendre ses doigts gourds et malhabiles.

— Voilà, j'y suis. Page quinze.

— Vous voyez, il y est clairement stipulé que vous devrez porter le nom de Wheeler. C'est ma seule exigence, et elle est non négociable.

— Pas question !

Les mots avaient jailli de sa bouche, tandis que ses yeux cherchaient les lignes où figurait l'inacceptable.

— C'est ridicule, insista-t-elle. Notre mariage est une comédie qui ne durera pas plus de six mois.

— Et comme dans toute comédie, chacun doit jouer son rôle.

La logique de son raisonnement était irréprochable, mais elle ne pouvait pas l'accepter. Hors de question. Elle refusait d'abandonner le lien qui la rattachait à ses parents pour se déclarer enchaînée à ce quasi-inconnu chaque fois qu'elle aurait à se présenter. *Cia Wheeler ?* Non, jamais de la vie. D'ailleurs, ce qu'il exigeait était parfaitement démodé.

— Est-ce que je peux au moins utiliser un trait d'union pour relier nos deux noms ?

— Non. Vous vous appellerez Wheeler, comme moi. Pendant six mois.

— Je ne peux pas accepter. Il faut que vous retiriez cette clause du contrat.

Au lieu de discuter, il se leva et lui tendit la main.

— Venez avec moi, je veux vous montrer quelque chose.

Elle refusa l'aide qu'il lui proposait et se leva toute seule. Pour rien au monde elle n'aurait accepté qu'il la touche.

— Qu'est-ce que c'est ?

— Il faut que je vous y amène, ce n'est pas ici.

— En voiture ?

— Oui, en voiture.

— Wheeler, j'ai autre chose à faire que de me promener avec vous !

— Alors, dépêchons-nous !

Sans donner davantage d'explications, il la fit sortir par une porte de derrière qui donnait sur le parking et la guida vers une Mercedes blanche dont il ouvrit la portière côté passager.

Elle s'installa, furieuse, sur le siège en cuir blanc. Lucas Wheeler s'avérait difficile à manœuvrer. Or, son plan ne prévoyait pas que son mari mènerait la barque. D'après les informations qu'elle avait rassemblées sur lui, il ne se préoccupait que de faire la fête et de séduire les plus belles femmes de Dallas. Pourquoi dès lors prenait-il toutes ces initiatives ? Elle commençait à se demander si elle n'avait pas déduit un peu vite de son enquête qu'il était superficiel et sans doute pas très intelligent. Dommage…

Il fit tout de suite démarrer la voiture et s'engagea dans la rue où il se mit à rouler à une vitesse d'escargot. N'osant pas poser de question, elle cala ses mains sous ses cuisses pour éviter de se ronger les ongles d'impatience. Ce qui ne lui évitait pas de devoir respirer le parfum boisé qui émanait de lui et la projetait malgré elle dans de grandes forêts odorantes.

Au bout d'un moment, elle n'y tint plus.

— Si vous m'expliquiez pourquoi vous roulez si lentement ? A cette vitesse-là, nous n'arriverons jamais !

Il lui offrit un sourire plus radieux que jamais.

— Mais ma chère, pourquoi se bousculer ? Tout le plaisir est dans les préliminaires, vous n'êtes pas de cet avis ?

Elle se sentit rougir jusqu'à la racine des cheveux. Le mufle ! Tout à coup, l'habitacle de la voiture lui parut singulièrement étroit, comme s'il n'y avait plus assez de place pour eux deux.

Elle se recroquevilla sur son siège et croisa les bras. Piètre défense contre le trouble qui venait de la submerger. Bien malgré elle, les images de Lucas en train de faire toutes sortes de choses avec une lenteur délicieusement atroce s'imposaient à son esprit.

— Non, pas du tout, répondit-elle enfin. Pour moi,

ce qui compte, c'est le but. Plus on avance lentement, plus on retarde le moment de la réussite.

Il secoua la tête.

— Vous êtes trop stressée. Pourquoi ne pas vous détendre un peu ?

— Pendant que je me détends, il y a des femmes qui souffrent.

Elle soupira, désolée. Jusqu'à maintenant, elle était persuadée d'être immunisée contre les hommes. Elle en avait eu la preuve en plusieurs occasions. Que se passait-il aujourd'hui ?

— Si vous m'expliquiez ce que tout cela a à voir avec mon changement de nom ? Que je n'accepterai jamais, je le répète, quoi que vous ayez prévu de me montrer.

Il demeura silencieux un long moment, suffisamment en tout cas pour qu'elle se dise qu'elle allait souvent devoir ronger son frein en attendant qu'il place ses pions. Bref, leur relation s'annonçait comme une gigantesque partie d'échecs…

— Nous voici arrivés, annonça-t-il au bout d'une éternité.

Elle regarda par la vitre de la voiture. Ils se trouvaient au cœur d'un élégant quartier résidentiel. Lucas s'était garé dans l'allée qui conduisait vers une belle maison située au milieu d'un jardin soigneusement entretenu.

— Arrivés où ? demanda la jeune femme.

— A Highland Park. Ou plus exactement, à notre maison de Highland Park.

— *Notre* maison ? Qu'est-ce que c'est que cette histoire ? Nous n'avons pas besoin de maison ! Vous n'avez qu'à venir habiter chez moi, c'est bien plus simple.

Elle se trouvait dans une situation impossible. Pour

aggraver les choses, la maison était superbe, toute en pierre, avec des fenêtres en demi-cintre et une grande véranda. Non seulement Lucas n'était pas dépourvu de petites cellules grises, mais en plus il avait bon goût. Décidément, les choses allaient de mal en pis !

— Cette maison est disponible en ce moment, reprit-il calmement. Elle me plaît, et elle n'est pas loin du bureau. Si nous voulons que notre faux mariage ait l'air d'un vrai, il nous faut jouer le jeu complètement. Personne ne comprendrait que nous ne nous installions pas ensemble dans une jolie maison.

— Mais… personne ne va se poser cette question !

Pourquoi n'avait-elle pas davantage réfléchi aux implications de son plan et à tout ce à quoi elle devrait consentir pour faire croire que Lucas et elle étaient amoureux ? A sa décharge, elle n'y connaissait rien en matière d'amour. Rien, si ce n'est que quand il disparaissait, on avait le cœur en mille morceaux et aucune envie de récidiver.

Une pensée horrible lui traversa l'esprit.

— Vous n'imaginez tout de même pas que nous allons partager la même chambre !

— C'est vous qui déciderez. Après tout, cette comédie est destinée à votre grand-père. Vous pensez qu'il viendra visiter notre maison pour s'assurer que notre mariage n'est pas une farce ?

— Non, il me fait confiance.

En disant cela, elle sentit son estomac se serrer. Oui, il lui faisait confiance, et elle allait le tromper…

— Dans ce cas, chacun aura sa chambre.

Il sourit. Encore ce sourire de loup si sûr de lui…

Irrésistible. Décidément, la vie s'annonçait bien compliquée !

Il ouvrit sa portière.

— Visitez la maison. Si elle vous déplaît, nous en trouverons une autre.

Cette pensée la réconforta un peu. Lucas pouvait donc se montrer raisonnable, c'était bon à savoir. Il aurait grand besoin de faire preuve de bon sens pour échapper à la folie douce qui s'était emparée d'elle depuis la veille.

Elle descendit de voiture et le suivit jusqu'à la porte d'entrée qu'il ouvrit avec une clé tirée de sa poche.

La grande salle était à couper le souffle avec son plafond cathédrale, sa grande cheminée en acier et ses dalles en marbre blanc. Des meubles s'y trouvaient, recouverts de couvertures de protection, ce qui ajoutait à l'ambiance étrange de la pièce. Des gens avaient vécu ici, puis étaient partis en laissant derrière eux des morceaux de leur vie. Impulsive comme toujours, elle avait envie de découvrir le mobilier, comme si ce geste allait lui permettre de retenir un peu du bonheur qui avait sûrement habité cette belle demeure.

— Alors, elle vous plaît ? demanda Lucas. On continue la visite ?

A voir son air sûr de lui, il connaissait déjà la réponse. Encore une source d'agacement pour elle qui n'aimait pas qu'on devine ce qu'elle pensait. Surtout lorsque ce « on » s'appelait Lucas Wheeler.

— Comment avez-vous découvert cette maison ?

— Les hasards du métier…

— Mais vous vous occupez de constructions !

— Oui, ce qui ne m'empêche pas d'avoir toutes

sortes d'informations sur le marché immobilier. Vous voulez visiter la cuisine ?

— Je parie que vous avez organisé une mise en scène.

Il eut une grimace de découragement.

— Alors là, j'abandonne la partie ! Qu'est-ce qui vous rend si méfiante ? Vous avez oublié de prendre votre petit déjeuner ?

Elle se sentit un peu honteuse de sa réaction.

— Non, c'est que…

Que quoi ? Elle aurait été bien en peine de l'expliquer.

Profitant du calme de la jeune femme, il tira de sa poche un écrin de velours noir.

— Et voici votre bague de fiançailles.

Elle sentit son cœur s'immobiliser dans sa poitrine. Dans sa vie, le romantisme n'avait pas de place. Seule comptait la réalité. Jusqu'à maintenant, épouser Lucas n'avait été qu'un moyen un peu bizarre de permettre à chacun d'arriver à son but. Voici que tout à coup, les initiatives de Lucas donnaient consistance à ce qui n'était jusque-là qu'une idée abstraite. Tout cela la déstabilisait au plus haut point.

Lucas, ce bel homme au charme duquel elle faisait tant d'effort pour rester insensible, prenait son rôle tellement au sérieux qu'il se tenait devant elle, un écrin à la main. Certes, c'était la première fois qu'on lui offrait une bague de fiançailles, mais ce n'était pas une raison pour se laisser émouvoir.

— Nous n'avions pas parlé de bague. Je vais vous en payer la moitié.

— Non, considérez ce bijou comme un cadeau.

— On ne fait pas ce genre de cadeau en affaires.

— Si cela doit vous permettre de vous sentir mieux, vous me la rendrez à la fin.

— Vous pouvez y compter !

Un peu calmée, elle se sentit mieux disposée à son égard.

— Voyons, Lucas, il n'est même pas midi et vous m'avez déjà mis en main les contrats, proposé une maison et offert une bague. Est-ce que par hasard vous n'auriez pas prévu d'épouser quelqu'un d'autre que moi ? Ou alors… vous avez une personne de confiance d'une efficacité redoutable.

Une fois encore, elle considéra les cernes mauves sous ses yeux. Soudain, elle en comprit la raison. Il n'avait pas passé la nuit à faire des folies sous la couette, mais à tout organiser pour que leur rencontre de ce matin se déroule au mieux. Il s'était même débrouillé pour se présenter impeccable, même si c'était avec vingt minutes de retard.

Et alors ? Elle n'allait pas se laisser impressionner, même s'il avait déplacé ses rendez-vous de la matinée pour elle.

— Hier soir, vous m'avez proposé un partenariat, reprit-il. Cela signifie que chacun de nous apporte tous ses atouts dans l'affaire. C'est ce que je suis en train de faire. Et je constate que vous avez bigrement besoin de moi, parce que vous voulez que tout le monde croie à notre mariage, mais vous n'avez rien envisagé pour que ce soit possible.

Cette critique la piqua au vif. En effet, elle n'avait aucune expérience de ce qu'impliquait un mariage. Où l'aurait-elle acquise ? Chaque jour, elle se rappelait que l'amour, c'était pour les autres, pour celles qui n'attendaient pas d'un homme qu'il répare tous leurs manques affectifs, comme elle après la mort de ses parents. Bref, ni l'amour ni le mariage ne la concernaient.

— Je n'ai aucune expérience en la matière, s'excusa-t-elle. Tous les jours, j'aide des femmes à quitter leur compagnon et je les oriente vers une vie indépendante. Ce n'est sans doute pas la meilleure préparation au mariage.

— J'avoue que j'ai un peu plus d'entraînement que vous. Ça fait bientôt trente ans que je vis avec mes parents qui sont mariés, j'ai aidé mon frère à préparer son mariage, et je travaille tous les jours avec des collègues mariés.

Tout en parlant, il s'était rapproché de la cheminée près de laquelle elle se tenait. Il était près d'elle maintenant. Tout près. Lorsqu'il tendit la main pour écarter une mèche de cheveux de son visage, elle fit un bond en arrière.

— Hé là ! s'exclama-t-il. Les gens mariés ne réagissent pas comme ça ! Ils se touchent. Et en plus, ils aiment ça. Et ils ne se vouvoient pas non plus. Il va falloir t'habituer à tout ça, ma chère.

Il avait raison, le bougre…

Puisqu'ils allaient devoir jouer les tourtereaux en public, il faudrait bien qu'ils s'entraînent un minimum en privé. Elle se rassura un peu en se disant qu'ils n'avaient pas besoin de commencer tout de suite.

Pour l'instant, elle s'appliquait à se tenir loin du champ magnétique que le corps de Lucas créait chaque fois qu'il était près d'elle. Si jamais elle cédait à son attirance, c'en était fait d'elle. Insidieusement, des sentiments suivraient, et ensuite elle aurait le cœur brisé, comme la dernière fois.

— La maison me convient très bien. Je partagerai le loyer avec vous… avec toi.

— D'accord. Et maintenant, si tu regardais la bague ?

— C'est inutile, elle est parfaite.

— Elle a peut-être besoin d'être mise à ta taille. Essaie-la.

A contrecœur, elle se décida à ouvrir l'écrin et à enfiler la bague. Il lui fallut se mordre la langue pour retenir l'exclamation de plaisir qu'elle éprouva en découvrant le diamant étinceler dans le rayon de soleil qui entrait par la porte de la maison grande ouverte.

— Assez tape-à-l'œil, commenta-t-elle de façon très hypocrite, car elle trouvait le bijou sublime. Pas du tout dans le style de ce que j'aurais choisi.

Il éclata de rire.

— Encore une preuve que je suis indispensable. Apprends, ma chère Cia, que ce sont les hommes qui choisissent les bagues de fiançailles, pas les femmes ! Celle-ci reflète mon goût, comme il se doit.

Elle soupira. Voilà à quoi elle s'engageait pour six mois. Cette bague serait là à tout moment pour lui rappeler qu'elle était la femme de Lucas Wheeler. Et, par la même occasion, le signaler au monde entier.

La veille, elle lui avait proposé un partenariat sans réfléchir à la mise en scène indispensable pour le rendre crédible. Aujourd'hui, elle réalisait que Lucas avait été plus sérieux qu'elle, puisqu'il avait réussi en un temps record à rattraper tous ses oublis. Au lieu de lui faire la guerre en refusant de porter son nom, elle ferait mieux d'accepter ses conditions sans discuter.

— J'apporterai le contrat à mon avocate cet après-midi. Inutile de modifier quoi que ce soit.

Cia Wheeler.

Cette perspective lui donnait la chair de poule.

Puis elle réfléchit. Porter le même nom que Lucas ne l'empêchait pas de conserver son indépendance. Ce qui comptait, c'était l'accès à son argent qui lui permettrait de construire le refuge souhaité par sa mère. Le vrai lien avec ses parents résidait là, pas dans le fait de porter le nom d'un autre. Et de toute façon, sitôt le divorce prononcé, elle reprendrait son nom de jeune fille.

Elle leva un visage apaisé vers Lucas.

— Quand est-ce que nous emménageons ?

- 3 -

Sur la pointe des pieds, Cia pénétra dans le bureau de son grand-père, afin de ne pas interrompre son travail. La tête penchée sur son bureau, Benicio Allende continuait à écrire comme il l'avait toujours fait, sur un bloc de papier jaune pâle, le stylo à la main. A soixante-douze ans, ses facultés étaient intactes, mais il refusait d'avoir recours aux nouvelles technologies.

Elle sentit son cœur se serrer à la pensée qu'elle allait lui mentir. *C'est pour la bonne cause,* se dit-elle, et elle s'avança dans la pièce.

Son grand-père se redressa, croisa les mains et fixa sa petite-fille de son regard perçant.

— Quel bon vent t'amène aujourd'hui ?

Il n'insista pas sur le fait que sa visite était inhabituelle, et elle lui en fut reconnaissante. A part une égale aversion pour tout ce qui relevait de l'inutile, ils n'avaient rien en commun. Lorsqu'elle était venue vivre chez lui après la mort de ses parents, l'ajustement avait été difficile pour l'un comme pour l'autre. A vrai dire, il s'était toujours comporté à l'égard de son fils davantage comme un patron d'entreprise que comme un père attentif et aimant. Toute petite déjà, elle avait compris qu'il ne serait jamais le genre de grand-père qui offre des bonbons ou raconte des histoires. Elle s'y était habituée et avait appris de lui ce qu'il faut faire pour réussir ce qu'on entreprend.

— Bonjour, *abuelo*. J'ai une grande nouvelle à t'annoncer.

Benicio Allende tendit l'oreille.

— Je vais me marier.

Elle n'en dit pas davantage. Les rares coups de fil qu'ils échangeaient de temps à autre et les quelques dîners qu'ils partageaient n'avaient jamais été propices à des échanges concernant la vie sentimentale de Cia. Mieux valait lui laisser poser les questions qui lui viendraient à l'esprit.

— Avec qui ?

— Lucas Wheeler. De Wheeler Family Partners.

Et elle exhiba le diamant qui brillait à son annulaire gauche. En fait, elle avait oublié de le mettre le matin même en partant et avait vite rebroussé chemin pour aller le chercher. Une jeune femme heureuse d'être fiancée ne pouvait pas sortir sans la preuve de son engagement !

— C'est une famille honorable. Tu as bien choisi.

Comme il appuyait ses paroles d'un hochement de tête satisfait, elle se sentit soulagée. Apparemment, les rumeurs concernant Lucas et son aventure avec une femme mariée n'étaient pas parvenues jusqu'à lui. Il est vrai que son grand-père ne prêtait pas l'oreille aux ragots, mais mieux valait s'en assurer.

— Je suis heureuse que tu approuves ma décision.

La vieille pendule posée sur le bureau égrenait son tic-tac régulier. Rien n'avait changé dans cette pièce depuis des siècles. On aurait dit que le temps s'était arrêté dans cette sorte de sanctuaire.

Benicio se laissa aller contre le dossier de son fauteuil.

— Je suis surpris qu'il ne t'ait pas accompagnée pour que tu me le présentes.

Lucas avait insisté pour venir avec elle, mais craignant que son grand-père ne croie pas l'histoire qu'ils avaient concoctée tous les deux, elle l'en avait dissuadé.

— Je voulais d'abord t'annoncer moi-même la nouvelle. Tu crois peut-être que je me suis décidée sur un coup de tête, mais ce n'est pas le cas. J'ai déjà fréquenté Lucas il y a quelques années. Ensuite, nous nous sommes tournés vers des centres d'intérêt différents et nous nous sommes éloignés l'un de l'autre, mais il ne m'a jamais oubliée. Quand nous nous sommes retrouvés il y a quelque temps, c'était comme si nous ne nous étions jamais séparés.

Seigneur... Quand elle avait mis au point cette histoire avec Lucas, elle ne lui avait pas semblé aussi romantique, mais son grand-père ne parut pas soupçonner qu'elle relevait de la pure imagination.

— Quand tu parles de « centres d'intérêt différents », j'imagine que tu fais allusion au refuge ?

Il regardait sa petite-fille en fronçant les sourcils. La façon dont elle avait pris à cœur la passion de sa mère lui avait toujours déplu. Chaque fois qu'il en avait l'occasion, il ne manquait pas de le lui rappeler et en profitait pour lui décrire la vie qu'il estimait devoir être la sienne.

— J'espère que tu vas maintenant te consacrer à ton mari, comme toute bonne épouse se doit de le faire.

Tu peux toujours rêver...

Mais tant mieux s'il était persuadé que le fait d'avoir un mari l'aiderait à tourner la page et du refuge et de la mort de ses parents. Sa façon à lui de faire le deuil de son fils et de sa belle-fille avait été de les bannir de son esprit. Dès lors, que Cia fasse le sien en reprenant à son compte l'engagement de sa mère lui avait paru inacceptable. Malgré les multiples explications qu'elle lui avait données, il refusait de comprendre que son dévouement auprès des femmes en grande difficulté lui apportait plus de satisfaction que ne pourrait jamais le faire un mari.

— Je ferai de mon mieux pour être l'épouse qui conviendra à mon mari.

Quelle hypocrite elle faisait ! Heureusement que son grand-père n'avait pas le pouvoir de lire dans ses pensées.

— Je te félicite. Cette union me plaît. La fortune des Wheeler est ancienne et bien établie.

Elle traduisit immédiatement : « Je suis heureux que tu n'aies pas choisi un coureur de dot. » C'était pour cette raison d'ailleurs qu'il avait refusé de lier la mise à disposition de l'héritage de ses parents à son mariage. En se rappelant ce fait, elle sentit sa culpabilité s'évanouir. S'il lui avait fait confiance, elle n'aurait pas eu besoin d'inventer de faux mariage.

— Je suis heureuse que tu sois content.

— Tu sais, je ne veux que ton bonheur, répliqua-t-il.

Sans doute, se dit-elle. Le problème était qu'ils n'avaient pas la même conception du bonheur !

— Je ne comprends toujours pas le besoin que tu as de te dévouer pour ce refuge, reprit Benicio Allende, mais une fois que tu te seras installée, tu pourras continuer à y faire quelques heures de bénévolat toutes les semaines. A condition bien sûr que ton mari soit d'accord.

— Nous avons déjà réglé la question, Lucas et moi, mais je te remercie pour ta suggestion. Au fait, nous avons choisi de nous marier civilement, sans aucune cérémonie.

La réaction ne se fit pas attendre.

— Comment ça ? Tu ne te maries pas à l'église ?

Elle se doutait que cette nouvelle contrarierait son grand-père, mais elle avait prévu une parade.

— Lucas est protestant.

— Ah… je comprends.

Quatre jours plus tard, debout sous la véranda de l'ancienne maison de Matthew, ou plus exactement, de la maison qu'il allait occuper avec Cia, Lucas regardait la Porsche rouge de la jeune femme arriver dans l'allée.

C'était un excellent moyen d'oublier un moment le texto que son frère venait de lui adresser :

Marché Schumacher perdu.

Lucas avait apprécié que son frère n'ait pas ajouté : « à cause de toi ».

Matthew, il est vrai, n'était pas homme à faire des reproches, mais cette mansuétude fraternelle ne faisait qu'aggraver la culpabilité de Lucas.

En voyant Cia descendre de voiture, il eut un long sifflement admiratif.

— Tu ne t'es jamais demandé combien on pourrait nourrir de petits Africains avec les dollars que tu as dépensés pour ta voiture ?

— Arrête tes bêtises, Lucas, répliqua-t-elle en claquant la portière, ce qui fit valser sa queue-de-cheval. Mon grand-père m'a offert cette voiture à la fin de mes études, et de toute façon, je ne peux pas rester sans voiture !

— Sans compter que ma fiancée-toujours-pressée doit apprécier les reprises fantastiques de son superbe engin.

L'air maussade, elle s'avança vers Lucas qui ne se laissa pas impressionner par cette marque de mauvaise humeur.

— Un petit sourire, s'il te plaît ! Tu imagines comme notre vie va être ennuyeuse pendant les six mois à venir si tu fais cette tête !

— Elle le sera de toute façon, inutile de rêver. Dire qu'en cadeau de mariage, mon grand-père nous offre une villa à Majorque…

Lucas écoutait à peine ce qu'elle lui disait. Chaque fois qu'ils s'étaient retrouvés depuis la soirée d'anniversaire de sa mère, elle était habillée comme l'as de pique, les cheveux détachés. Aujourd'hui, en revanche, sans doute parce que c'était le jour où ils emménageaient, elle portait un T-shirt rose vif et un jean qui l'un et l'autre moulaient parfaitement ses jolies formes.

— Demande à ton grand-père de faire une donation comme nous en étions convenus. C'est ce qu'ont fait mes parents. Pourquoi seraient-ils les seuls à suivre les règles que nous avons établies ?

— C'est ce que j'ai fait. Mais va faire entrer dans la tête de mon grand-père quelque chose qu'il n'a pas décidé lui-même, c'est im-pos-si-ble !

Elle haussa les épaules en signe de découragement.

— En revanche, il se réjouit de notre mariage, et il a gobé toute notre histoire sans sourciller.

— Dis donc, protesta Lucas, tu oublies la réputation honorable de ma famille depuis des générations. Je suis un beau parti, ne l'oublie pas ! Pourquoi ne se réjouirait-il pas de ton choix ?

— Tu veux la vérité ? Je te la dis toute crue : parce que tu as une réputation de coureur et que tu te lances dans des histoires pas possibles qui te retombent dessus.

Elle avait parlé d'un trait, sans respirer, mais au moins il savait ce qu'elle pensait !

— Bon, et maintenant entrons, déclara-t-elle, j'ai envie de mettre en ordre la maison.

D'ordinaire Lucas supportait les reproches, mais il n'avait pas l'intention d'autoriser sa femme à lui en faire, mérités ou non.

— Un instant, ma chère…

Il fit un gros effort pour ne pas attraper le menton de Cia pour l'obliger à le regarder en face et attendit qu'elle le fasse d'elle-même.

— Ecoute… Ne crois pas que je vais te présenter des excuses parce que je suis ce que je suis. Il est vrai que j'ai un faible pour les jolies femmes, tout le monde le sait, mais je n'ai fréquenté personne depuis ma rupture avec Lana. Quand tu sous-entends que j'ai l'intention de coucher avec d'autres femmes pendant que tu as ma bague au doigt, tu me provoques.

Elle parut gênée et à court de mots.

— Je… je suis désolée. Ne te fâche pas, je te promets de tenir ma langue à partir de maintenant.

Il se mit à rire.

— Je ne suis pas fâché, je mettais seulement les choses au point.

Puis il souleva Cia dans ses bras pour lui faire franchir le seuil. Sa peau était douce, et elle sentait la noix de coco et le citron vert. Est-ce que ce parfum exotique était réservé aux jours de déménagement ?

Cia, quant à elle, ne paraissait guère sensible au romantisme de la situation, car de toute son énergie, elle le frappait dans le dos avec son poing fermé. Il n'en fit aucun cas, trop attentif à éprouver contre sa poitrine la douceur des petits seins fermes de la jeune femme.

— Qu'est-ce qui te prend ? rouspétait-elle en gigotant de plus belle. Tu te crois revenu à l'âge des cavernes ?

Indifférent aux coups de poing et aux coups de pied qu'elle lui administrait avec rage, il attendit d'avoir pénétré dans la grande salle pour déposer son récalcitrant fardeau sur le sol de marbre.

— Les voisins nous regardent, mon amour !

En fait, c'était un mensonge, mais il s'était toujours juré que le jour, lointain, très lointain, où il se marierait, il respecterait cette tradition. Le manque de participation de Cia et le fait que le mariage n'ait pas encore eu lieu ne changeaient rien à l'affaire. De toute façon, tout cela n'était qu'un entraînement pour le jour J, le jour de son vrai mariage, où il ferait franchir à sa véritable épouse le seuil de leur vraie maison. Cia n'avait qu'à tenir le rôle qu'elle avait choisi de jouer, il ne lui en demandait pas davantage.

A peine remise sur ses pieds, elle revint à la charge :

— Tu ne respectes pas notre contrat ! Nous avons dit qu'il n'y aurait pas de contact physique entre nous, tu l'as déjà oublié ?

Il eut une grimace.

— Tu appelles ça « un contact physique » ? Attends un peu, je vais te montrer de quoi il retourne dans ce cas-là.

Il s'approcha d'elle, la prit par la taille et la serra contre lui.

— Tu vois, ça, c'est déjà un peu mieux, sans être l'idéal, bien entendu.

— Tu veux bien me lâcher ! Qu'est-ce que tu cherches à faire ?

— Je m'entraîne !

S'il avait légèrement tourné son visage, il aurait pu l'embrasser. Dire que cette bombe sexuelle allait devenir sa femme et qu'il ne l'avait même pas embrassée une seule fois… Et s'il le faisait maintenant ? Ne serait-ce que pour la forcer à se taire ?

Mais Cia, remuant toujours, était proprement intenable.

— Tu t'entraînes à quoi ? protesta-t-elle. Je peux savoir ?

— A faire de nous un couple heureux, ma chérie. D'ailleurs, mes parents nous ont invités à dîner chez eux ce soir en l'honneur de nos fiançailles.

A ces mots, elle s'immobilisa et leva vers Lucas un regard effrayé.

— Je vais être le centre de mire…

Elle s'arrêta de parler, car Lucas ne semblait pas l'écouter.

— Pourquoi est-ce que tu me regardes comme ça ? demanda-t-elle.

— Parce que je découvre que tu n'as pas les yeux noirs comme je le croyais, mais bleu sombre.

— Ma famille vient du nord de l'Espagne, c'est assez fréquent là-bas d'avoir les yeux bleus.

— Il faut que j'apprenne à te connaître ! Je ne sais pratiquement rien sur toi. Qu'est-ce que tu peux me dire pour me renseigner ?

— Eh bien, pour commencer, que je ne suis pas libre ce soir pour dîner chez tes parents. On m'attend au refuge. Apprends qu'il vaut mieux me demander mon emploi du temps avant d'accepter une invitation.

Certes, il aurait dû le faire, mais cela ne lui était pas venu à l'esprit. Les jeunes femmes qu'il fréquentait d'habitude auraient fait attendre le président de la République en personne pour être reçues chez ses parents, mais il n'en avait jamais invité aucune.

— Arrange-toi pour te faire remplacer. Ce repas est très important pour ma mère.

— Désolée, le refuge est important pour moi. Courtney a déjà assuré plusieurs de mes permanences cette semaine, je ne veux pas exagérer.

Elle le regardait maintenant d'un air légèrement supérieur.

— Tu as peut-être du mal à l'imaginer, mais cela n'a rien à voir avec un match de golf prévu avec les copains et qu'on reporte à une autre date.

— Quelle est la différence ?

— Il ne s'agit pas d'un jeu. Les femmes qui viennent au refuge sont terrifiées. Elles vivent dans la peur que leur compagnon les découvre. Leurs enfants se sentent abandonnés dans des locaux qu'ils ne connaissent pas, ils ont perdu tous leurs repères. C'est essentiel pour eux tous de retrouver quelqu'un qu'ils ont déjà rencontré et en qui ils ont confiance, en l'occurrence, moi.

Malgré lui, il se sentit ému par ce tableau. Dans ce registre, elle ne jouait pas la comédie.

— Bon, nous reporterons le dîner à demain soir. Ça te va ?

— Oui, merci.

Il se passa la main dans les cheveux, assez contrarié malgré tout. Sa mère devrait comprendre qu'il fallait négocier avec sa belle-fille. Comme il l'avait craint, son mariage commençait déjà à faire des vagues. Qu'est-ce que ce serait quand il lui faudrait réparer le contrecoup du divorce ?

Ce serait compliqué, il n'en doutait pas, mais il devait en passer par là. Le meilleur moyen d'apaiser la tourmente soulevée par sa relation avec Lana était de prouver qu'il avait trouvé une épouse amoureuse. Sans parler du contrat Manzanares qui faisait partie de leur entente et dont il avait un besoin vital…

A son grand étonnement, il découvrit qu'il se sentait très fier de l'aider à honorer son engagement envers le refuge. Bien sûr, il jouait sa partie, mais si ce mariage de façade lui permettait d'aider des gens à être moins malheureux, il ne pouvait que s'en féliciter.

— Viens, suis-moi, proposa-t-il en lui passant un bras autour des épaules.

Elle ne le repoussa pas.

— Bravo ! Tu n'as même pas sursauté cette fois.

— Je m'entraîne moi aussi.

Parfait… Elle était sur le bon chemin !

Il l'escorta vers la cuisine où tout ce qui risquait d'évoquer Amber avait été retiré par Matthew après l'enterrement. Il y avait bien quelques oublis, par exemple cette jatte à fruits qu'elle avait achetée à une foire artisanale, mais dans le fond, ce n'était pas gênant. Le souvenir de la souffrance de son frère après la mort d'Amber restait très fort dans son esprit. Matthew agissait comme un automate, totalement dépossédé de lui-même.

Lucas ne put s'empêcher de penser qu'un des bons côtés du mariage qu'il s'apprêtait à conclure avec Cia était de le protéger de tout investissement affectif. Voilà qui le mettait à l'abri de bien des souffrances, et ce n'était pas plus mal.

Cette pensée lui insuffla un regain d'optimisme.

— Il me semble que nous avons déjà fait beaucoup de progrès. Tu ne fais plus de plaisanteries douteuses à propos de mes relations passées, et je promets de te demander ton avis avant d'accepter une invitation à dîner. Le reste suivra tout seul. Si tu arrives à faire semblant de m'aimer autant que tu aimes te dévouer pour le refuge, le tour est joué !

Elle lui répondit par un hochement de tête qui le réjouit. Comme elle n'avait pas la moindre idée de ce qu'il convenait de faire pour jouer son rôle d'épouse amoureuse et comblée, elle avait grand besoin de son aide. En plus, la passion qu'elle démontrait pour son engagement le touchait plus qu'il ne s'y attendait. Si seulement elle oubliait un peu sa mauvaise humeur et sa manie de lui envoyer des piques, elle serait tout à fait séduisante.

Mais fallait-il qu'elle le devienne ? Non, mieux valait au contraire qu'elle reste hérissée de piquants, à manier avec précaution. Car si jamais elle se faisait toute douce, comment pourrait-il se retenir d'enfreindre la règle qui leur interdisait toute relation physique ?

Surtout, pas de complications ! Son but était de

remettre l'entreprise Wheeler Family Partners sur ses rails. Cia et lui n'étaient que des partenaires en affaires. S'il savait s'en tenir à son rôle, sa famille lui en serait à jamais reconnaissante, ce qui ne lui était encore jamais arrivé. Pour le rôle qu'elle lui avait proposé, elle méritait qu'il respecte à la lettre les conventions qu'ils avaient signées ensemble.

Pourtant, il se réjouissait qu'elle ait besoin de lui pour être guidée dans leur aventure commune. Après tout, il y avait peut-être bien en lui quelque chose de l'homme des cavernes comme elle l'avait suggéré tout à l'heure…

Avant de partir assurer sa permanence au refuge, elle passa quelques heures à ranger la maison. En fait, elle partit bien avant l'heure prévue parce qu'elle sentait trop la présence de Lucas dans la maison.

Comment allait-elle supporter de dormir si près de lui ce soir ? Et les nuits suivantes ?

C'était ça le problème.

Elle avait rapporté toutes ses affaires personnelles de son appartement avant de le fermer pour six mois. Maintenant, elle habitait avec Lucas. Demain soir, ils sortiraient dîner en tant que M. et Mme Lucas Wheeler. Et lundi après-midi, quelques jours à peine après avoir fait sa connaissance, elle l'épouserait devant monsieur le maire.

Cia Wheeler… Lucas ne lui avait pas posé cinquante conditions. Qu'elle porte son nom était tout ce qu'il avait exigé. Elle était vraiment sotte d'attacher autant d'importance à ce qui n'était qu'un détail !

Afin de s'habituer à son nouveau nom, elle passa

tout le temps libre de sa permanence à s'entraîner à prononcer son nouveau nom à voix haute et à l'écrire des centaines de fois.

En même temps, elle se moquait d'elle, car elle voyait bien qu'elle se comportait comme une adolescente à la recherche de sa signature et de son identité. Mme Lucas Wheeler. Cia Wheeler. Dulciana Alejandra de Coronado y Allende-Wheeler… Comme si son nom décliné en entier n'était pas suffisamment prétentieux à lui tout seul !

Grâce à ce passe-temps, la soirée s'écoula rapidement. C'est presque avec surprise qu'elle vit arriver le bénévole qui devait prendre la relève. Avant de partir, elle alla dire bonsoir à Pamela Gonzalez et voir si son bras cassé la faisait moins souffrir.

La semaine précédente, une infirmière de l'hôpital avait téléphoné pour signaler son cas. Cia étant de permanence, elle s'y était rendue en personne pour rencontrer la jeune femme qu'elle avait elle-même ramenée au refuge. C'est ainsi que s'effectuait le recrutement. L'essentiel étant de tenir les pensionnaires à l'abri d'éventuelles représailles de leurs bourreaux, il était impossible de faire de la publicité pour le refuge en donnant son adresse. Celle-ci était au contraire tenue aussi secrète que possible afin de protéger les femmes qui y arrivaient en mauvais état physique et mental.

Pamela l'accueillit avec bonne humeur, lui assura qu'elle s'entendait bien avec ses trois compagnes de chambre et que son bras cassé faisait partie de l'histoire ancienne puisqu'elle était en train de se tourner vers une nouvelle vie.

Satisfaite de cette entrevue, Cia se résigna à regagner

la maison qu'elle partageait désormais avec son futur mari. Mal préparée à affronter les difficultés qui surgiraient de cette étrange cohabitation, elle appréhendait les heures à venir.

Heureusement, une fois arrivée chez elle, elle vit que la porte de la chambre de Lucas était fermée. Elle poussa un soupir de soulagement. Elle avait donc un peu de répit avant de reprendre son « entraînement » de parfaite épouse. Cette trêve était-elle prévue par Lucas ou était-elle involontaire ? Peu importait, elle était bonne à prendre. Elle se doucha et se mit au lit où elle dormit d'un trait jusqu'au lendemain matin.

Quand elle sortit de sa chambre, Lucas était déjà parti. Elle prit un bon petit déjeuner dans la cuisine qui lui plaisait beaucoup avec ses couleurs chaudes et ses appareils dernier cri.

Puis elle alluma la radio et se mit en devoir de vider les derniers cartons qu'elle avait apportés.

A son retour, Lucas la trouva assise par terre au milieu de piles de livres et de disques. Aussitôt, elle baissa le son, bien consciente que désormais elle ne vivait plus seule et qu'elle devait prendre en considération tout ce qui pouvait affecter Lucas.

— Ah, tu es debout ! dit-il en se laissant tomber sur le canapé.

Il portait ce qui paraissait être ses vêtements de détente : un bermuda et un T-shirt de son équipe de foot préférée, qu'il avait revêtus pour aller courir dans le quartier. Ses cheveux humides avaient maintenant la couleur de l'or sombre.

— Je ne savais pas si tu voulais dormir tard. J'ai

essayé de ne pas faire de bruit, mais je t'ai peut-être réveillée ?

— Pas du tout, ne t'inquiète pas. Nous aurons vite fait de découvrir les habitudes l'un de l'autre.

Elle se releva, massa ses genoux raidis par la position inconfortable qu'elle avait adoptée et alla s'asseoir en face de Lucas dont les longues jambes bronzées lui faisaient face.

— Lucas, j'apprécie vraiment tes efforts pour rendre notre mariage crédible. De mon côté, je te promets de faire mon possible pour assurer mon rôle.

Il lui adressa un sourire d'approbation. Ce qu'il avait en tête ne correspondait sans doute pas à ce qu'elle avait prévu, mais peu importait… Elle était en bonne voie.

Elle tira un papier de sa poche.

— J'ai cherché sur internet le questionnaire que les autorités soumettent aux couples qui se marient pour permettre à leur conjoint de venir travailler aux Etats-Unis. Il m'a semblé que ce serait un bon moyen d'apprendre l'essentiel sur nous deux.

Comme il la considérait d'un air déconcerté, elle ajouta :

— C'est pour faire croire que nous sommes amoureux.

— C'est avec ça que tu espères donner à croire que nous formons un vrai couple ? demanda-t-il, abasourdi. En apprenant par cœur la marque de ma crème à raser ?

— En tout cas, c'est ce que demande le département de l'immigration. Il y a quantité d'autres questions. Par exemple : « De quel côté du lit dort votre épouse ? » ou encore : « Où vous êtes-vous rencontrés ? », etc. Comme tu as remarqué que je n'avais pas la moindre idée de ce qu'impliquait un mariage, je te propose ma contribution. Tu as une autre idée sur la façon de s'y prendre ?

Il parcourut rapidement des yeux la liste de questions.

— Oui. Bien différente.

— C'est-à-dire ?

— Une petite conversation autour d'une bouteille de bon vin, par exemple. Bref, le genre de choses que font les gens qui se fréquentent sérieusement.

— Tu oublies une chose, Wheeler : nous ne nous fréquentons pas sérieusement.

Qu'est-ce que cela aurait impliqué ? Elle préférait ne pas l'imaginer…

— Et en plus, reprit-elle, nous n'avons pas le temps. Tu as oublié que nous allons dîner chez tes parents ce soir ?

— Oui, je sais, mais tu imagines bien qu'ils ne vont pas nous demander de quel côté du lit tu dors !

— Bien sûr. En revanche, ils vont sûrement vouloir savoir comment nous nous sommes rencontrés. Ou pourquoi nous avons décidé si vite de nous marier. Ou bien où nous voulons partir en voyage de noces… Regarde mieux le questionnaire, tout est prévu.

— Ça ressemble trop à l'école, grommela-t-il. Est-ce qu'il y a une session de rattrapage si je me fais coller à l'écrit ?

Elle rejeta ses cheveux en arrière.

— Imagine que mon grand-père soupçonne que notre mariage n'est qu'une mise en scène. Résultat : je n'ai pas accès à mon argent, les femmes battues n'ont pas le refuge dont elles ont besoin et tu n'obtiens pas le contrat Manzanares.

Il resta coi.

Elle en profita pour feuilleter le dossier sous son nez.

— Choisis une question.

— Est-ce que tu me permets au moins d'aller prendre une douche avant de te dévoiler tous mes secrets ?

— Seulement si tu réponds d'abord à la question numéro 18.

Lucas regarda le papier et se leva, prêt à déguerpir dès qu'il aurait répondu.

« Qu'avez-vous en commun tous les deux ? »

Il leva les sourcils et croisa le regard de Cia.

— Mais ça va prendre des heures !

— C'est bien ce que je veux te faire comprendre. Va te doucher et reviens sans traîner.

Ils passèrent le restant de la journée, entre le repas de midi et la discussion au sujet de la robe que Cia porterait pour le dîner, à se poser des questions l'un à l'autre. Lorsqu'elle partit s'habiller dans sa chambre, il l'accompagna afin de ne pas perdre une minute et de s'assurer qu'elle ferait le bon choix.

Epuisée, elle s'était assise sur son lit. Pour plus de sûreté, il s'était mis lui-même à explorer sa penderie, à la recherche de la tenue idéale.

— C'est une catastrophe ! s'exclama-t-elle.

A son grand désespoir, il avait écarté d'emblée ce qu'elle considérait comme ses meilleures tenues, dont il refusait d'admettre le côté pratique.

— Incroyable, grommela-t-il. A part le fourreau que tu portais à la réception et qui serait trop habillé pour ce soir, ta garde-robe tout entière est digne de partir aux puces ! Tu n'as vraiment rien d'autre à te mettre ? Il nous faut remédier à cela au plus vite.

— Ecoute, il n'y a rien dans notre contrat qui exige que je m'habille comme une bimbo, et tu n'as pas la permission de m'acheter des vêtements. Point final. Tu crois qu'on peut aller travailler auprès de femmes démunies en tailleur Prada ?

Il haussa les épaules.

— Je ne te demande pas ton avis. C'est pour sortir avec moi que je t'interdis de porter tes habits de clodo. Et je te mets au défi de trouver quelque chose de plus catastrophique que le contenu de ta penderie.

Elle se mordit la lèvre.

— Inutile. A part être tous les deux nés dans le Texas et avoir fait des études d'économie, nous n'avons strictement rien en commun.

Il s'appuya contre la commode, dans son jean qui mettait en valeur ses cuisses musclées. Il n'en fallait pas plus pour qu'elle sente son cœur se serrer. *Non, cet homme ne me fait absolument aucun effet…* Elle se répéta la phrase deux ou trois fois, comme un mantra destiné à la faire sortir de son état de fascination. Mais le problème était bien là : il était impossible de ne pas remarquer Lucas. Il illuminait la pièce, attirait son regard et piquait sa curiosité.

— Tu as oublié le bourbon, s'exclama-t-il sur un ton triomphant. Nous aimons tous les deux le bourbon.

— Bon, ça fait trois choses au lieu de deux. Tu crois que c'est sur ça qu'on bâtit un mariage ?

Il fronça le nez.

— A mon avis, on ne se marie pas en raison de ce qu'on a en commun, mais parce qu'on a envie de vivre ensemble.

Il avait le ton de qui profère une évidence, et elle

sentait son regard bleu acier la transpercer. Elle n'avait plus qu'une idée en tête : plonger sous sa couette pour échapper au sourire ravageur de cet homme qui allait être officiellement son mari.

Le trouble de Cia ne lui avait sans doute pas échappé, et il profita de la situation pour se jeter sur le lit à côté d'elle, ce qui les fit basculer tous les deux. Une fois allongés l'un près de l'autre, il la prit dans ses bras et la serra contre lui.

Incapable de le repousser, elle ferma les yeux. Son parfum délicieux de sous-bois, la chaleur de son corps musclé, la douceur de ses lèvres contre son oreille et l'érection qu'elle sentait distinctement contre son ventre l'emportèrent dans un tourbillon sensuel qui lui coupa la respiration.

Elle, qui se croyait de glace, se sentait fondre plus vite que neige au soleil. Ah ! Comme il allait être difficile d'ignorer sa féminité pendant les six mois à venir.

Pourtant, éprouver du désir pour un homme qui faisait l'amour comme d'autres jouent au tennis, pour le simple plaisir de pratiquer un sport, ne faisait pas partie de son programme. Elle était au-dessus de ça !

— Arrête ! s'écria-t-elle avant de s'abaisser à le supplier de continuer.

Elle refusait ce genre d'intimité. Avec Lucas comme avec qui que ce soit. Quelques années plus tôt, elle avait appris que ce genre d'abandon se payait cher en larmes et en regrets. Elle ne voulait pas revivre pareille expérience. Jamais.

Il roula sur le côté et fixa le plafond.

— Désolé, Cia ! Je viens de me conduire comme un gamin. S'il te plaît, ne crois pas que je me réduis à ça.

Elle se releva à la hâte.

— Ce n'est rien, inutile d'en faire une histoire.

— Non, ce n'est pas rien, tu es déjà tellement farouche…

Il la regarda, réfugiée entre la commode et un fauteuil.

— Je comprends ! J'y ai mis le temps, mais ça y est. Tu as été victime de mauvais traitements, c'est pour ça que tu es si passionnée pour le refuge.

— Pas du tout. J'ai suivi un cours de self-defence et je te jure que le crétin qui aurait la mauvaise idée de m'attaquer s'en repentirait amèrement.

— Mais alors, pourquoi est-ce que tu as tellement peur qu'un homme te touche ?

— Je n'ai pas peur. Simplement je ne m'intéresse pas à toi sous cet angle.

Non, absolument pas !

Elle haussa les épaules.

— Par-dessus le marché, note bien que ce petit interlude ne peut pas figurer au titre d'entraînement étant donné que nous n'aurons jamais l'occasion de dormir ensemble en public.

Il sourit.

— Compris, chérie… et c'est dommage, parce que j'aurais bien recommencé.

Elle fronça les sourcils.

Il sourit de plus belle.

— On se retrouve en bas à 18 heures ?

Elle aurait aimé se mettre en colère, mais n'y réussit pas.

— Maintenant, sors d'ici et laisse-moi me préparer tranquillement.

Il obéit en riant. Aussitôt, la tension qui régnait dans

la pièce s'évanouit. Ayant retrouvé son calme, elle prit une douche, lava ses cheveux deux fois, sans réussir à se débarrasser de la sensation que les doigts de Lucas y avaient laissée. Désormais, elle empêcherait Lucas de prendre ce genre d'initiatives. Il était trop difficile de feindre l'indifférence.

Par respect pour les parents de Lucas, elle s'attarda à sa table de toilette pour se coiffer soigneusement et se maquiller légèrement. Dieu sait qu'elle ne se donnait pas ce mal pour Lucas ! Au contraire, elle veillerait désormais à éviter tout ce qui risquerait de stimuler sa libido.

Avec un soupir, elle passa à son doigt le diamant que Lucas lui avait offert. Il étincelait.

Avec toute la mauvaise foi du monde, elle se dit qu'elle le détestait.

- 4 -

Pendant que Cia se préparait, Lucas envoya plusieurs e-mails et organisa son emploi du temps pour le lundi suivant. Ensuite, il se doucha avec soin dans l'espoir de faire disparaître le parfum de Cia qui paraissait incrusté dans sa chair et se changea avant de descendre à 18 heures précises. Sa mère attachait une grande importance aux repas pris en famille et elle aimait que ses invités arrivent à l'heure. Autant ne pas la contrarier.

Cia n'était pas encore en bas, ce qui lui laissa le temps de se demander pourquoi son parfum de noix de coco et de citron vert restait aussi fortement imprégné dans son esprit, à la manière d'un tatouage mental. S'il réussissait à s'en débarrasser, il arriverait du même coup à oublier le corps ravissant qu'il avait serré contre le sien et la réaction qui avait suivi.

Pourtant, il n'y avait aucune raison qu'il soit attiré par Cia. En plus, chaque fois qu'il faisait mine de s'approcher, la panique s'emparait d'elle. Voilà qui devait suffire à l'inciter à garder ses distances.

Cia descendit l'escalier, vêtue d'un pantalon noir et d'un chemisier blanc. Une tenue sobre, à défaut d'être sexy, mais parfaite pour un dîner chez les beaux-parents.

— On y va ? demanda-t-il en lui prenant la main.

Il se rendit compte qu'elle tremblait.

— Relax ! Il s'agit seulement d'un repas chez mes parents, pas de nager au milieu des requins. Ni de demander en mariage un homme que tu ne connaissais ni d'Eve ni d'Adam !

— Mes mains tremblaient aussi ce jour-là.

Elle lui adressa un petit sourire malheureux.

— J'ai le trac. Ce repas est plus qu'un repas, c'est une représentation. La première, et nous n'avons pas le droit à l'erreur.

— Allez, calme-toi.

Il porta la main de Cia à ses lèvres et l'embrassa. Elle portait sa bague de fiançailles, et il s'en réjouit. Bizarre, mais c'était comme ça ! Pourquoi chercher à comprendre ?

Sa tenue très sage était tout de même nettement plus élégante que les vêtements informes qu'elle affectionnait pour aller travailler. Dire pourtant qu'elle avait un corps de rêve. Si elle était réellement sa fiancée, il se plairait à imaginer qu'il la déshabillait, avant de se livrer avec elle à des jeux pour lesquels il ne manquait pas d'imagination.

Dans le fond, pourquoi s'en priver ? Elle ne pouvait pas lire dans ses pensées et il y avait des occupations plus désagréables…

Tout en laissant son imagination vagabonder, il la prit par le bras et l'entraîna jusqu'à la voiture. Une fois en route, il revint néanmoins à un sujet de conversation qui lui tenait à cœur.

— Tu vas trouver que je suis curieux, mais si tu n'as pas été personnellement victime de mauvais traitements, il faut bien que quelque chose de précis ait suscité chez toi le besoin de te dévouer aux femmes battues. Qu'est-ce que c'est ?

— Ma tante, répondit Cia sans hésiter.

Ensuite, elle se tut un moment pendant que ses genoux s'agitaient nerveusement.

— Le jour où elle est arrivée chez nous avec une estafilade de dix centimètres sur la joue est resté gravé dans ma mémoire. J'avais six ans, et je n'avais jamais vu pareille blessure. Ni autant de sang.

Elle frissonna, comme si ces images revenaient avec la même intensité que ce jour-là.

— Elle aurait eu besoin de points de suture, mais elle a refusé d'aller à l'hôpital, parce que lorsqu'il y a suspicion de mauvais traitements, le médecin fait un rapport. Elle ne voulait pas que son mari soit arrêté. Ma mère l'a soignée du mieux qu'elle a pu tout en essayant de la persuader de quitter ce sale bonhomme.

Il serra les mâchoires. Quel spectacle pour une gamine de six ans ! Sa plus grosse frayeur au même âge était provoquée par les lézards qu'il regardait courir sur la main de son frère.

— Elle l'a fait ?

— Non.

Elle regardait par la vitre les maisons alignées sur le bord de la route. Qu'y voyait-elle ? Pour lui, chacune d'elles était un ensemble de matériaux divers, assemblés d'une certaine façon et situés dans un certain contexte. Son réflexe professionnel était d'en faire une estimation. Mais elle ? Imaginait-elle la souffrance et la cruauté qui peut-être s'y cachaient ?

— Que s'est-il passé ensuite ?

— Il l'a frappée de nouveau, elle est tombée sur la tête. Après deux mois de coma, elle est morte à l'hôpital.

— Son mari s'en est tiré comment ?

— Il a assuré qu'il s'agissait d'un accident, mais le juge ne l'a pas entendu de cette oreille. Ma mère était effondrée. C'est à partir de ce moment-là qu'elle a mis toute son énergie à faire du bénévolat dans le refuge, bien décidée à faire tout son possible pour sauver autant de femmes qu'elle le pourrait.

— Et tu as décidé de suivre sa voie ?

— J'ai commencé très vite à l'accompagner. J'ai vu comment, grâce à son travail, des femmes rompues retrouvaient le goût de vivre et la force de sortir d'une spirale de violence qui les détruisait. C'est extraordinaire de se dire qu'on a participé à la renaissance d'une personne. Maintenant que ma mère est morte, je prends le relais pour éviter à d'autres femmes de connaître le sort de ma tante.

— Je comprends mieux ton dévouement à cette cause.

— Tu as dit l'autre jour que les gens se marient parce qu'ils ne peuvent pas vivre l'un sans l'autre. Moi, je vois trop souvent le mauvais côté du besoin de l'autre. Certaines femmes n'arrivent pas à se séparer de leur bourreau pour des raisons émotionnelles, et ça me donne des cauchemars abominables.

Il soupira. Il était loin d'imaginer que tant d'histoires tristes se cachaient sous le joli front de Cia. Elle avait découvert trop tôt la souffrance. Personne ne lui avait expliqué que la vie pouvait être agréable, qu'on pouvait s'amuser.

— La prochaine fois que tu fais un cauchemar, viens dans mon lit ! En tout bien tout honneur, je te le jure.

— Merci, mais je préfère compter sur moi-même. Je ne veux pas dépendre d'un homme. C'est pour cette raison que je ne veux pas me marier.

— C'est drôle de t'entendre affirmer ça avec tant de détermination alors que tu portes une bague de fiançailles !

Elle le regarda d'un air de reproche.

— Je veux parler d'un *vrai* mariage. Jouer à être mariée n'a rien à voir avec ça.

— Pour moi, le mariage n'a pas pour but de rendre deux personnes dépendantes l'une de l'autre. Ça peut être beaucoup plus.

Et donc, avec encore plus à perdre…, conclut-il en silence. C'est ce qui s'était passé pour Matthew et Amber, si amoureux, si heureux tous les deux, si pleins de projets. Et tout d'un coup, tout avait disparu. Ne restait plus que la douleur de la perte.

Parfois, Lucas se demandait comment son frère réussissait à survivre maintenant qu'il était seul. La souffrance muette de Matthew, dont il était le témoin quotidien, l'incitait encore davantage à ne vivre que des relations superficielles. Le plaisir, oui. L'engagement affectif, non. Pas question !

Finalement, Lucas avait rendu service à Matthew en insistant pour lui louer sa maison pendant six mois. Ce dernier avait accepté à contrecœur, mais pour faire plaisir à son frère, il avait quitté ce qui était devenu un mausolée dans lequel il restait prisonnier de son deuil. La présence de Cia dans cette maison avait déjà chassé le fantôme d'Amber, exactement comme il l'avait espéré.

Tout à coup, elle se mit à rire.

— Tu te rends compte que je suis la femme qui a

réussi à te faire consentir au divorce avant même de t'avoir épousé ?

Il se mit à rire lui aussi.

— Inédit, en effet !

— Dans le fond, pourquoi est-ce que tu n'es pas déjà marié ?

— J'ai trop peur de tomber sur une enquiquineuse ! Je me marierai sans doute un jour, mais je n'ai pas encore trouvé la femme qu'il me faut.

— Pourtant, d'après ce que j'ai lu sur toi, ce n'est pas faute d'avoir cherché… Qu'est-ce qui n'allait pas chez toutes les femmes que tu as fréquentées ?

— Elles étaient trop possessives.

La seule avec qui il avait envisagé un futur, c'était Lana, précisément parce qu'elle ne se raccrochait pas à lui. Si seulement il s'était demandé pourquoi !

— Je comprends, approuva Cia. Ce genre de femme demande à l'homme de combler tous ses manques.

— Tu te prends pour Freud ?

— Comme tu sais, j'ai fait des études d'économie, mais j'ai aussi une licence de psychologie. Et pas de manque à combler. Bref, je suis la fiancée parfaite !

Il lui adressa un clin d'œil amusé.

— Si tu le dis, pourquoi est-ce que je te contredirais ?

Il fit mentalement l'évaluation de leur situation avec le même professionnalisme que s'il s'était agi d'un immeuble. Rien dans leur mariage n'était vrai. Tout était pure invention, pure comédie. Et grâce à cela, ils avaient réussi un arrangement idéal qui n'impliquait aucun engagement, ni de l'un ni de l'autre. Un certain nombre de mauvais souvenirs ternissaient la vie de Cia, c'était clair, mais il savait ce qu'il convenait de faire pour les chasser. De même que leur mariage était un jeu, le sexe entre eux pouvait aussi être un jeu qui n'engageait à rien. Rien de sentimental, juste du plaisir. Ils connaissaient tous les deux l'avenir de leur relation. Cia n'aurait pas à craindre de devenir dépendante de lui, puisque dans six mois il aurait disparu de sa vie.

Dans cette affaire, tout le monde pouvait être gagnant.

Au lieu d'imaginer Cia sans ses vêtements, il allait lui suggérer de les retirer elle-même. Finalement, quel meilleur moyen de persuader tout le monde qu'ils formaient un vrai couple que d'en être un ?

Pour six mois, bien entendu.

Les parents de Lucas vivaient à l'autre bout de Highland Park, dans une belle demeure de style colonial qui s'élevait au milieu d'un jardin plein de tulipes, de jacinthes et de sauges. Cia n'avait pas eu l'occasion de rencontrer M. Wheeler lors de la soirée d'anniversaire, mais elle n'eut aucun doute sur l'identité du monsieur aux cheveux argentés qui vint leur ouvrir, tant sa ressemblance avec Lucas était frappante.

— Bonjour mes enfants. Je suis Andy Wheeler, ajouta-t-il à l'adresse de Cia en lui tendant la main.

Il prit Cia par les épaules et la poussa gentiment vers le salon. Apaisée par ce geste bienveillant, elle se sentit reprendre confiance en elle. Finalement, grâce au bon sens de Lucas et à sa prévoyance, leur prestation était bien rodée. La soirée se déroulerait sans encombre, et si leur situation les obligeait ensuite à regagner le même toit, chacun était libre d'y organiser sa vie à son gré.

Lucas présenta Cia à Matthew dans le salon où les attendait Mme Wheeler.

— Entre, ma petite Cia, et mets-toi à ton aise sur le canapé. Je suis très heureuse de te voir ici !

Cia obéit, soulagée de l'accueil chaleureux de Fran Wheeler.

— Je dois te dire, reprit cette dernière, que j'ai été surprise d'apprendre que Lucas et toi aviez renoué. Je ne me souviens pas que vous vous soyez fréquentés autrefois.

— Maman, je ne te dis pas tout ! coupa Lucas. Heureusement, ajouta-t-il en riant.

Il s'installa près de Cia. Tout près. Leurs cuisses se touchaient. Il passa son bras autour de sa taille et l'attira contre lui. Aussitôt, elle se raidit, mais s'efforça consciemment de détendre chacun des muscles de son dos afin de se laisser aller contre Lucas avec autant de naturel que s'ils passaient plusieurs heures par jour serrés l'un contre l'autre.

— Il y a un certain temps déjà, compléta Cia. A peu près deux ans, il me semble.

— Lucas m'a parlé plutôt de quatre ou cinq ans, corrigea Matthew qui était un peu moins grand, un peu moins blond et un peu moins beau que son frère.

Elle faillit se trouver mal. Quelle gaffe monumentale ils avaient commise en oubliant de préparer une réponse à une question aussi évidente que celle-ci ! Pourquoi n'avaient-ils pas pensé à préciser la date de leur supposée relation antérieure ?

— C'est bien possible que ce soit quatre ans, en effet, se reprit-elle. A l'époque, j'étais encore très perturbée par le décès de mes parents. J'avoue que j'avais un peu perdu la notion du temps.

Il se pencha vers elle et déposa un baiser à la racine

de ses cheveux. Sans doute était-ce sa façon de la remercier pour sa présence d'esprit ? Toujours est-il que le contact de ses lèvres chaudes sur sa peau lui fit monter le rouge aux joues. Pour ajouter à sa confusion, il lui caressait le bras, et elle dut faire un effort pour admettre que ce geste était parfaitement normal de la part d'un fiancé.

Sauf que… il ne se l'était encore jamais permis, et elle manquait d'entraînement pour maîtriser les étincelles de plaisir que cette caresse provoquait au creux de son ventre.

— Je comprends parfaitement, déclara Fran, pleine de compassion. Oublions vite cette période si triste et parlons plutôt de choses plaisantes. Par exemple de ta robe de mariée. Est-ce que tu l'as déjà choisie ?

Elle aurait bien aimé choisir un autre sujet de conversation, mais Fran Wheeler avait ce point en commun avec son fils d'être absolument irrésistible. Mère et fils avaient le même charisme qui obligeait leur interlocuteur à tomber sous le charme.

— Maman, intervint Lucas, tu crois que papa et Matthew ont envie d'entendre parler chiffons ? Tu vas leur imposer une véritable torture ! Même moi, je trouve ce sujet ennuyeux.

— Mille pardons à vous trois ! lança Fran avec un sourire délicieux. J'essayais seulement de connaître les goûts de ma future belle-fille.

Elle adressa à Cia un petit clin d'œil.

— J'adore mes fils, mais il y a des moments où je regrette réellement de ne pas avoir eu de fille pour me soutenir contre leur mauvaise grâce. Heureusement, le ciel a inventé les belles-filles ! Nous déjeunerons ensemble la semaine prochaine et nous laisserons les bonnets de nuit à la maison pour pouvoir parler tranquillement.

Elle sentit sa gorge se nouer. Fran la considérait déjà comme sa propre fille…

Jamais elle n'avait imaginé qu'un lien d'affection pouvait exister entre elles, ni que la mère de Lucas allait la traiter comme une fille de cœur et non comme une fille imposée par la loi. Elle s'était forgé un portrait de belle-mère à partir des témoignages que lui avaient donnés les femmes du refuge : des femmes égoïstes, qui donnaient systématiquement tort à leurs belles-filles. Cia en avait déduit que toute jeune mariée devait lutter pour survivre.

Or, Fran Wheeler ne correspondait pas du tout au tableau qu'elle s'était fait de la belle-mère.

« Mère abominable »… Voilà ce que j'aurais dû ajouter sur ma liste avant de choisir mon prétendu fiancé, se dit-elle.

Mais il était trop tard pour reculer. Si jamais elle devait recommencer son appel d'offres, l'exigence numéro un serait la suivante : un candidat sans sex-appeal.

— Si nous passions à table ? proposa Lucas.

Au grand soulagement de Cia, les regards se détournèrent d'elle. Elle adressa à Lucas un sourire de reconnaissance. Sa diversion était la bienvenue.

Matthew, Andy et Fran se dirigèrent vers la salle à manger, mais malgré son invitation, Lucas ne se leva pas tout de suite du canapé. Sa cuisse était toujours serrée contre celle de Cia.

— J'arrive tout de suite, cria-t-il à l'adresse de ses parents.

Il prit sa main et lui caressa les doigts.

— Ne t'inquiète pas. Tu n'es pas du tout obligée de sortir avec ma mère. Elle est pleine de bonnes intentions, mais parfois c'est assez pesant.

— Ce n'est pas ça, murmura Cia. C'est que… c'est une femme adorable, et nous lui mentons. Nous mentons à toute ta famille. Ça me met vraiment mal à l'aise. Mentir à mon grand-père, c'est pratiquement normal, puisqu'il a pris cette mesure idiote qui m'empêche d'utiliser mon argent, mais vis-à-vis des tiens, je me sens vraiment gênée.

— Nous n'avons pas le choix, trancha Lucas. Comment veux-tu que j'annonce mes fiançailles et que je ne vienne pas te présenter à mes parents ? Pour le moment, ce qui compte, c'est d'apparaître comme un vrai couple. Je m'occuperai de la suite, ne t'inquiète pas.

— Et tu raconteras d'autres mensonges. Si j'avais su que vous étiez une famille aussi unie… Franchement, je suis désolée de t'avoir mis dans cette situation. Comment veux-tu que je m'installe à table aussi tranquillement que si j'étais une fiancée normale ?

— A ton avis, que ferait une fiancée normale à ta place ?

— Elle mangerait de bon appétit sans se poser de questions.

— Eh bien, c'est exactement ce que tu vas faire. Ne prends pas les choses au sérieux, amuse-toi ! A la fin de la soirée, tu auras fait un grand pas en direction de ton héritage, et moi en direction du contrat Manzanares. Nous serons contents tous les deux. En attendant, nous sommes un jeune couple amoureux, point final.

Il s'écarta un peu de Cia et lui sourit.

— Allez, à table, maintenant. Mes parents nous attendent. Et si tu as besoin de te changer les idées, j'ai un atout de choix dans ma manche qui t'occupera l'esprit pendant tout le temps du dîner.

D'un geste parfaitement naturel, il l'attira à lui. Lentement, de manière à lui laisser tout le temps d'anticiper ce qui allait se passer. Entre eux, l'air s'était fait électrique, et le regard gris acier de Lucas disait à l'avance ce qu'il avait prévu.

Et pourtant, quand ses lèvres se posèrent sur sa bouche, elle n'était pas prête à accueillir les vagues de plaisir qui lui serraient la gorge et descendaient dans son corps jusqu'au creux de son ventre.

Ce n'était pas la première fois qu'un homme l'embrassait. Mais de cette façon, jamais ! Le contact innocent de leurs lèvres était l'invitation irrésistible à un plaisir beaucoup moins ingénu. D'un geste très doux, il prit le menton de Cia entre ses doigts et la serra davantage contre lui. Puis il approfondit lentement son baiser, la laissant dans l'incapacité de lutter contre le trouble sensuel qui se diffusait dans tout son corps.

Tout à coup, l'enchantement prit fin.

— Maintenant, tu as de quoi t'occuper l'esprit, conclut-il. Et je te laisse libre d'imaginer comment nous terminerons la soirée tous les deux.

Elle se leva sur des jambes vacillantes et se laissa guider jusqu'à la salle à manger. Elle refusait de comprendre la dernière phrase de Lucas. Ce baiser n'était que le moyen de fortune qu'il avait inventé pour faire diversion et l'amener à se décontracter. Il n'y aurait pas de suite.

Comme si de rien n'était, ils prirent place autour de la table sur laquelle trônait un gros poulet rôti savamment découpé. Un choix de légumes appétissants était disposé dans des plats de porcelaine blanche. Par chance, au cours du repas, personne ne posa plus de questions sur leur relation. Le regard brûlant que Lucas posait sur elle et la façon qu'il avait de lui murmurer des bêtises à l'oreille devaient suffire à renseigner les convives. Pourtant, quoi qu'il lui dise, elle ne se laissa jamais aller à rire. Le « comment nous terminerons la soirée tous les deux » planait au-dessus de sa tête comme une épée de Damoclès et la tétanisait.

Elle avait sous-estimé le talent de Lucas. Oh ! bien sûr, son habileté à embrasser une fausse fiancée comme si elle était la femme de sa vie ne l'avait pas étonnée. Ce qui l'avait vraiment surprise, c'était son habileté à lui faire croire qu'il était sincère, qu'il éprouvait un réel plaisir à l'embrasser, alors qu'il n'avait fait que jouer un rôle dont ils avaient ensemble écrit le scénario, un rôle qui jamais, au grand jamais, ne deviendrait réalité. Malgré tout, il s'était arrangé pour lui donner envie que ce soit la réalité, voilà ce qui le rendait extrêmement dangereux.

Le repas se passa sans encombre, puis Fran les invita à s'installer sous la véranda pour prendre le café face à la piscine. Cia choisit une tasse de décaféiné. Elle aurait bien assez de mal à trouver le sommeil ce soir avec un corps qui réclamait toutes les promesses que contenait le baiser de Lucas.

Après s'être absentée un moment, Fran revint s'asseoir à côté de Cia.

— C'est pour toi ! dit-elle en lui tendant un écrin en velours de forme allongée. Ouvre-le.

Cia fit jouer le fermoir et découvrit un collier de perles fines.

— Oh ! Fran ! Je ne peux pas accepter.

Fran referma les doigts de Cia sur le bijou.

— Il appartenait à ma mère et à ma grand-mère. La bague de fiançailles de ma mère est allée à Amb…

Elle s'interrompit pour jeter un regard désolé à Matthew.

— … à mon fils aîné, mais j'ai gardé ce collier pour la femme de Lucas.

Seigneur, Seigneur… Comment refuser ?

C'était pire que la villa offerte par son grand-père ! C'était un bijou de famille.

Les yeux de Cia s'emplirent de larmes lorsque Fran boucla le fermoir autour de son cou. Muette, elle sentait le bijou contre sa peau. Et sur son cœur.

— Ce collier est superbe avec tes cheveux bruns et ton teint mat, reprit Fran. Bien sûr, ce n'est pas un bijou à la mode, je comprendrai très bien que tu ne veuilles pas le porter souvent, mais ce qui me ferait vraiment plaisir, c'est que tu le mettes le jour de ton mariage. Ensuite, tu ne le mettras que si tu en as envie.

Elle porta les doigts à son cou et caressa délicatement les perles.

— Je suis très touchée par ce cadeau. Merci beaucoup.

— Au risque de paraître dépourvue de tact, poursuivit Fran, je veux tout de même te dire que je suis désolée que Lucas et toi ne souhaitiez pas avoir de famille autour de vous le jour de votre mariage. Evidemment, je comprends que l'absence de tes parents doit te rendre bien triste, mais…

Lucas intervint avant que Cia ne se soit décomposée.

— Maman, je t'ai déjà dit de ne pas insister. Cia ne veut pas entendre parler d'un grand mariage. La question est réglée.

Les yeux de Cia brûlaient de larmes mal retenues. En son âme et conscience, elle devait s'interdire de créer une relation affectueuse avec Mme Wheeler. Mieux valait lui faire de la peine tout de suite que d'attendre que ce lien se soit développé.

Profondément triste, elle défit le fermoir.

— Je vous remercie infiniment, mais je ne peux pas accepter. Ce bijou magnifique ne conviendrait pas pour une simple cérémonie civile. Et je suis tellement occupée ces temps-ci que je crains de ne pas avoir le temps de déjeuner avec vous.

Le sourire s'effaça du visage de Fran, mais elle répondit d'une voix douce :

— Pardonne-moi, Cia, je suis allée trop vite.

— Ce n'est pas grave, maman, intervint Lucas. Ton intention était gentille, c'est l'essentiel.

Puis il se tourna vers Cia.

— Il nous faut rentrer maintenant.

Le restant de la famille Wheeler jeta un regard froid sur la jeune femme.

Parfait…, se dit-elle. Maintenant, tout le monde la détestait. C'était le mieux qui puisse lui arriver. De cette manière, lorsque Lucas annoncerait leur divorce, chacun pourrait dire avec sincérité que, réellement, elle n'était pas la femme qu'il lui fallait et qu'ils l'avaient compris le jour où elle avait refusé le bijou de famille que Fran avait eu tant de plaisir à lui offrir.

Avant de partir, Cia balbutia des au revoir maladroits et des remerciements encore plus malhabiles. Et puis, enfin, Lucas et elle se retrouvèrent dehors tous les deux dans la nuit sans étoiles.

Une fois qu'ils furent installés dans la voiture, il roula aussi lentement qu'à son habitude, mais cette fois, Cia ne lui en tint pas rigueur. Au contraire, elle prit tout le temps de s'installer confortablement dans le siège en cuir, enveloppée par le parfum boisé qu'elle connaissait bien maintenant et qui la rassurait.

— Je ne savais pas comment m'y prendre pour répondre à ta mère, Lucas. Merci de m'avoir aidée.

— De rien. Si nous voulons que notre histoire marche, il faut que chacun y mette du sien. Au fait, merci de m'appeler enfin « Lucas » et non « Wheeler ».

Leurs regards se croisèrent, brûlants. L'air qu'ils respiraient était chargé d'électricité. Elle sentait son cœur battre la chamade.

Tout à coup, le moment de « terminer la soirée tous les deux » était arrivé.

- 5 -

Lucas conduisait en silence, soucieux d'adapter sa stratégie. La fragilité de Cia l'obligeait à calmer le jeu. De retour chez eux, il aurait adoré la plaquer aussitôt contre la porte d'entrée pour recommencer à l'embrasser. Et pas seulement ! Cette fois, ses mains auraient caressé les courbes séduisantes de la jeune femme qui se serait retrouvée débarrassée de ses vêtements en moins de temps qu'il n'en faut pour le dire.

Mais Cia n'était pas n'importe quelle femme. Elle avait peur de sa propre sexualité. Comme, en outre, il s'apprêtait à vivre six mois avec elle, plonger tête première dans une simple histoire de séduction comme il le faisait d'habitude serait une erreur. Il devait la traiter différemment, afin de ne pas l'effaroucher et de s'assurer que lui-même pourrait supporter cette cohabitation. Quant à savoir ce que cela impliquait, il n'en avait pas la moindre idée…

En sortant du garage, il la prit par la main.

— Merci d'avoir accepté ce dîner chez mes parents.

— Tu en parles comme si j'avais eu le choix !

— Tu l'avais. Tu l'auras toujours. Notre relation est celle de deux partenaires, pas celle d'un maître et de son esclave. Cette soirée t'a demandé un gros effort, et il est normal que je te remercie.

Il lâcha la main de Cia pour prendre la clé dans sa poche et ouvrir la porte d'entrée.

— Je ne sais pas si tu éprouvais ça toi aussi, mais quand je suis chez mes parents, je me sens toujours un peu coincé. Comme si j'avais peur en remuant de casser l'un des précieux bibelots de ma mère.

Elle lui sourit d'un air amusé.

— C'est vrai qu'on respire mieux chez nous.

Lucas se retint de sursauter. Elle avait dit « chez nous ».

Ces mots qu'elle utilisait pour la première fois sonnaient fort agréablement à ses oreilles. Oui, ils s'installaient sous le même toit, ils allaient vivre ensemble au quotidien. Pendant six mois seulement, certes, mais c'était déjà beaucoup. Tout à coup, il se sentait plein d'entrain.

— Si nous faisions quelque chose de sympa ? proposa-t-il en entrant dans le salon.

— Quoi, par exemple ?

Au lieu de répondre, il se dirigea vers la chaîne hifi et remit la musique qu'elle écoutait ce matin quand il était rentré de son entraînement de basket. Un rythme assourdissant envahit la pièce et résonna dans leur poitrine.

— Tu danses avec moi ? cria-t-il pour couvrir la batterie qui s'en donnait à cœur joie.

— Sur cette musique ? Tu rêves !

— Allez, viens, ou je vais croire que tu ne sais pas danser ! Il n'y a personne pour te regarder, et je suis trop mauvais danseur pour me moquer de toi.

— Je n'aime pas me donner en spectacle, mais je n'ai jamais dit que je ne savais pas danser, répliqua Cia, un peu vexée.

Et pour le lui prouver, elle se mit à se contorsionner au rythme de la musique, les bras au-dessus de la tête, les cheveux au vent. Il fut très surpris de cette performance inattendue digne d'une professionnelle. Aussi, au lieu de danser lui aussi, il resta debout, les bras croisés, tout heureux de voir Cia s'abandonner sans retenue au rythme endiablé de la musique.

Pourtant, au bout de quelques instants, elle s'arrêta.

— Et toi ? Viens danser toi aussi !

— Non, je ferais un partenaire lamentable. Mais ne t'occupe pas de moi, j'adore te regarder.

— Pas question de continuer sans toi. Tu m'as bien demandé de danser *avec* toi ?

C'était vrai.

Bon joueur, il alla se placer face à elle tout en sachant qu'avec la meilleure volonté du monde, il était incapable dc danscr quelque chose de plus rapide qu'un slow.

Elle ne se priva pas de se moquer de lui, qui, avec une touchante application et une égale maladresse, battait des bras sans tenir compte du rythme et tapait des pieds un peu au hasard. Elle s'étrangla de rire.

— Par moments, on dirait que tu es en pleine crise d'épilepsie !

Lui ne riait pas, mais sans mot dire, il se délectait de constater que toute la fragilité de Cia avait disparu. Il venait de marquer un point. Pourtant, très vite, il lui fallut crier grâce.

— Ecoute, Cia, à moins que tu aies envie de me voir m'écrouler avec une entorse et un lumbago, je te propose de ralentir d'un cran.

— Tu plaisantes ! Tu as quel âge ? Soixante ans ?

Avant qu'elle ait pu protester, il l'attrapa par la main et l'attira contre lui.

— Pas du tout. Et justement, j'ai une autre idée en tête.

Au lieu de se retirer, elle le prit par la taille et se laissa aller contre sa poitrine. C'était délicieux.

— Si nous dansions lentement ? proposa-t-elle.

— Oui, je suis d'accord sur le « lentement », approuva-t-il.

Il passa les doigts dans les épais cheveux de Cia, tout humides de transpiration.

Comme elle devait être belle, allongée entre des draps froissés par des jeux amoureux ! Cette pensée provoqua chez lui une érection qui n'échappa pas à Cia. Elle le lâcha aussitôt, exactement comme elle aurait fait d'un plat brûlant.

— Il se fait tard. J'ai une permanence à assurer demain matin, il vaut mieux que j'aille dormir.

Il soupira. Et voilà… Toute sa savante mise en scène venait de s'écrouler. Il ouvrit les bras à regret. S'il avait continué à danser sans laisser son imagination vagabonder vers des visions érotiques, elle serait encore dans ses bras…

— Oui, je comprends. Demain sera un grand jour.

Elle fronça les sourcils. L'espace d'un instant, elle avait oublié : le mariage était prévu pour la fin de la journée.

— C'est vrai. Bonne nuit.

Et elle disparut.

Il se retira dans sa chambre où il regarda la télévision pendant quelques heures pour chasser Cia de ses pensées. Quand enfin il éteignit la télé, des rêves fort peu apaisants prirent possession de lui. Cia s'y promenait, belle comme le jour, les cheveux lâchés, un sourire provocant sur les lèvres, avec pour tout vêtement l'alliance qu'il allait lui passer au doigt le lendemain.

Le lendemain matin, il se réveilla avec les yeux rouges de ceux qui ont trop fait la fête ou travaillé trop tard. Autant se jeter tout de suite tête baissée dans les dossiers qui l'attendaient sur son bureau. Là au moins, il avait quelques chances de se montrer efficace.

Mais son supplice continua pendant qu'il se préparait, car à travers la cloison, il entendait Cia chantonner sous la douche. Nue et mouillée... exactement comme dans son fantasme. Voilà qui ne l'aidait pas à affronter la journée.

Du coup, il sauta le petit déjeuner. Mieux valait éviter d'accumuler davantage de frustration ! Arriver de bonne heure au bureau un lundi matin n'était pas une mauvaise idée, et c'était aussi le meilleur moyen de le tirer du cinéma sensuel qui se déroulait malgré lui à l'intérieur de sa tête.

Son emploi du temps était chargé cette semaine. Entre les devis promis, les estimations de propriétés et les rencontres avec les clients, il aurait du mal à tout faire. A tout cela, il lui fallait maintenant ajouter une vie personnelle plus chargée qu'autrefois. Comment allait-il gérer autant d'obligations ?

Il ne vit pas le temps passer, et la fin de la journée arriva bien trop vite.

Comme prévu, Cia l'attendait à 16 heures devant la mairie. Vêtue d'une robe parfaite pour une grand-mère qui se rend à la messe le dimanche matin et d'une paire de chaussures à talons plats.

Quel choix malheureux ! Qu'est-ce qu'elle avait dans la tête pour s'accoutrer de cette façon ? En matière de vêtements, elle avait vraiment mauvais goût, et il n'arrivait pas à s'y résoudre. Avec la silhouette qu'elle avait, sa taille fine et ses longues jambes, elle aurait dû porter des talons aiguilles et un décolleté qui lui aurait permis de temps à autre de jeter un coup d'œil sur ses jolis petits seins.

Elle le regarda s'avancer avec le bouquet de lis qu'il tenait à la main.

— Qu'est-ce que c'est que ça, Wheeler ? Tu vas à un enterrement ?

Ah… Comme les crabes, ils avaient fait un pas en arrière. Elle recommençait à l'appeler « Wheeler ». Deux pas en avant le soir avec un baiser délicieux, un pas en arrière le lendemain à cause d'un bouquet de fleurs. Pourquoi diable avait-il eu cette idée ?

— C'est pour toi.

Si Cia continuait à regarder les fleurs avec cet air contrarié, il finirait par les lui jeter à la figure ! Même le plus placide des hommes n'aurait pas le flegme d'encaisser cette rebuffade.

Mais elle ne fit pas la grimace quand il lui tendit le bouquet. Au contraire, elle l'accepta gentiment et le porta près de son visage pour en humer le parfum.

Autour d'eux, les gens allaient et venaient sans leur prêter attention. Eux restaient debout, immobiles comme des statues de sel.

Au bout d'un moment, elle lui sourit.

— Si tu m'avais demandé mon avis, j'aurais refusé que tu apportes des fleurs, mais finalement, c'est plutôt gentil de ta part d'y avoir pensé.

Il soupira de manière théâtrale.

— Tu m'as fait peur ! Je trouve qu'une mariée doit avoir des fleurs.

— Mais ce n'est pas un vrai mariage !

Elle rejeta la tête en arrière, et la masse de ses cheveux bruns vola autour de son visage aux traits exotiques. Quel mélange de beauté stupéfiante et de personnalité difficile... sans parler des réserves de passion qu'elle cachait avec tant de soin.

Cette combinaison l'attirait de manière inexplicable. Malheureusement, elle le rendait vulnérable et incapable de contracter ce mariage de manière aussi désinvolte qu'il l'aurait souhaité. Le bon sens lui dictait de ne s'occuper que de ce qui avait réellement une importance dans sa vie, par exemple, la liste des nouveaux clients pour l'entreprise familiale. Hélas, il voulait avoir cette femme dans son lit, tous complexes oubliés et pleine d'enthousiasme pour ses fantaisies.

— Si, c'est un vrai mariage, corrigea-t-il, puisque nous allons passer devant monsieur le maire. Disons plutôt qu'il ne s'agit pas d'un mariage traditionnel, et heureusement. Tu t'imagines entourée d'invités, avec cocktails et grandes orgues ? Sans compter que, respectueux de la tradition comme je le suis, j'aurais exigé un voyage de noces. Un vrai.

Elle sourit.

— Non, ce n'est pas un vrai mariage, et je ne regrette rien. Je ne rêve pas du prince charmant et je n'ai pas déjà choisi ma robe blanche. Je suis célibataire, heureuse de l'être et j'ai bien l'intention de le rester.

— Quelle déception, mon amour ! Tu n'es pas du

tout romantique ? Toutes mes illusions sont en train de s'écrouler.

Evidemment, il se moquait de lui-même, mais en même temps, il était sincère. Il adorait voir le visage d'une femme s'éclairer quand il avait pour elle une attention romantique. C'était presque aussi délicieux que de la tenir dans ses bras et de la regarder gémir de plaisir. Pour l'instant, il ferait son deuil de cette satisfaction. L'important était leur mariage, vrai ou faux !

La cérémonie civile fut vite expédiée. Lorsqu'il passa au doigt de Cia l'anneau serti de petits diamants qu'il avait choisi, elle parut approuver le choix qu'il avait fait d'une alliance sobre qu'elle pourrait porter lorsqu'elle travaillerait au refuge.

Après un baiser rapide, échangé uniquement pour la forme, ils retournèrent vers la voiture de Lucas. Une fois installé au volant, avant de démarrer, il ouvrit son téléphone pour appeler sa mère dont il appréciait la discrétion. A vrai dire, il avait un peu redouté de la découvrir dans un coin de la salle ! Pourtant, le nombre de textos qui l'attendaient prouvait que sa mère avait annoncé la nouvelle sur Facebook.

Pete :

C'est toujours O.K. pour la partie de base-ball de dimanche ? Tu auras la permission ?

Justine :

Non, Lucas ! C'est une blague ?

Melinda :

Avertis-moi dès que tu en auras marre d'elle !

Lana :

Félicitations.

Lucas n'eut aucun mal à compléter ce dernier message :

Pauvre type ! Obligé de te marier si vite pour essayer de m'oublier !

Il referma son téléphone. Il n'avait aucune envie de s'appesantir sur le passé. En revanche, il ne désespérait pas de réussir à libérer Cia de ses complexes.

— Si nous dînions ensemble ce soir ? Histoire de fêter ce jour spécial.

— Ce n'est pas un vrai mariage et ce n'est pas un jour spécial. J'avais prévu de prendre un long bain chaud et de me mettre au lit de bonne heure.

— Allons, Cia, nous n'allons pas arrêter de nous parler sous prétexte que nous avons en poche le document officiel de notre mariage ! N'oublie pas que nous devons donner l'image d'un jeune couple parfaitement heureux. En public, bien sûr. Mais ce sera plus facile si tu ne me fais pas la tête en privé.

Elle ne répondit rien.

Il insista :

— Tu ne voulais vraiment pas te marier ?

— Non. Et surtout pas comme ça. Cette comédie est ridicule !

Un mot de plus, et elle allait éclater en sanglots. Elle était réellement bouleversée. Il lui passa un bras autour des épaules pour la réconforter. Elle le laissa faire.

— Pleure si tu veux, ça te fera du bien. J'en profiterai pour te faire boire et quand tu seras ivre, j'abuserai de toi pour te faire oublier tout ce qui te contrarie ! Qu'est-ce que tu penses de ce programme ?

Elle ne put s'empêcher de rire.

— C'est vrai que j'apprécierais bien un petit verre de vin.

— J'ai tout ce qu'il faut à la maison. Tu boiras pendant que je ferai la cuisine.

— Tu sais cuisiner ?

— Et comment ! Je sais même allumer le four tout seul.

Elle était détendue lorsqu'ils arrivèrent chez eux. Il la conduisit directement dans la cuisine.

— Oh ! j'allais oublier ton cadeau de mariage !

Tout étonnée, elle regardait une grande cage posée sur le comptoir de la cuisine.

— Qu'est-ce que c'est que ça ?

— Une cage avec un oiseau dedans, ma chérie. Ouvre les yeux ! Mais pas n'importe quel oiseau. C'est un perroquet d'Afrique.

Il retira la veste de son costume et la posa sur le dossier d'une chaise.

— Cet oiseau vit une cinquantaine d'années. C'est pour ça que je l'ai choisi. Il meublera ta solitude pendant tout le temps que tu t'apprêtes à vivre célibataire après notre divorce. Et c'est un oiseau qui parle ! Il m'a semblé que tu avais besoin d'un animal de compagnie capable de te tenir tête quand tu rouspètes, ce qui t'arrive assez régulièrement. Il s'appelle Fergie.

Elle était stupéfaite.

— Mais… je n'ai pas prévu de cadeau pour toi.

— C'est parfait. Je ne m'attendais à rien, répondit-il en retroussant les manches de sa chemise avant de sortir du réfrigérateur des assiettes recouvertes de papier aluminium.

— Moi non plus, murmura Cia.

Elle n'avait jamais eu d'oiseau. Il lui faudrait vite se renseigner sur les soins dont il avait besoin. Quand elle s'approcha de la cage, l'animal pencha la tête sur le côté et cligna de l'œil sans paraître le moins du monde effarouché. Il n'en fallut pas davantage pour qu'elle sente naître en elle un attachement inattendu.

Le sens profond de ce cadeau ne lui échappait pas. Au lieu de lui offrir quelque chose de clinquant destiné à épater la galerie, il avait préféré choisir ce petit animal intelligent qui lui tiendrait compagnie.

Quand arrêterait-il de la surprendre ? Chaque fois qu'elle pensait avoir fait le tour de cet homme déconcertant, il lui révélait une nouvelle facette de sa personnalité. Et chaque fois, elle en était un peu plus troublée...

Elle se décida à se montrer franche avec lui.

— Lucas, tu ne pouvais pas me faire un meilleur cadeau. Je n'en ai jamais reçu un qui me fasse autant plaisir.

Ce perroquet aux plumes rutilantes, choisi avec tant de discernement par un homme qu'elle refusait de considérer comme son mari, faisait soudain passer au second plan la solitude qui l'attendait.

— Merci, Lucas. Merci beaucoup.

Touché par le ton de sa voix, il s'immobilisa, une poêle à la main. L'air entre eux s'était fait électrique.

— Mais de rien, ma chérie.

Afin de sortir de cette bulle pleine d'une émotion dangereuse pour elle, elle changea de sujet.

— Tu m'avais promis un verre de vin ?

Immédiatement, elle se dit que ce n'était pas ce qui apaiserait les ondes troublantes qui circulaient entre eux.

Il sortit une bouteille du réfrigérateur.

— Du sauvignon blanc, ça te va ?

— C'est parfait.

Pendant qu'il retirait le bouchon, elle contemplait ses grandes mains fines agir avec attention et lenteur, exactement comme s'il voulait qu'elle le remarque. Elle se mit à les imaginer se promenant sur son corps nu. Horreur ! Non et non, elle refusait de céder à ce genre de fantasme. La vraie question était de savoir pourquoi le simple fait de le regarder ouvrir une bouteille de vin la plongeait dans un bain de sensualité. Son imagination saisissait le moindre prétexte pour s'enflammer ! Voilà ce que c'était que de connaître la douceur de son baiser et le bien-être qu'elle éprouvait quand elle se laissait aller dans ses bras. Son objectif premier devait désormais être d'oublier tout cela le plus vite possible.

Après avoir rempli deux verres, il lui en tendit un et souleva le sien.

— A notre partenariat ! Qu'il soit aussi agréable que possible.

— Je corrige, rectifia Cia. Qu'il soit aussi *efficace* que possible !

Décidément, Lucas et elle ne voyaient pas les choses de la même façon.

Elle savourait une gorgée du sauvignon délicieusement fruité lorsqu'il lui saisit le menton. Il lui caressa la lèvre, lentement, puis leva son visage vers lui.

— Moi, j'aimerais bien que notre association s'avère aussi agréable que je le souhaite…

En voyant son visage devenir cramoisi, il s'écarta d'elle.

— Le repas sera prêt dans quarante-cinq minutes ! annonça-t-il.

Elle le regarda couper, hacher, mélanger et Dieu sait quoi encore, les divers ingrédients qu'il avait préparés dans des assiettes recouvertes de papier aluminium. Elle essayait de se calmer en se disant que pour lui, flirter était un réflexe tellement ancré dans ses habitudes qu'il ne se rendait certainement pas compte de ce qu'il faisait.

A cet instant, Fergie éprouva le besoin de rappeler son existence en poussant un cri, et elle lui en fut reconnaissante. C'était un bon moyen de sortir de la transe dans laquelle l'avait plongée la caresse de Lucas.

Elle alla chercher son ordinateur dans sa chambre et se mit à chercher des renseignements concernant la nourriture des perroquets.

Lucas lui donna alors les renseignements qu'il avait.

— Le vendeur m'a dit qu'il mangeait des fruits et qu'il adorait les papayes. Tu en trouveras une dans le frigo.

Décidément, il avait pensé à tout. Et comment pouvait-elle lui en vouloir si le moindre de ses gestes irradiait la sensualité ? Il n'y était pour rien !

Pendant qu'il dressait la table dans le jardin, sous le palmier dont la brise faisait bruisser les longues feuilles vernissées, elle coupa la papaye en petits morceaux qu'elle déposa dans l'écuelle de Fergie.

Un peu plus tard, elle savourait avec ravissement un poulet mariné dans du curry et du jus de citron vert.

— Quel est le nom de cette recette délicieuse ?

— Aucune idée ! Je viens de l'inventer.

Il la regardait, tout heureux de l'avoir régalée.

— La cuisine est l'un des lieux où je laisse libre cours à ma créativité, ajouta-t-il.

Evidemment, elle n'eut aucun mal à deviner quel était l'autre lieu qui stimulait cette fameuse créativité.

— Si je comprends bien, ce plat fait partie de ta stratégie de séduction. Est-ce que les belles jeunes femmes pour qui tu le cuisines tombent dans tes bras dès qu'elles en ont mangé une bouchée ?

— C'est la première fois que je le prépare.

— Allons ! Qu'est-ce que tu mijotes quand tu veux impressionner une femme que tu as envie de mettre dans ton lit ?

— Je n'ai jamais cuisiné pour personne.

Elle laissa tomber sa fourchette.

— Non !

— Si. J'avais envie de cuisiner pour toi, c'est tout.

— Tu plaisantes ?

— Pas du tout.

— Et pourquoi toute cette mise en scène, ce cadre romantique, ce perroquet ? Tu cherches à t'attirer mes bonnes grâces ?

— Est-ce que j'y ai réussi ?

Incorrigible Lucas. Il continuait à flirter. Pourquoi ne répondait-il pas simplement au lieu de chercher à l'emberlificoter dans les méandres de ses questions à double sens ?

— Lucas, nous avons déjà réglé la question. Nous ne pouvons pas avoir ce genre de relation.

Elle savait trop bien où cela la mènerait : à donner son cœur et à ne pas savoir comment recoller les morceaux quand il la quitterait.

— On peut toujours revenir sur un contrat.

— Pas sur celui-ci. Tu imagines si jamais je tombais enceinte ?

Le sauvignon devait produire son effet pour qu'elle envisage pareille éventualité !

— Dis donc, rétorqua Lucas, autant m'accuser d'être incapable de prendre les précautions élémentaires !

— Tu crois que l'arrogance est un bon préservatif ?

Mon Dieu, il n'y avait pas de doute, elle était ivre. Comment expliquer autrement qu'elle soit en train de parler de sexe avec lui ? Lucas, son faux mari pour six mois seulement.

— Qui sait ? Je n'ai jamais eu le moindre problème jusqu'à maintenant.

Elle se leva. Par chance, ses genoux la portaient encore. Elle en profita pour se diriger vers la maison tout en continuant à donner le change.

— Quel soulagement de l'apprendre ! Permets-moi tout de même de me retirer avant de tomber dans le panneau gros comme une maison que tu es en train de me tendre.

Il lui emboîta le pas, puis la rattrapa. Il la fit pivoter vers lui, posa un doigt sur sa joue et le laissa glisser jusque dans son cou.

— Allez, Cia, parle-moi franchement. Ce n'est pas d'être enceinte qui te fait peur.

— Arrête de me toucher !

Il se garda bien d'obéir, mais elle ne recula pas pour autant.

— Tu veux savoir la vérité ? reprit-elle. Tant pis pour toi ! Tu ne m'attires pas du tout, et je déteste que tu poses la main sur moi.

Comme elle mentait bien ! En fait, le simple contact

de ses doigts sur son visage la rendait folle de désir. Mais désirer un homme et accepter de céder à ce désir étaient deux choses bien différentes.

— Je ne crois pas un mot de ce que tu dis, murmura-t-il.

Il ne s'était pas écarté d'elle comme elle s'y attendait. Pire, il lui passait maintenant la main dans les cheveux.

— Tu crois que tu vas me prouver le contraire en m'embrassant ?

— Exactement !

Pendant un quart de seconde, elle hésita, mais dès que les lèvres de Lucas rencontrèrent les siennes, elle se laissa aller dans ses bras. Fondre de plaisir, c'est tout ce qu'elle était capable de faire quand elle sentait sur la sienne sa bouche brûlante.

Le désir longtemps retenu explosa dans son ventre, exigeant, impérieux. C'était bon. Elle se sentait vivre. Si bien que ses résistances s'effaçaient progressivement sous les assauts délicieux de la langue de Lucas. Pourtant, elle ne voulait pas céder, même si résister lui donnait envie de pleurer.

Si seulement elle avait le pouvoir de se protéger d'un homme comme lui ! L'intensité de ce qu'elle vivait dans ses bras lui faisait peur. Lucas avait le pouvoir de détruire toutes ses défenses et de la réduire à l'état de poupée de chiffon. Et après ? Que se passerait-il si elle cédait ? Il la laisserait, vide et désespérée, alors qu'elle avait mis tant de temps à se reconstruire après sa désastreuse tentative de relation amoureuse.

Elle s'arracha à ses bras.

— Tout ce que tu es en train de me prouver, c'est qu'embrasser une femme et la mettre dans ton lit ne te pose aucun cas de conscience.

Le visage de Lucas ne trahit aucune gêne.

— Pourquoi est-ce que tu t'entêtes à résister ? Au début, je pensais que c'était à cause de toute la souffrance que tu vois autour de toi, mais il y a sûrement autre chose.

— Bien sûr. Et si tout simplement je ne voulais pas ? Ton ego est tellement surdimensionné que tu es incapable d'imaginer qu'une femme ne s'intéresse pas à toi ?

Il éclata de rire.

— Chérie, si tu embrasses comme ça un garçon qui ne te plaît pas, je veux bien me faire moine !

— Tu peux rire tant que tu voudras, je ne serai pas ta dernière conquête. Lâche-moi !

Elle se mit à cogner sa poitrine de ses poings, mais il ne bougea pas.

Il la regardait d'un air amusé.

— Tu ne veux vraiment pas croire que tu m'intrigues ? Que j'ai envie de découvrir le fond de ta personnalité ?

— Non.

— C'est pourtant la vérité.

— Désolée. Je te répète que je ne coucherai pas avec toi. Si tu as tellement envie d'une copine, va retrouver une de celles qui t'ont envoyé des textos.

Son sourire s'agrandit.

— Au cas où tu l'aurais oublié, je suis marié. La seule personne avec laquelle je coucherai au cours des six mois à venir est ma femme.

Elle faillit s'étrangler. Cet homme était donc aussi vieux jeu que son grand-père ? Le jour où il lui avait fait le baisemain, elle aurait dû se douter qu'il lui réserverait d'autres surprises de ce genre…

— Eh bien, ta femme te dit « non » !

— Pour ce soir, tout au moins.

— Pour toujours. Franchement, tu peux coucher avec qui tu voudras, ça m'est complètement égal.

Soudain, l'image de Lucas au lit avec une femme qu'il serrerait contre lui comme il venait de le faire avec elle s'imposa devant ses yeux et lui coupa le souffle.

C'était ridicule. Il pouvait bien faire ce qu'il voulait, elle s'en contrefichait !

— A moi, ça ne m'est pas égal, répliqua Lucas.

— Pourquoi ? Notre mariage est une farce. Tu ne m'aimes pas. C'est à peine si tu me supportes.

— Cia, nous sommes légalement mariés, que tu acceptes de venir dans mon lit ou pas. Je refuse de te tromper, un point c'est tout. Tu as compris ?

Elle n'en croyait pas ses oreilles. Il semblait en colère.

— Heu… oui.

— Pas question de revenir là-dessus.

— D'accord.

Dans le fond, elle sentait que cette mise au point lui procurait un certain soulagement.

— Je suis contente que nous ayons tiré cette question au clair.

— Tant mieux.

Sur ce, il pivota sur ses talons.

Elle le regarda s'éloigner avec la nette impression qu'il était furieux et déjà en train de préparer sa revanche.

- 6 -

Lucas attendit une semaine entière avant de reprendre ses travaux d'approche. Il sentait que Cia avait besoin qu'il mette un peu de distance entre eux. Ç'aurait été une erreur que de la pousser dans ses retranchements. Mieux valait faire preuve de délicatesse et de patience. Sa récompense viendrait lorsque les fortifications qu'elle avait érigées pour se protéger s'écrouleraient. En attendant, elle avait besoin de se sentir en sécurité. Son objectif premier était donc de la rassurer pour lui donner envie de larguer les amarres. A lui de trouver le meilleur moyen d'y parvenir. Aucune femme ne l'avait obligé à affiner son jeu autant que Cia, mais ce défi n'était pas pour lui déplaire, loin de là.

Sans se préoccuper de son statut de nouvelle mariée, Cia continuait à suivre sa routine habituelle, c'est-à-dire qu'elle ne quittait jamais le refuge avant 16 heures, comme elle l'avait toujours fait. En revanche, Lucas avait modifié son emploi du temps. Au lieu de rester au bureau pour terminer son travail de la journée, il ramenait à la maison tout ce qui pouvait l'être et bouclait ses dossiers en attendant le retour de Cia.

Aujourd'hui pourtant, il était resté dans la cuisine pour parler avec Fergie. Jusqu'à présent, le perroquet avait appris à dire « bonjour », « au revoir », mais refusait obstinément de répéter « Lucas ». A croire que Cia lui avait fait la leçon ! En revanche, il imitait à la perfection la sonnerie du four à micro-ondes, et Lucas s'était plusieurs fois dérangé avant de se souvenir que le bel emplumé l'avait dupé une fois de plus.

Cia arriva enfin, un peu moins mal vêtue que d'habitude, les cheveux noués en queue-de-cheval. Il adorait cette coiffure qui libérait la nuque délicate où il rêvait de poser ses lèvres. Un jour…

Il lui sourit.

— Bonjour, Cia.

— Bonjour ! Tu donnes un cours particulier à Fergie ?

— Oui. Ça devient urgent de le faire sortir de son registre « sonnerie de micro-ondes ».

Ils se mirent à rire tous les deux.

— Au fait, reprit Lucas, j'ai une faveur à te demander.

Instinctivement, elle se raidit.

— Qu'est-ce que c'est ?

— Walrich Enterprises à qui nous avons vendu un immeuble il y a quelques mois offre ce soir une fête d'inauguration. J'aimerais que tu m'y accompagnes.

— C'est vraiment nécessaire ?

— Tu es mon épouse, tu te souviens ? Les gens ne comprendraient pas que j'y assiste tout seul, alors que je viens juste de me marier.

— Dis-leur que j'ai trop de travail.

— C'est déjà l'excuse que j'ai donnée la semaine dernière pour une autre manifestation mondaine. Tout le monde a demandé de tes nouvelles. Si tu ne viens pas cette fois-ci, on va croire que je te séquestre.

Elle lui adressa un sourire suave.

— Dans ce cas, c'est toi qui auras la mauvaise réputation !

Elle venait de marquer un point. Il fallait qu'il se rattrape.

— Je t'ai épargné le dernier cocktail parce que je savais qu'il serait des plus ennuyeux. Prouve-moi ta reconnaissance en assistant à l'inauguration de ce soir.

— Pas mal, tu tires bien ton épingle du jeu.

Elle croisa les bras sur son T-shirt jaune vif.

— Franchement, je préférerais m'en dispenser.

— Cia, tu m'as proposé ce mariage pour m'aider à refaire ma réputation. Si tu refuses systématiquement de te montrer en public avec moi, c'est l'échec assuré. En revanche, si tu es à mes côtés ce soir, charmante comme tu sais l'être, souriante et aimable, les gens oublieront Lana.

Elle laissa échapper un soupir.

— Tu viens de mentionner le point à propos duquel je ne peux rien te refuser. C'est bon. Considère que je dis « oui », mais à une condition.

— Laquelle ?

— C'est que tu ne passes pas la soirée à critiquer ma tenue.

A ce stade de leur conversation, il savait qu'il allait falloir jouer serré.

— Si tu portes la robe que je t'ai achetée, il n'y aura pas de problème.

Elle monta aussitôt sur ses grands chevaux, rouge d'une colère qu'elle ne cherchait pas à contenir.

— J'avais bien spécifié que tu ne devais pas m'acheter de vêtements !

— Oui, je sais, mais ce soir, les invités sont la crème de la crème de la bonne société de Dallas.

— Et tu ne veux pas que je te fasse honte, c'est ça ?

— Ma chérie, tu serais la plus belle, même revêtue du vieux rideau de ta grand-mère et je serais fier de me tenir à côté de toi. Mais je veux que tu sois à ton aise au milieu de ces gens pour qui l'apparence est de la plus haute importance.

— Grand bien leur fasse ! Ils sont libres de penser ce qu'ils veulent. Est-ce que par hasard tu serais aussi superficiel qu'eux ?

— La réponse est « non », je te rassure tout de suite. Malheureusement, la réputation de quelqu'un dépend de l'opinion que les gens se font de lui. Dans ce milieu, l'apparence prime, qu'elle reflète ou non ce que la personne est vraiment. Voilà pourquoi il est important que tu te présentes sous ton meilleur jour.

Elle parut se calmer un peu.

— Ah… c'est pour ça que tu t'es mis en colère quand je t'ai dit que ça m'était égal que tu couches avec d'autres femmes. Tu as peur du regard des autres !

Il haussa les épaules.

— Arrête, Cia ! Comprends que les gens parlent, et que dès qu'on leur en laisse l'occasion, ils ne se gênent pas pour déblatérer sur les autres. Je ne veux pas que tu souffres par ma faute.

— Dans ce cas, je te remercie de tes attentions. Je t'accompagnerai ce soir, mais je ne promets rien pour la robe. Je veux d'abord la voir. De toute façon, je parie qu'elle n'est pas à ma taille.

Il respira plus librement. Elle avait accepté !

— Tu la trouveras sur un cintre dans ta penderie.

Essaie-la. Porte-la si elle te plaît. Si elle ne te plaît pas, jette-la à la poubelle, mais sois prête à 19 heures. Je t'emmènerai dîner après l'inauguration, et je t'assure que tu passeras une bonne soirée.

Elle lui jeta un regard provocant.

— Attention, ne t'avance pas trop, tu risquerais d'être déçu.

Quelques heures plus tard, à 19 h 10 exactement, en regardant Cia descendre l'escalier, il faillit tomber à la renverse. Quand il avait vu le long fourreau de soie dans la vitrine, il avait tout dc suite imaginé qu'il serait superbe sur elle. Mais « superbe » lui semblait un qualificatif bien insuffisant maintenant pour décrire la jeune femme moulée dans la soie rouge vif. Elle avait relevé ses cheveux autour de son visage, tandis que le reste de ses boucles brunes tombaient en cascade jusqu'au milieu de son dos.

— Cia… tu es d'une beauté à couper le souffle !

Comparé à cette ardente jeune femme au regard pétillant, le souvenir de Lana lui apparaissait comme un pâle fantôme tout près de basculer hors de sa mémoire.

— Et j'imagine que quand je me prendrai les pieds dans cette robe, j'aurai le souffle coupé moi aussi, ironisa-t-elle.

Pourtant elle s'avança vers lui, souriante et un rien moqueuse.

— Tout à l'heure, tu m'as vraiment donné l'autorisation de jeter à la poubelle une robe de Versace ?

Le délicieux parfum de noix de coco et de citron vert flottait autour de Cia. Il avait la bouche sèche.

— Je n'étais pas sérieux. J'étais sûr qu'elle te plairait.

— Tu avais raison.

Elle eut un soupir de regret, mais comme elle était foncièrement honnête, elle alla jusqu'au bout de ce qu'elle pensait.

— Cette robe est très belle et me va comme un gant. Je dois reconnaître que tu as bon goût. Si tu as autant de talent pour déshabiller une femme que tu en as pour l'habiller, ta réputation auprès du sexe faible est grandement méritée.

Il se mit à rire de bon cœur. Cette semaine, les joutes verbales avec Cia lui avaient manqué. Il avait pris goût à ces escarmouches qui l'amusaient beaucoup. Après tout, elles constituaient un bon entraînement pour garder l'esprit vif et le sens de la repartie !

Puis un doute l'effleura. Est-ce que quelque chose clochait chez lui pour qu'il prenne plaisir à ce genre de petit jeu ? Il faudrait qu'il y réfléchisse…

Sa repartie ne se fit pas attendre :

— Vêtir ou dévêtir, peu importe, je suis bon dans les deux registres. Si tu veux compléter ton information sur le sujet, je suis à ta disposition. Tu me donnes le feu vert ?

Cette fois, ce fut Cia qui se mit à rire. Décidément, elle aussi avait son grain de folie ! Bien sûr, elle aurait préféré qu'on fasse d'elle de la chair à pâté plutôt que de le reconnaître, mais il aurait juré qu'elle s'amusait autant que lui à ce ping-pong verbal.

Ils partirent ensemble et d'assez bonne humeur pour affronter la soirée. Une fois dans le salon où se tenait la fête, Lucas rencontra une foule de gens qui lui parlèrent et auxquels il répondit de bonne grâce, mais dès que les personnes s'éloignaient, il était dans l'incapacité de se rappeler quoi que ce soit de leurs échanges. En fait, il était complètement fasciné par la beauté de Cia. Comme ils se trouvaient en public, il joua avec une application consommée son rôle de jeune marié amoureux, tenant Cia par la taille, déposant un baiser sur sa nuque tiède et parfois même sur ses lèvres. Bravement, elle jouait le jeu, et il profita largement de sa bonne volonté.

Chaque fois qu'il la regardait, moulée dans cette robe sublime, une onde de désir le submergeait. Certes, il lui était déjà arrivé d'acheter des vêtements pour une de ses conquêtes, mais jamais pour une femme qui vivait sous son toit et qui portait son nom. Même si l'objectif visé par tous les deux était de redorer sa réputation, tout prenait une valeur différente avec Cia, qu'il s'agisse de lui choisir une tenue de soirée ou de sortir avec elle.

En fait, le plaisir qu'il prenait avec elle ne relevait pas seulement de la séduction ou de la sexualité. Autre chose était en jeu, même s'il ne voulait pas vraiment le reconnaître.

— Nous pouvons nous esquiver maintenant que chacun a pu faire ta connaissance et satisfaire sa curiosité, proposa-t-il un peu plus tard en la prenant par le coude. Matthew prendra la relève pour ce qui concerne le côté professionnel de la soirée.

— Déjà ? demanda Cia.

— Oui. N'oublie pas que je t'emmène dîner.

— D'accord, je te suis.

Ils s'apprêtaient à sortir lorsque Matthew les rejoignit. Lucas adopta aussitôt son air d'homme d'affaires pour interroger son frère.

— Comment s'annonce le projet avec Moore ?

Cia profita de ce moment pour étudier Matthew. Lucas lui avait parlé de son veuvage encore récent. Matthew sortait seul quand il devait assister à une manifestation comme celle de ce soir. C'était par choix personnel et non par nécessité, il n'y avait pas de doute là-dessus, car sans être aussi séduisant que Lucas, il était très attirant lui aussi.

— Bien mieux que je ne pensais, répondit Matthew. Il est prêt à signer. Je voulais te prévenir que j'ai retenu une table pour quatre au restaurant Mansion. Puisque c'est toi qui as le talent pour conclure les affaires, tu vas y inviter Moore et sa femme de ma part.

Comme il l'avait fait à plusieurs reprises au cours de la soirée, Lucas déposa un baiser sur la tempe de Cia. Bonne comédienne, elle s'appliqua à ne rien laisser paraître du trouble qu'elle éprouvait en sentant sur sa peau ses lèvres brûlantes.

Puis il s'adressa à elle :

— S'il te plaît, mon amour, tiens compagnie à Matthew un moment, je crains que nos plans pour la soirée ne soient modifiés.

Il disparut dans la foule des invités à la recherche de M. Moore, et Cia se retrouva en tête à tête avec Matthew qui ne semblait avoir aucune envie de se montrer particulièrement amical avec elle. C'était sans doute sa manière de lui faire payer le refus du bijou si gentiment offert par sa mère lors de l'unique dîner pris en famille.

Malgré tout, il fit un effort pour engager la conversation. Après tout, Cia était la femme de son frère.

— Tu passes une bonne soirée, Cia ?

— Oui, merci.

Il la dévisageait maintenant.

— Je vais être honnête avec toi. Je ne sais pas pourquoi

Lucas a décidé de t'épouser, mais à voir comme il te regarde, j'ai tendance à croire que tu le rends heureux.

— Dois-je en déduire que si je le rends malheureux, j'aurai affaire à toi ?

Il eut un petit rire.

— Je doute fort que tu y parviennes. Il a un talent certain pour ne pas s'investir émotionnellement avec les femmes. Par exemple, quand il a découvert la vérité au sujet de Lana, au lieu de s'effondrer comme l'aurait fait n'importe quel individu normal, il l'a remplacée au pied levé.

Sans rien montrer, elle accusa le coup.

La déclaration était claire. Si elle avait eu encore quelques illusions romantiques au sujet des sentiments de Lucas à son égard, elles venaient de passer par pertes et profits. Mais elle n'allait pas se priver de répondre pour autant.

— Et des remplaçantes, Lucas en a épousé combien ?

— Touché ! reconnut Matthew.

Ils étaient quittes, et elle était assez contente d'elle.

Matthew salua un couple d'un certain âge qui passait à proximité, puis fit signe à un serveur qui s'approcha avec un plateau. Il prit deux coupes de champagne et en tendit une à Cia.

— Tchin, belle-sœur !

— Tchin, beau-frère.

Matthew n'aurait pas le dernier mot, elle se le jurait. Mais l'interrogatoire se poursuivit.

— Pourquoi est-ce que tu n'as pas continué à travailler avec ton grand-père ?

Cette question lui parut assez indiscrète. L'envie d'envoyer promener ce beau-frère enquêteur la démangeait de plus en plus, mais elle se refusa ce petit plaisir qui aurait compliqué sa relation avec Lucas.

— J'y ai passé une année pour lui faire plaisir, mais j'ai arrêté parce que ce travail ne me passionne pas.

Matthew ne se départait pas de son air sérieux. Mais il s'agissait peut-être encore de la tristesse due à son deuil. Par contraste, Cia appréciait la légèreté de Lucas, toujours prêt à sourire et à faire un bon mot. Dans le fond, c'est sa bonne humeur inaltérable qu'elle appréciait le plus chez lui.

Or, le regard bleu de Matthew demeurait froid et inquisiteur.

— Lana a fait beaucoup de mal à Lucas, et pas seulement dans sa fierté d'homme. Tu comprendras mieux quand je t'aurai dit que pour nous, les Wheeler, la famille est quelque chose d'essentiel. Lana a failli détruire une image de sérieux qui remonte à plus d'un siècle. C'est difficile de surmonter pareil gâchis. Tu me parais être l'atout qui aidera Lucas à remonter la pente. Continue dans cette voie, c'est tout ce que je te demande.

En voyant ce dernier les rejoindre, Matthew se tut et se tourna vers lui. Aussitôt arrivé près d'elle, Lucas posa la main sur la nuque de Cia.

— Ça y est, Matthew, la question du dîner est réglée. Je t'appellerai plus tard.

Pendant que Lucas ramenait Cia vers sa voiture, elle ne pouvait s'empêcher de réfléchir aux derniers mots de Matthew. Faisait-elle ce qu'il fallait pour Lucas ? Jusqu'à maintenant, leur relation lui paraissait équitable, mais y avait-elle suffisamment réfléchi ?

Au cours du repas qu'ils prirent ensuite en compagnie des Moore, pendant que Lucas discutait affaires avec

M. Moore et qu'elle s'entretenait de banalités avec son épouse, elle repassa dans sa mémoire toutes les attentions que Lucas avait eues pour elle : Fergie, la maison, la robe Versace, le diamant de fiançailles, l'alliance discrète… Il faisait tout son possible pour remplir sa part du contrat. De son côté, elle était tellement obnubilée par l'idée de ne pas tomber sous son charme qu'elle n'avait pas rempli son rôle avec autant de sérieux. Par exemple, ce soir encore, elle avait fait des manières au lieu d'accepter spontanément de l'accompagner pour la soirée.

De retour chez eux, elle se coucha en se disant qu'elle allait s'appliquer à faire mieux.

Une surprise l'attendait le lendemain matin quand elle arriva dans la cuisine. Une jeune femme de type mexicain y était occupée à faire le ménage. Lucas ne l'avait pas avertie qu'il avait engagé quelqu'un.

— *Buenos días, señora.* Je m'appelle Maria. M. Wheeler m'a demandé de venir trois fois par semaine. J'ai déjà fait le ménage dans la grande chambre et la salle de bains attenante, mais j'aimerais que vous me disiez si vous êtes satisfaite de mon travail. M. Wheeler a beaucoup insisté là-dessus.

— Oui, bien sûr, répondit Cia.

C'est en arrivant au milieu de l'escalier que le ciel lui tomba sur la tête. Ou quasiment. Il n'y avait aucune trace de sa présence ni dans la chambre ni dans la salle de bains ! Pas le moindre déshabillé, le moindre séchoir à cheveux, la moindre crème de beauté… Autant imprimer en première page du *Dallas Morning News* : *M. ET MME WHEELER FONT CHAMBRE À PART.*

Lucas avait commis une grosse gaffe. Il ne l'avait pas fait exprès, mais le résultat était le même.

— Vous revenez mercredi ? demanda Cia quand la jeune femme fut sur le point de partir.

— Normalement, oui. Mais si vous n'y voyez pas d'inconvénient, je préférerais que ce soit demain à cause d'un rendez-vous médical que j'avais pris avant d'être engagée par M. Wheeler.

— Pas de problème, Maria, bien sûr. Je suis très contente de votre travail. A demain, donc.

Une fois la porte refermée sur Maria, elle monta dans sa chambre et commença à transporter ses affaires dans la penderie de Lucas. Heureusement, celle-ci était immense et Lucas n'en occupait même pas la moitié. Elle s'affaira jusqu'à ce que tous ses vêtements soient déménagés. Ensuite, ce fut le tour de ses objets de toilette qu'elle disposa dans la grande salle de bains.

Pendant qu'elle travaillait ainsi, une idée fixe occupait son esprit : elle allait devoir dormir dans la même chambre que Lucas. Satanée femme de ménage qui lui imposait pareille contrainte ! En tout cas, il n'était absolument pas question qu'elle dorme dans le même lit que son faux mari. Par conséquent, une seule solution s'offrait à elle : s'installer par terre.

Cette pensée la rasséréna un peu. Mais au bout de cinq minutes, elle se dit que, même allongée sur le sol, elle respirerait le parfum de Lucas. Elle l'entendrait respirer, remuer. Qu'est-ce qu'elle ferait s'il en profitait pour essayer de l'attirer dans son lit ?

D'ailleurs, il y avait de grandes chances pour qu'il ne laisse pas passer une occasion pareille. Le pire, c'est qu'après la soirée de la veille où elle avait frémi de plaisir chaque fois qu'il avait posé la main sur elle et la constance avec laquelle il avait combattu tous les préjugés qu'elle avait à son égard, qui sait si elle ne se laisserait pas convaincre ?

Tout à coup, une autre solution lui vint à l'esprit. Elle pouvait très bien laisser ses affaires chez Lucas, mais continuer à dormir dans sa chambre. Il lui suffirait de se lever tôt les jours où Maria viendrait faire le ménage et de ranger sa chambre comme si elle ne l'avait pas occupée.

Mieux encore ! Elle pourrait dire que le travail de Maria ne lui convenait pas et la remercier. Oui, c'était la meilleure solution, bien moins acrobatique et parfaitement sûre.

A cet instant, le téléphone sonna.

C'était Lucas, tout heureux de la surprise qu'il lui avait faite en engageant Maria. Quand il eut ajouté qu'elle travaillait déjà chez sa mère qui la considérait comme une vraie perle et que c'était son grand-père Benicio qui la lui avait conseillée, elle eut envie de se mettre à hurler.

La communication terminée, le désastre lui apparut dans toute sa splendeur. Tout devenait clair ! Maria était une espionne à la solde de son grand-père. Celui-ci l'avait chargée de lui rapporter les moindres faits et gestes de sa patronne, en particulier tout ce qui concernait son activité au refuge.

Congédier Maria était devenu impensable. Comment imaginer qu'une femme de ménage qui donnait toute satisfaction à la mère de Lucas ne lui convienne pas ? Impossible.

Pire encore aux yeux de Cia, comment mettre au

chômage une employée parfaite qui envoyait certainement la moitié de son salaire à sa famille demeurée au Mexique ? Doublement impossible.

Lucas et elle étaient donc condamnés à partager la même chambre. En plus, elle devrait inventer une explication plausible pour justifier leur séparation de la nuit précédente. Explication qu'il faudrait donner de manière légère et désinvolte, comme si cela n'avait aucune importance…

Elle avait les nerfs à vif, et une horrible migraine se préparait sous son crâne en ébullition. Non, elle ne déroulerait pas le tapis rouge pour Lucas quand il rentrerait ce soir à la maison après son travail.

- 7 -

Lucas avait été assez déçu du peu d'enthousiasme dont Cia avait fait preuve à propos de Maria. Quelque chose ne devait pas tourner rond. La jeune Mexicaine n'avait peut-être pas effectué son travail correctement ? Cela paraissait peu plausible étant donné l'enthousiasme avec lequel sa mère, pourtant assez tatillonne en matière de ménage, lui en avait parlé. Il avait hâte d'avoir une explication.

A son retour, il trouva la maison vide. Il attendit un moment dans la cuisine, puis décida d'aller se changer. Cia devait avoir une permanence tardive au refuge. En arrivant dans sa chambre, il eut la surprise d'apercevoir par la porte ouverte de la salle de bains une trousse de toilette féminine posée à côté d'un des deux lavabos.

Elle ne s'y trouvait pas ce matin quand il était parti. Que s'était-il passé depuis ?

Il s'avança. A côté de la trousse se trouvaient quelques flacons de lotions. Il en ouvrit un et en respira le contenu. C'était bien l'eau de toilette à la noix de coco et au citron vert qu'il aimait tant. Il découvrit aussi un petit rasoir rose et un pot de crème pour peau sensible.

D'un seul coup, cette énigme se résolut d'elle-même : la présence de la femme de ménage avait obligé Cia à déménager dans la grande chambre. L'initiative était excellente, étant donné que Maria venait sur recommandation du grand-père de Cia, mais il voyait maintenant d'un autre œil ce qui lui était apparu d'abord comme un simple détail.

A cause de l'employée de maison, Cia et lui devaient dormir dans la même chambre ! Ce n'était pas étonnant qu'elle prolonge sa permanence au refuge. Elle devait éviter la maison aussi longtemps que possible, persuadée à juste titre que Lucas ne laisserait pas passer cet épisode sans essayer une nouvelle fois de vaincre sa résistance.

A 19 heures, il lui envoya un texto auquel elle ne répondit pas.

A 20 heures, il appela, mais elle ne décrocha pas.

A 21 heures, il s'assit à la table de la cuisine pour manger une tranche de rôti froid et boire une bière. Entre deux bouchées, il essayait d'entraîner Fergie à prononcer son prénom, mais chaque fois qu'il entendait « Lou-kaa », le perroquet ébouriffait ses plumes et se tenait coi. Sale bête ! La seule chose qui l'intéressait, c'était que Lucas lui tende un morceau de fruit à travers les barreaux !

A 21 h 30, il réalisa qu'il ne connaissait pas le nom des amies de Cia et qu'il ne pouvait appeler personne. Il commençait à être sérieusement inquiet. La marge entre un simple retard et la possibilité d'un accident était franchement dépassée.

Il attendit néanmoins encore en regardant la télévision. Puis, sur le coup de 23 heures, comme il envisageait sérieusement d'appeler la police, il entendit le portail automatique du garage s'ouvrir.

Un instant plus tard, Cia entra dans la cuisine, les épaules basses et les cheveux en bataille.

— Ça va ? s'enquit Lucas.

— Oui. J'ai bien reçu tes messages, excuse-moi.

— Je m'inquiétais pour toi.

— Je comprends.

D'un geste fatigué, elle se passa la main sur le visage.

— Au fait, tu as dû découvrir mes affaires dans ta chambre ?

— En effet. Nous allons dormir dans la même chambre ?

— Uniquement parce que c'est inévitable. Laisse-moi cinq minutes pour faire ma toilette et viens me rejoindre.

Il soupira. Ni le ton ni l'allure de Cia ne laissaient espérer une nuit de folle passion. Comme si c'était un pensum de dormir dans son lit ! Il connaissait plus d'une femme qui aurait bien aimé être à la place de Cia. Pourquoi fallait-il que ce soit elle, et seulement elle, qui l'intéresse ? Elle qui faisait tout son possible pour éviter ce qu'il y a de meilleur dans le mariage.

Il était marié, furieux et condamné à l'abstinence !

Quand il pénétra dans la chambre, tout était éteint. Il tâtonna jusqu'à la salle de bains, se prépara pour la nuit et décida de ne rien changer à ses habitudes, c'est-à-dire de dormir tout nu. Après tout, c'était sa chambre, et puisque Cia s'y était installée sans lui demander son avis, elle en supporterait les conséquences.

Fort de cette décision, il alluma la télé comme il le faisait tous les soirs avant de s'endormir. La lumière de l'écran éclaira faiblement la pièce, mais suffisamment pour qu'il découvre que le lit était vide. Vide ! Où était Cia ?

Des yeux, il fit le tour de la chambre. La réponse se

trouvait devant la fenêtre en la forme d'un corps allongé par terre, recouvert d'un drap.

— Cia ! Qu'est-ce que tu fais là ?

— Je dors, répondit une voix étouffée par une masse de cheveux bruns.

— Mais enfin, tu ne peux pas dormir par terre !

— Bien sûr que si.

— Ce lit est un king size. Il est assez large pour que deux personnes y dorment sans se toucher.

C'était vrai, mais ce n'était pas ce qu'il garantissait…

Toujours tournée vers le mur, elle marmonna :

— C'est ton lit. Je suis très bien par terre.

Il haussa les épaules.

Allons donc, voilà qu'elle jouait les martyrs. Il laissa échapper un soupir d'impatience.

— Cia, viens dans le lit. C'est moi qui dormirai par terre.

— Non, ce ne serait pas juste. Je t'assure que la moquette est très confortable.

Il commençait à s'énerver. Après tout, lui aussi pouvait se montrer têtu !

— Ecoute, si tu refuses de bouger, je viens dormir par terre avec toi.

Il tira le drap de dessus, l'enroula autour de sa taille et jeta un oreiller à côté de Cia. Au moment où il s'allongeait par terre à côté d'elle, elle se tourna vers lui et lui jeta un regard meurtrier.

— Wheeler, arrête cette comédie et retourne dans ton lit.

Noix de coco et citron vert parvinrent à ses narines.

— Ma chérie, un rouage s'est sûrement détraqué

dans ta jolie petite tête, mais quoi qu'il en soit, je ne dormirai pas dans le lit si tu dors par terre.

Elle eut une sorte de grognement furieux.

— Mais pourquoi faut-il que tu aies toujours ces manières de gentleman ?

— Parce que j'aime te mettre en colère, mon amour !

Elle se retourna brutalement vers le mur. Comme Lucas s'apprêtait à lui envoyer une nouvelle pique, il remarqua que ses épaules étaient soulevées de sanglots.

— Hé là ! Qu'est-ce qui t'arrive ? Tu pleures ?

— Non, répondit-elle entre deux hoquets.

— Arrête ça, ma chérie, je t'en prie. Si ça peut te soulager, appelle ma mère pour lui reprocher de m'avoir enseigné les bonnes manières, mais je ne dormirai dans le lit que si tu y dors toi aussi.

Une rafale de sanglots suivit cette affirmation.

Il comprit alors que c'est lorsqu'elle se montrait la plus mordante et insupportable qu'elle avait besoin de réconfort. C'était sa manière de le demander sans vouloir le reconnaître.

Tout en maudissant le drap qui gênait ses mouvements, il se rapprocha suffisamment d'elle pour la prendre dans ses bras.

— Chut… Calme-toi…

Il la sentit se raidir, sans doute à cause de la bataille qu'elle se livrait à elle-même, puis tout d'un coup elle se laissa aller contre lui, blottit son visage contre son épaule, ce qui déclencha aussitôt chez lui une réaction parfaitement virile.

Ce n'était pas ce qu'il avait prévu. Il voulait seulement la consoler et s'attendait à ce qu'elle le repousse à coups de pied. Sa capitulation était une vraie surprise.

Autant il était capable de lui tenir tête toute la journée quand elle faisait preuve de mauvais caractère, autant quand elle se montrait vulnérable, il craquait tout de suite.

Contre le sien, le corps recroquevillé de Cia était agité de sanglots. Il avait pitié d'elle, et pourtant il ne pouvait s'empêcher de se demander ce qu'elle portait sous le drap dans lequel elle était entortillée.

— Pa… pardon, balbutia-t-elle. C'est juste que… que je suis trop fatiguée.

Il lui caressa les cheveux.

— C'est plus que de la fatigue, Cia. C'est du désespoir.

— Oui. Je suis trop fatiguée pour avoir envie de te repousser.

— Qu'est-ce qu'il y a de mal à ce que je t'aide à te sentir mieux ?

Elle gesticula pour se libérer de ses bras.

— Je déteste me sentir faible. Je déteste que tu t'en rendes compte. Je déteste…

— … ne pas être capable de vaincre toute seule toutes les difficultés. C'est ça ?

Il s'appuya sur un coude pour la regarder.

— Tu détestes ne pas être « Wonder Woman », voilà tout. Maintenant, allonge-toi, respire un bon coup, et raconte-moi dans quel mur tu t'es cognée aujourd'hui.

Malgré la faible lumière qui régnait dans la pièce, il pouvait lire sur son visage la lutte à laquelle elle se livrait. Pas étonnant qu'elle soit si fatiguée ! Quand elle ne se battait pas pour les autres, elle se battait contre elle-même.

Elle obéit, posa sa tête sur l'oreiller, le visage tourné vers lui. Ses pommettes délicates se dessinaient dans la pénombre. Quel contraste entre la douceur des traits de son visage et l'armure inoxydable qu'elle s'efforçait de porter !

— C'est à cause d'une des femmes du refuge... Pamela.

En signe d'encouragement, il noua ses doigts aux siens. Elle reprit après avoir essuyé une larme qui coulait sur sa joue.

— Elle est retournée chez son mari. Un mari qui la battait régulièrement et qui lui a cassé un bras en la jetant contre un mur. Eh bien, elle est retournée avec lui ! J'ai essayé de l'en dissuader. Courtney aussi lui a parlé. Il n'y a rien eu à faire.

Il se rappela que Courtney était une psychologue, amie de Cia et partenaire pour le nouveau refuge.

— Cia, tu ne peux pas sauver tout le monde.

— Non, bien sûr, mais juste elle, Pamela. Je travaille avec ces femmes tous les jours, je les aide à reprendre confiance en elles, à devenir autonomes et...

Un nouveau sanglot lui coupa la parole.

Bien sûr, elle vivait le départ de Pamela comme un échec personnel, car elle se donnait corps et âme à ce travail auquel elle croyait de tout son cœur. Son engagement allait bien au-delà du désir de continuer l'œuvre de sa mère, c'était le sens de sa vie.

— Tu te rends compte, reprit-elle ? Elle a tout abandonné pour retourner avec ce voyou qui l'a battue, qui va recommencer à le faire, qui risque même de la tuer. Pourquoi est-ce qu'elle fait ça ?

— Elle espère sans doute qu'il va changer.

— Elle sait que ça ne se passe jamais comme ça !

— Ecoute, je suis désolé de te contredire, mais les

gens ne sont pas faits pour vivre seuls, même si tu penses faire exception à cette règle. Cette Pamela dont tu me parles espère que son mari va lui offrir une vie meilleure. Sans cet espoir, elle n'a plus rien.

— C'est faux ! Il lui reste elle-même. Elle est la seule personne sur laquelle elle puisse compter quoi qu'il arrive.

— Tu es en train de parler de Pamela ou de toi ?

— Ne fais pas le malin. Je sais très bien que je parle pour nous deux.

— Tu vois les choses de façon trop tranchée. Quand ton grand-père t'incite à te marier pour que tu sois protégée, tu crois tout de suite que tu vas être dominée, et tu te cabres. Pourtant, permettre à quelqu'un de prendre soin de toi n'est pas forcément une marque de faiblesse.

Elle fit la moue.

— Je suis tout à fait capable de prendre soin de moi-même. J'ai de l'argent, j'ai…

— Mais, ma chérie, il n'est pas seulement question d'argent.

Il écarta de la joue de Cia une mèche de cheveux collée par les larmes.

— Il y a aussi les besoins physiques…

— Nous y voilà ! coupa Cia. Tu as vraiment un talent diabolique pour réussir à parler de sexe même dans une conversation comme la nôtre.

Il sourit.

— Ce n'est pas moi qui parle de sexe, c'est toi. Je parlais du réconfort que je peux t'offrir en te prenant dans mes bras pendant que tu pleures. Mais si tu veux parler de sexe, allons-y ! Décris-moi les caresses que tu préfères, et sois honnête parce que je vérifierai.

Elle lui donna une tape sur le bras, sans réelle conviction.

— Tu es incroyable ! Ne crois pas que je ferai l'amour avec toi simplement parce que je suis obligée de dormir dans ta chambre.

— Alors, fais-le parce que tu en as envie !

Un frisson la parcourut des pieds à la tête.

— Je n'en ai pas envie, Wheeler. Arrête de croire que toutes les femmes rêvent de toi. Tu n'as jamais pensé que certaines pouvaient être immunisées contre ton charme et ton…

Le regard qu'elle posait sur sa poitrine nue démentait chacun des mots qu'elle prononçait.

— … ton sex-appeal ? acheva-t-elle. Ce n'est pas avec moi que tu ajouteras un numéro à ton catalogue.

— Très bien, conclut Lucas.

— Très bien ? C'est tout ce que tu trouves à dire ?

— C'était juste une manière de dire que nous pouvions passer à un autre sujet de conversation. Et maintenant, tourne-toi !

— Pourquoi ?

— Parce que je te le demande. Tu as besoin de te détendre un moment avant de trouver le sommeil. Si tu ne t'endors pas, tu vas continuer à discuter avec moi et je ne dormirai pas non plus. Je veux te masser les épaules, alors tourne-toi et tais-toi.

Elle obtempéra. Tant bien que mal, il fit glisser le drap dans lequel elle était enroulée jusqu'à sa taille. En guise de chemise de nuit romantique, elle portait un T-shirt à bretelles, mais de sa part, c'était logique, même si c'était désolant ! Il veillerait à combler cette lacune dès que leurs relations le lui permettraient. Pour l'instant, c'était d'elle qu'il devait s'occuper. Il souleva la masse de cheveux sombres et commença à masser le haut de son dos qu'il sentit se détendre.

Encouragé, il fit de son mieux, autour de son cou, le long de sa colonne vertébrale. Elle était souple sous ses doigts. Sa peau était soyeuse, parfumée. Il prolongea sa caresse sur le haut du bras, hésitant un peu à baisser la bretelle du T-shirt.

— Ecoute, je ne sais pas ce que tu fais, mais jamais massage ne m'a paru moins relaxant, déclara-t-elle avant qu'il ait pris sa décision.

— Tu m'étonnes. Quelqu'un d'aussi immunisé que toi contre mon charme devrait au contraire profiter au maximum de cette séance.

— Bof..., grogna-t-elle en se retournant vers le mur.

Lucas s'estima satisfait de cette réaction laconique.

— Tu sais, il n'y a aucun mal à apprécier que quelqu'un te touche.

Pour toute réponse, elle le gratifia d'un nouveau grognement.

Il glissa sa main sous le bras de Cia et lui caressa légèrement le sein. Maintenant, son objectif était de la débarrasser de ce T-shirt minable. Il se rapprocha d'elle, se colla contre son dos tiède et murmura à son oreille :

— Je n'ai jamais pensé que toutes les femmes rêvent de moi ! Hum... J'adore le parfum de tes cheveux contre ta nuque.

Son corps tiède blotti contre le sien était devenu une tentation quasiment irrésistible. Il était prêt à plonger en elle, au point qu'il en avait presque mal. Si seulement...

— Lucas, souffla-t-elle, il faut arrêter. Nous ne pouvons pas continuer comme ça.

— Pourquoi ?

Il glissa une main sous le T-shirt, caressa le ventre plat, se familiarisant peu à peu avec la peau soyeuse qu'il découvrait lentement.

Elle haletait.

— Si tu me dis encore que je ne t'intéresse pas, reprit-il, je te promets que je trouverai d'autres façons de te faire remarquer que tu mens.

— C'est un mensonge que je serai incapable de te faire désormais.

Cette façon de reconnaître l'évidence était si directe qu'elle fit tomber ses dernières barrières.

Il chercha ses lèvres, les embrassa, les dévora avec toute la fougue de sa sensualité. Miracle ! Elle lui répondait, laissait sa langue y pénétrer pour y jouer avec la sienne, longuement, savamment. Pendant quelques instants, ce fut le paradis. Hélas, au moment où il s'emparait de son sein à pleine main, comme il l'aurait fait d'un fruit longtemps convoité, elle s'écarta.

— Ça suffit.

Il fut d'autant plus surpris de cette reculade qu'elle répondait avec fougue à ses avances, comme si elle n'avait plus fait l'amour depuis des siècles.

Il lui prit le menton et la força à le regarder dans les yeux.

— Cia, est-ce que par hasard tu serais vierge ?

Voilà qui expliquerait pas mal de choses.

Elle s'assit tout en prenant grand soin de garder le drap enroulé autour de sa poitrine.

— Mon expérience en matière de sexe n'a pas à

intervenir dans ce que nous avons tous les deux décidé de traiter comme une simple relation d'affaires.

Hélas, cette « simple relation d'affaires » leur apparaissait comme une fiction périmée depuis longtemps.

— Alors, explique-moi ce que tu fais ici. Tu pouvais très bien déménager tes affaires et continuer à dormir dans ta chambre. Pourquoi est-ce que tu es venue chez moi ? Arrête de jouer la comédie ! Pourquoi est-ce que tu refuses de faire ce que nous souhaitons tous les deux ?

— Parce que si je cède, tu vas crier victoire comme tout bon macho qui se respecte.

— Pardon, mais s'il y a victoire, c'est à toi qu'elle revient. Tu n'as pas compris que c'est toi qui as le pouvoir ? Tu as fait de moi un pauvre homme qui te supplie à genoux de lui accorder quelques miettes de ta beauté.

Cia écoutait, et comme d'habitude, elle passait beaucoup trop de temps à réfléchir au lieu de se laisser porter par le courant de la vie.

— Tu sais aussi bien que moi qu'entre nous, il n'est pas question d'attachement, seulement de sexe, reprit-il. Pourquoi ne pas faire l'amour tout simplement, sans se poser de questions ? Aucun de nous n'en souffrira ; au contraire, nous aurons du plaisir tous les deux.

Comme elle ne répondait pas, il continua sa plaidoirie :

— Franchement, je ne comprends pas que tu hésites. Quel programme pourrait être mieux adapté à une femme indépendante comme toi et si prévoyante qu'elle a déjà organisé son divorce ?

Cette fois, elle eut une moue de mépris.

— Tu cherches à me séduire par la logique de ton raisonnement ? C'est nul.

— Mais efficace !

Sa moue se transforma en sourire.

— Oui, c'est vrai que ça marche. J'ai envie de toi.

Cette fois au moins, elle n'avait pas hésité à se jeter à l'eau.

— Ecoute bien ce que je vais te proposer. Laisse-moi prendre soin de toi. Physiquement. Tu donnes tellement aux femmes de ton refuge que tu reviens épuisée. Laisse-moi t'aider à oublier le reste du monde de temps en temps. Tu ne seras pas la seule à y gagner, j'y trouverai mon compte moi aussi. Voilà ce que je te propose comme nouvelle base de partenariat.

Tout était clair. C'était à elle de décider. Elle voulait rester maîtresse de sa vie, il respectait ce choix. Jamais elle ne pourrait lui reprocher de lui avoir forcé la main.

— Et maintenant, ma belle, écoute encore. Ce plancher est trop dur pour mon dos. Je vais retourner dans le grand lit moelleux qui se trouve juste à côté. Si jamais tu as envie de passer quelques heures fort agréables, rejoins-moi. Sinon, reste où tu es. A toi de choisir !

- 8 -

Lucas lui avait laissé le choix. Clairement et simplement. Voilà qui changeait tout pour elle. D'un coup, ses hésitations avaient disparu. Lucas et elle étaient deux partenaires égaux. Il ne cherchait pas à la dominer comme elle l'avait imaginé. En fait, depuis le début, il la respectait, mais elle n'avait pas voulu le voir. Tout ce qu'il souhaitait, c'était de partager avec elle le plaisir de faire l'amour, exactement comme il prenait du plaisir à tant d'autres choses.

Oui, elle avait envie de lui. Il avait le don d'effacer ses doutes, ses déceptions. Pamela et les autres n'occuperaient plus sans cesse la première place dans sa vie. Elle oublierait tout ce qui n'était pas ce que Lucas lui faisait éprouver quand il la prenait dans ses bras.

Faire l'amour ne lui enlèverait rien de ce à quoi elle tenait.

Lucas n'aurait du pouvoir sur elle que si elle se laissait aller à tomber amoureuse de lui. Cela n'arriverait pas, il suffisait de le décider. D'ailleurs, elle avait déjà en main le meilleur des atouts, puisque la date de son divorce était arrêtée. Voilà l'astuce qui lui éviterait les tortures affectives qu'elle redoutait.

Tranquillisée par cette réflexion, elle se leva et

avança jusqu'au bord du lit. Calé contre son oreiller, il la regardait faire, le regard brûlant.

Elle aussi le regardait. Il était beau, et il était à elle pour la nuit. Pour autant de nuits qu'elle le souhaiterait. Un frisson délicieux la parcourut.

— Tu veux savoir ce qui m'a décidée ?

— Bien sûr !

— Tu vas te moquer de moi, mais tant pis. C'est que tu aies voulu dormir par terre à ma place.

Etrangement, elle sentit le rire de Lucas résonner au creux de son ventre.

— Ah, je croyais que c'était la robe Versace, ironisa-t-il.

— A ma grande honte, je dois reconnaître que tu avais marqué un point ce jour-là.

C'était là un aveu difficile à admettre, mais elle adorait les cadeaux qu'il lui avait faits.

Il hocha la tête.

— Tu sais que je n'ai jamais eu autant de mal à mettre une femme dans mon lit que toi !

— Rude coup pour ton ego, n'est-ce pas ?

Au grand étonnement de Lucas, elle se déhancha légèrement, et plaça une main sur son côté en une pose très sensuelle. Dire qu'elle était si fatiguée tout à l'heure qu'elle tenait à peine debout ! Le désir qu'elle éprouvait lui avait rendu toute son énergie.

— Et gare à toi, poursuivit-elle, tu n'es peut-être pas au bout de tes peines, puisque je ne suis pas encore dans ton lit.

Avec un grognement de bête fauve, il repoussa le drap qui le recouvrait et se jeta sur elle, complètement et divinement nu. La preuve qu'il la désirait était absolument indéniable. Au lieu de la hisser dans le lit, il la prit par la main et embrassa chacun de ses doigts, l'un après l'autre. Puis il posa la main de Cia sur son cœur en la regardant dans les yeux.

— Tu es belle, si belle…

Et il se mit à l'embrasser.

Elle sentit monter dans son ventre une tornade de désir. Le baiser continuait, s'éternisait, alimentant le feu qui brûlait en elle.

Il l'embrassait lentement, transformant le baiser en une torture exquise qu'elle aurait voulue éternelle.

Mais il avait d'autres projets. Il s'écarta un peu d'elle, passa ses doigts sous le bord du T-shirt froissé. Puis, tout en l'observant à travers ses paupières mi-closes, il le releva tout doucement jusqu'à le lui faire passer par-dessus la tête.

— Tu… tu ne veux pas que je vienne dans le lit ? demanda-t-elle d'une voix rauque.

— Non. Puisque tu as fait la forte tête pour ne pas m'y rejoindre, je vais m'occuper de toi là où tu te trouves.

Il jeta le T-shirt par-dessus son épaule et contempla sa poitrine nue. Puis il rapprocha son torse de ses seins juste assez pour en caresser la pointe qui se dressa tandis qu'un incendie éclatait dans son ventre. Elle se mit à gémir. S'il continuait ainsi, elle allait avoir un orgasme avant même qu'il la touche vraiment !

Heureusement, elle sentit qu'il plaçait une main dans le bas de son dos et qu'il la soulevait de manière à ce que sa bouche puisse atteindre le bout de son sein droit. De la langue, il le taquina, puis le mordilla, jusqu'à ce qu'il soit dressé comme une pique de chair brune. Ensuite, il s'occupa tout aussi savamment de l'autre sein. Lorsqu'elle sentit ses dents prendre possession du bout sensible, ses genoux ployèrent sous elle, et elle regretta de ne pas être allongée à côté de lui.

Pendant qu'il jouait avec le bout de ses seins, sa main se faufila sous le petit short qu'elle portait pour dormir jusqu'à trouver la fente sensible qui y était cachée.

Cette caresse provoqua un choc en elle.

— Lucas…

Sa bouche descendait maintenant le long de son ventre, jusqu'aux attaches qui retenaient son short qu'il défit d'une main experte. Le vêtement glissa à terre. Elle se retrouva totalement nue contre Lucas. Tout en continuant à la caresser, il la fit pivoter sur elle-même, de manière à ce que ses fesses sentent son érection.

Elle s'efforçait de retenir son plaisir, mais cela devint encore plus difficile lorsqu'il fit pénétrer un doigt, puis deux, au creux d'elle-même. Elle rejeta la tête en arrière, contre la poitrine de Lucas. C'était trop bon…

Par-derrière, elle sentait l'érection de Lucas, par-devant, la caresse insistante de ses doigts au point précis de son plaisir. Impossible de résister plus longtemps. Le grand cri de volupté qu'elle poussa lui fit presque peur.

Les vagues de jouissance raidissaient les parois de son sexe autour des doigts de Lucas qui continuait à les faire aller et venir, jusqu'à ce que tout se termine en une explosion fantastique.

Il venait d'effacer pour elle tous les hommes passés et à venir.

Elle se laissa aller dans ses bras, épuisée, incapable de tenir sur ses jambes. Entraîné par ce poids inattendu, il se laissa tomber sur le lit où il l'entraîna. Ils se retrouvèrent sur les draps, jambes mêlées et souffle court.

— A partir de maintenant, souffla Lucas dans les

cheveux de Cia, plus besoin de mentir quand on nous demandera pourquoi nous nous sommes mariés. Tu pourras en toute honnêteté répondre que c'est parce que nous passons de bons moments ensemble.

Elle éclata de rire.

— Oui, chacun mettra ce qu'il veut là-dessous, y compris une passion commune pour les mots croisés !

Il la fit rouler sur le lit.

— Maintenant que tu as poussé ton cri de femme sauvage, c'est à ton tour de t'occuper de moi.

— Normal… mais je…

Il méritait bien mieux que ce qu'elle avait à lui offrir.

— Lucas, je n'ai pas beaucoup d'expérience. Je… je ne sais pas si je vais te satisfaire…

Pour toute réponse, il s'allongea sur elle, en prenant appui sur ses avant-bras afin de ne pas l'écraser.

— Ton prochain orgasme est pour moi. Le premier ne compte pas. C'était juste une mise en route, mais tu étais si affamée que tu as explosé comme une fusée dès que je t'ai touchée.

Elle laissa échapper un petit gémissement.

— Juste une mise en route…

Il lui adressa un sourire lourd de promesses.

— Bien sûr. Tu vas voir, j'ai encore mille et mille choses à te faire découvrir.

Et il tint parole. Ses mains et sa bouche accordèrent sa part de plaisir à chaque partie de son corps. Pourquoi s'était-elle autant appliquée à résister à un homme comme lui ? Quel mal y aurait-il à prendre un plaisir donné aussi ouvertement ?

Après ce qui sembla à Cia des heures d'une agonie délicieuse, la bouche de Lucas prit le relais des doigts qui l'avaient si magiquement caressée tout à l'heure. Ses lèvres, ses dents, sa langue travaillèrent sa chair sensible à tour de rôle, jusqu'à ce qu'elle éprouve un orgasme encore plus intense que le précédent.

Pendant tout ce temps, il ne la quitta pas des yeux, puisant son propre plaisir dans celui qu'il lui donnait. Elle comprenait ce qu'il avait voulu dire tout à l'heure. Le pouvoir qu'elle avait sur lui était tout simplement stupéfiant.

— Tu avais raison, souffla-t-elle ensuite lorsqu'il se reposa contre elle. Si j'ai refusé de rester dans ma chambre, c'est parce que j'avais envie d'en arriver où nous en sommes, mais je ne voulais pas me l'avouer. Maintenant, c'est fini, je refuse de me mentir encore. Je te désire. J'ai envie de faire l'amour avec toi.

— Voilà une confession qui me plaît beaucoup, mais pourquoi nous presser ? La nuit nous appartient, et la suivante aussi, et toutes celles qui suivront. Le plus agréable, c'est de savourer chaque minute avant d'arriver au but.

— Mais ça ne te rend pas fou d'avoir à te retenir comme ça ?

— Loin de là. En plus, ça me laisse le temps de reprendre des forces, ajouta-t-il en riant. Tu sais, chacun de tes soupirs, chacun de tes gémissements résonne à mes oreilles comme une musique délicieuse. Je pourrais passer des heures à te regarder jouir.

Seigneur…

— Tu as l'intention d'arriver à une façon plus conventionnelle de faire l'amour ?

— Bien sûr, tu vas voir ça tout à l'heure.

Elle soupira. Comme c'était bon de se laisser aller au

plaisir au lieu de le mélanger avec des sentiments qui l'angoissaient. Grâce au nouveau contrat qu'elle avait passé avec lui, elle pouvait satisfaire ses propres besoins sans craindre de perdre quoi que ce soit d'essentiel.

Avec lui, il n'était question que de plaisir, pas d'attachement. Elle était sauvée !

Pendant le troisième orgasme de Cia, Lucas dut serrer les dents pour retenir sa propre jouissance. Il le fallait pourtant, puisqu'il n'utilisait pas de préservatif. La petite bombe sexuelle qu'il tenait entre les bras n'allait tout de même pas lui faire perdre sa maîtrise de lui-même !

Il avait inventé ce jeu d'orgasmes multiples pour prouver qu'entre deux personnes qui ont envie l'une de l'autre, rien d'autre ne compte que le sexe. Le but aussi était de se prouver à lui-même que Cia était bien comme les autres et qu'il n'était pas plus attaché à elle qu'aux autres.

Pourtant, s'il savait effectivement comment s'y prendre pour faire jouir une femme et y trouver lui-même beaucoup de plaisir, il devait reconnaître que rien de ce qu'il vivait avec elle ne ressemblait à ses aventures ordinaires.

Comment l'expliquer ? Pour l'instant, il en était incapable.

Entre deux soupirs, elle se débrouilla pour plaisanter.

— Franchement, je me demande par quel miracle tes anciennes amantes ne sont pas venues me lapider le jour où nous nous sommes mariés !

— Détrompe-toi. Je pense au contraire que beaucoup auraient été très heureuses d'apprendre mon enterrement.

— J'en doute fort.

Elle prit appui sur son coude et le regarda dans les yeux.

— En tant qu'épouse officielle, je pense que j'ai droit à quelques privilèges ?

— Heu… oui. Quoi, par exemple ?

— Le droit de dire que « tout à l'heure » est arrivé.

Et sans un mot de plus, elle le chevaucha. Ses yeux bleus paraissaient presque noirs tant le désir les assombrissait. Elle posa sa bouche sur celle de Lucas, poussa sa langue à l'intérieur. Cette fois, ce fut lui qui laissa échapper un gémissement de plaisir. Il l'enlaça, comme pour s'assurer qu'elle n'allait pas changer de position.

Ce qu'elle lui faisait éprouver défiait toute description. Heureusement, elle avait accepté de reconnaître l'attirance qui existait entre eux au lieu de s'entêter à nier l'évidence.

Il s'abandonna au plaisir tandis que ses longs cheveux bruns recouvraient son visage, que ses seins s'écrasaient contre son torse, que ses doigts caressaient ses cheveux. Le parfum de noix de coco et de citron vert le rendait fou. Son audace aussi. Elle avait relevé une jambe pour s'ouvrir davantage à lui. La soie de son sexe brûlant se frottait contre le sien, le poussant de plus en plus près de l'abîme où il avait hâte de se laisser glisser.

— Attends…, murmura-t-il.

Vite, il tendit un bras vers la table de chevet, ouvrit le tiroir et en sortit un petit sachet en aluminium. Il le déchira pour en sortir le préservatif qu'il enfila aussitôt. Elle reprit sa position et fit pénétrer en elle le sexe dressé de son partenaire.

La sensation qu'il éprouva était extraordinaire. Elle était si étroite ! Si souple aussi qu'elle s'adapta aussitôt à lui. C'était parfait. Elle bougeait son bassin, allait à sa rencontre.

— Lucas, regarde-moi !

Il obtempéra et plongea dans son regard. Superbe, puissante, elle était enfin décidée à prendre tout le plaisir de leurs deux corps réunis, exactement comme il le lui avait demandé.

Elle rejeta la tête en arrière, l'accueillit encore plus profondément en lui. Il posa ses mains sur ses fesses. Il avait atteint la limite de sa résistance. Il ne pouvait pas attendre davantage. Il allait éclater avant elle…

Mais à ce moment-là, la volupté la terrassa elle aussi, et ils jouirent ensemble, en une sorte de plongée commune qui était aussi un incendie de plaisir.

Puis elle s'écroula, se nicha dans le creux de son épaule, et il la serra très fort contre lui, trop préoccupé à capter ses derniers soupirs de plaisir pour bouger.

Le moment était venu de se souvenir de sa promesse de mettre de la distance entre eux. Il n'en trouvait pas l'énergie. Il ne comprenait même plus pourquoi cela ne lui faisait plus du tout envie. Jamais il n'avait fait l'amour comme ça, de cette manière aussi intense et totalement épanouissante.

Car il ne s'agissait pas d'un simple soulagement physique, mais d'une véritable plénitude. Même faire l'amour, surtout faire l'amour avec Cia, était différent, avait plus de sens que d'habitude.

Il venait de découvrir quelque chose qui le bouleversait. Qui lui faisait peur. Il ne venait pas de coucher avec une compagne agréable, non, il venait de faire l'amour avec sa femme.

- 9 -

Le lendemain matin, Cia se réveilla presque sous le corps de Lucas. Elle lui tournait le dos, mais il la maintenait serrée contre lui, presque sous lui. Leurs jambes étaient encore emmêlées, comme si le sommeil avait refusé de les séparer. Elle se sentait délicieusement épuisée.

Cette sensation de fatigue satisfaite, résultat d'une nuit voluptueuse, lui était inconnue depuis des lustres. Il lui fallait remonter à ses années d'étudiante, lorsqu'elle croyait naïvement que l'amour d'un homme la guérirait des blessures que la vie lui avait infligées. Malheureusement, en même temps, elle avait appris à ses dépens que confondre sexe et amour était le meilleur moyen de tisser son malheur.

La leçon avait porté ses fruits. Tant qu'elle saurait séparer le sexe des sentiments, elle ne courrait aucun risque. Sa chance était que Lucas était exactement sur la même longueur d'onde qu'elle. Grâce à cette complicité, le divorce prévu ne poserait aucun problème.

Le plus délicatement possible, elle se dégagea de l'étreinte de Lucas et se leva sans faire de bruit pour aller prendre une douche bien méritée avant d'aller assurer sa permanence au refuge. Malgré ce que lui disait son intuition, elle espérait y retrouver Pamela, mais même si cette dernière n'était pas rentrée, ce qui était le plus probable, d'autres femmes avaient besoin d'elle.

Avant de quitter la chambre, elle jeta un dernier coup d'œil à Lucas qui dormait encore, étalé en travers du lit. Comme elle lui était reconnaissante de lui avoir ouvert les yeux ! Le sexe sans engagement qu'il lui avait proposé était bien la meilleure façon de profiter de la vie.

Dès son arrivée au refuge, elle découvrit que Pamela n'était pas revenue sur sa décision. Elle était bien allée rejoindre son mari, sans doute pleine de l'espoir qu'elle allait enfin connaître le bonheur auprès de lui. Elle en fut contrariée, mais bizarrement, cela ne l'empêcha pas de se sentir heureuse malgré les entretiens désolants qu'elle eut avec certaines pensionnaires bien mal en point psychiquement. A plusieurs reprises, elle dut même se surveiller pour ne pas chantonner alors qu'elle exécutait les tâches les plus triviales, comme remplir des dossiers ou mettre de l'ordre dans le placard aux provisions.

A la fin de sa permanence, elle aurait dû être épuisée comme cela lui arrivait souvent. Au contraire, elle se sentait pleine d'entrain et n'avait qu'une pensée en tête : retrouver Lucas le plus vite possible pour expérimenter avec lui quelques idées coquines qui lui étaient venues à l'esprit dans le courant de la journée.

La maison était vide lorsqu'elle rentra. Elle alla dans la cuisine se servir un verre d'eau qu'elle but debout devant l'évier. Lucas fit alors irruption dans la pièce, alors qu'il était prévu qu'il ne rentre du bureau que beaucoup plus tard.

— Tu es déjà de retour ?

Dans son costume sombre qui mettait en valeur la carrure de ses épaules, il rayonnait de virilité. L'expression de son visage et la lueur qui dansait dans ses yeux avaient un sens bien clair pour elle.

Elle ne s'était pas trompée. Sans un mot, il s'avança vers elle et commença à l'embrasser avec fougue tout en la faisant pivoter de manière à la plaquer contre le comptoir. Coincée entre la dureté du marbre et Lucas qui ne l'était pas moins, elle sentit un tourbillon de désir naître au creux de son ventre.

Sans prendre la peine d'en défaire les boutons, Lucas écarta sans ménagement les pans de son chemisier qu'elle entendit craquer. Il le lui retira, puis le jeta par terre. Ensuite, ses mains glissèrent dans son dos où elles dégrafèrent son soutien-gorge qui prit le même chemin que le chemisier.

Cinq secondes plus tard, elle était complètement nue. A son tour, Lucas se dévêtit à la même vitesse et repoussa la jeune femme contre le marbre du comptoir dont la fraîcheur ne suffit pas à apaiser le feu qui brûlait en elle.

Moins de cinq minutes après avoir franchi le pas de la porte, il plongea en elle avec un gémissement de plaisir.

Elle enroula ses jambes autour de lui et le pressa contre elle. Elle attendait avec une impatience toujours plus grande chacun de ses coups de reins, plus violent que le précédent, plus délicieux, plus voluptueux. Sans prévenir, son plaisir éclata, entraînant aussitôt celui de Lucas.

Ils s'affaissèrent l'un contre l'autre, la tête de Cia calée contre la poitrine de Lucas, le visage de ce dernier posé dans les cheveux humides de la jeune femme.

Si c'était la manière dont ils devaient se retrouver le soir après le travail, elle signait tout de suite !

Une fois sa respiration retrouvée, elle leva son visage vers lui qui haletait encore.

— Comment s'est passée ta journée ?

— Totalement inintéressante, mis à part les dix dernières minutes, répondit-il en riant. J'ai pensé à toi sans arrêt ! Demain matin, tâche de ne pas disparaître sans rien me dire, j'ai envie de me lever en même temps que toi.

Il s'écarta d'elle et jeta à la poubelle le préservatif que malgré son impatience il avait pris le temps d'utiliser. Ensuite, il ramassa les vêtements de Cia qui jonchaient le sol.

— Désolé, Cia, mais si tu me regardes comme ça quand je rentre à la maison, je crains que…

— C'est toi qui m'as regardée le premier !

Elle lui adressa un regard malicieux.

— Mais si c'est ta manière de me dire bonsoir, je n'ai rien contre !

Il la prit par la main.

— Viens, j'ai une nouvelle faveur à te demander.

— Ah ? Est-ce qu'une nouvelle robe Versace s'annonce ?

— Tu as deviné. Sauf que, cette fois-ci, j'ai bien l'intention de te la retirer moi-même à la fin de la soirée !

— Et pourquoi pas pendant ?

Elle considéra son chemisier déchiré, désormais immettable, et le jeta à la poubelle.

— Voilà qui justifie que tu me fournisses une garde-robe de substitution !

— Madame Wheeler, je retiens cette excellente idée. En attendant, viens voir si la robe que j'ai choisie te plaît.

Madame Wheeler…

C'était la première fois qu'il l'appelait ainsi, par son nom officiel. Pourquoi cela résonnait-il si agréablement à ses oreilles ?

Il l'entraîna dans l'escalier et jusqu'à ce qui avait été sa chambre au début de leur relation.

— Au fait, déclara-t-il, j'ai vu Maria ce matin avant de partir au bureau. Je lui ai raconté que nous nous étions un peu disputés l'autre soir à propos d'une de mes anciennes copines, mais que tout était arrangé. Ça te va comme explication ?

— C'est parfait.

De toute façon, cinq minutes à peine après avoir explosé de jouissance dans ses bras, tout ce qu'il proposait ne pouvait être que parfait ! Y compris la nouvelle robe de soirée qui l'attendait, accrochée dans sa penderie. Cette fois, la robe était en lin bleu sombre, de la couleur de ses yeux. En matière de coupe, elle était aussi élégante que le fourreau rouge, mais d'une manière différente, car cette fois la jupe s'évasait en godets, ce qui lui donnait une allure dansante du meilleur effet.

Debout dans l'embrasure de la porte de la salle de bains, il savourait la surprise de Cia. Il avait une façon de la regarder qui la faisait se sentir belle et désirée, ce qui ne lui était jamais arrivé auparavant. Si on lui avait dit qu'un jour elle éprouverait pareille griserie !

Un peu plus tard, lorsqu'ils pénétrèrent dans le salon où se tenait le bal de la Calliope Foundation, elle rayonnait encore de la confiance que Lucas lui avait insufflée. Ses parents se trouvaient là, ainsi que ses grands-parents, un couple âgé, souriant, auquel il la présenta. Elle les trouva bien différents de son grand-père qui sortait fort peu et restait toujours sur sa réserve bougonne.

Matthew vint se joindre à eux. Comme la dernière fois, il se montra assez froid et distant, mais elle se souvint de leur conversation. Le compliment qu'il lui avait fait en lui disant qu'elle était l'atout de Lucas méritait bien qu'elle se montre aimable avec lui. Elle fit donc un effort pour se montrer amicale afin d'éviter de justifier son attitude.

Ensuite, appuyée au bras de Lucas, elle s'appliqua à sourire aimablement aux gens auxquels il parlait, à rire à ses plaisanteries et à celles de ses interlocuteurs et à faire des compliments à leur épouse à propos de leur robe ou de leurs bijoux. Tout cela était à mille lieues de ce qui l'intéressait vraiment dans la vie, mais elle avait signé pour un rôle, elle le remplirait de son mieux.

D'ailleurs, elle allait profiter de la soirée pour se renseigner un peu sur le statut des personnes qui se trouvaient autour d'eux.

— Est-ce que tous ces gens sont des clients de Wheeler Family Partners ou, tout au moins, des clients potentiels ?

— Plutôt potentiels. Tu sais que notre liste est plutôt réduite en ce moment.

— Tu as quelqu'un en vue ?

— Oui, Moore qui n'a toujours pas signé.

— C'est le seul ?

— Non. Matthew a profité de cette soirée pour inviter un autre client, M. J. Walsh, de Houston, qui est susceptible d'être intéressé par un autre projet.

D'ailleurs, je viens de l'apercevoir près du buffet, viens, allons le retrouver.

— Attends une minute. Quelle est sa spécialité ?

— Les fondations, le ciment, la tuyauterie, bref, tout ce qui concerne les fondations d'un bâtiment.

Il se mit à rire tout à coup.

— Tu ne me feras pas croire que tu t'intéresses à ce genre de choses !

— Si. C'est justement pour cette raison que je t'ai posé la question. Présente-moi à ce M. Walsh.

Obtempérant malgré sa surprise, il l'entraîna vers Matthew qui s'entretenait avec un homme d'une quarantaine d'années. Ce dernier arborait un costume des plus mal coupés.

Elle eut tôt fait d'évaluer le personnage. C'était un homme qui n'hésitait sans doute pas à mettre lui-même la main à la pâte pour que son entreprise fonctionne comme il le souhaitait. Comment convenait-il de l'aborder ?

Voyons, qu'aurait fait sa mère en pareille circonstance ? Elle se serait comportée comme une hôtesse attentionnée, souriante et soucieuse du bien-être de son invité. Ensuite seulement, elle serait passée à la conversation sérieuse.

Après avoir demandé à M. Walsh s'il acceptait une coupe de champagne, elle appela le serveur et, tout en trinquant avec lui, elle le questionna sur sa famille, ses dernières vacances, ses passe-temps préférés. Tout en souriant, elle faisait appel à son sens des affaires laissé en jachère depuis qu'elle s'occupait du refuge, mais qui était bien réel.

— Si vous me parliez un peu de votre fabrique de

ciment, monsieur Walsh ? J'imagine que c'est un secteur en pleine expansion, puisque tout nouveau bâtiment a besoin de fondations solides. Je me trompe ?

Non, elle ne se trompait pas. Le regard de M. Walsh s'éclaira, et il se mit à inventorier les mille et une raisons qui faisaient que le nord du Texas avait réellement besoin d'un nouveau centre commercial pourvu de plusieurs galeries de boutiques. De temps à autre, elle glissait une remarque sur le sérieux avec lequel Lucas suivait toutes les opérations qui lui étaient confiées.

Au fur et à mesure qu'ils conversaient, elle se rendit compte qu'elle ne jouait plus du tout un rôle, mais qu'elle plaidait réellement la cause de Lucas. Elle qui n'avait jamais été capable de recueillir de l'argent pour le refuge auquel elle croyait tant découvrait qu'elle pouvait développer des arguments parfaitement convaincants pour l'entreprise de Lucas. Etait-ce le fait que, en tant que Mme Wheeler, épouse de M. Wheeler, elle était partenaire d'une entreprise commune ? En tout cas, elle se découvrait avec surprise des talents d'avocate pour le projet de Lucas.

Ce qui prouvait une fois de plus que ce mariage était bien le meilleur choix qu'elle pouvait faire pour mener à bien la mission de sa mère.

Après que Matthew eut entraîné Walsh vers d'autres personnes, elle se pencha vers Lucas.

— Est-ce que j'ai été à la hauteur ?

Pour toute réponse, il la prit par la main, l'entraîna derrière un palmier planté dans une grande jarre et se mit à l'embrasser comme s'ils étaient venus à la soirée précisément dans ce but.

Les bras passés autour du cou de Lucas, elle se

laissait aller. Elle appréciait la force qui émanait de ce grand corps solidement bâti. Finalement, ils se complétaient parfaitement, et leur partenariat fonctionnait à merveille : elle l'aidait dans ses affaires, et il s'occupait d'elle comme il l'avait promis. Physiquement. Que pouvait-elle souhaiter de mieux ?

Lorsqu'il s'écarta d'elle afin de reprendre sa respiration, il lui adressa un sourire éclatant.

— Tu as été plus qu'à la hauteur. A croire que tu as décidé de rejoindre l'entreprise !

— Normal, je porte déjà le nom de Wheeler !

Elle avait lancé cela comme une boutade, mais finalement, ce n'était pas si drôle que cela. Elle s'était donc déjà habituée à ce qu'elle refusait si ardemment quelque temps plus tôt ?

— C'est vrai, répondit Lucas en la prenant par le menton.

Les lumières de la salle se reflétaient dans ses yeux, les faisant étinceler. Comme il se penchait sur elle encore une fois, elle eut l'impression que le monde n'était fait que pour contenir leurs deux corps soudés l'un à l'autre en un baiser d'une douceur exquise.

Cette fois, c'était un baiser d'amoureux qu'ils partageaient.

A cette idée, elle sentit son cœur se serrer.

Non, non… Non. Il ne faut pas !

— Vite, filons dans le vestiaire. Tout de suite ! souffla-t-elle contre la bouche de Lucas.

Qu'ils fassent l'amour, vite ! Il n'y avait rien d'autre entre eux. Elle ne voulait rien d'autre, et surtout pas de stupides sentiments !

Il parut étonné.

— Maintenant ?

— Oui, maintenant.

Il la prit par la main et, comme des voleurs, ils quittèrent ensemble la salle de réception à la recherche d'un salon privé. Au bout du long couloir sur lequel donnait l'entrée, ils découvrirent une petite pièce où étaient rangés les produits de nettoyage. Ils s'y réfugièrent.

La porte refermée sur eux, il la plaqua contre le bois pour l'embrasser avec une fièvre d'affamé.

Tout à coup, elle se sentit mieux. Le monde tournait rond de nouveau. Lucas la désirait, et elle le désirait aussi. C'était cela leur contrat, rien de plus. Deux personnes assoiffées qui se désaltèrent à la même source avant de reprendre chacune son chemin.

— Tu as un préservatif ? souffla-t-elle.

Il avait tout prévu. Et heureusement, car une grossesse accidentelle la lierait à lui pour la vie, ce qu'elle voulait précisément éviter. Indépendamment de cela d'ailleurs, elle ne voulait pas d'enfants. Sa vie devait demeurer légère, sans attachement d'aucune sorte. C'était ce qu'elle avait choisi une bonne fois pour toutes.

Deux minutes plus tard, sa robe était relevée et sa petite culotte atterrissait sur le sol. Il l'empoigna par la taille et la souleva sans effort avant de la caler contre la porte. Elle eut à peine le temps d'enrouler ses jambes autour de lui qu'il la pénétrait déjà, profondément, sauvagement. Elle rejeta la tête en arrière et enfourcha la vague de volupté qui éclata très vite dans sa tête en une multitude d'étincelles.

Parfait. Pas de sentiment, juste du plaisir.

Mais lorsqu'ils se regardèrent, une véritable décharge électrique passa entre eux.

Elle fit comme si elle n'avait rien remarqué.

Le soleil entrait à flots par la fenêtre du bureau de Lucas. Il fit pivoter sa chaise de manière à lui tourner le dos et s'obligea à revenir à son ordinateur. Tout ce qui concernait le bâtiment, fondations, ciment, béton, ferraillage, tout cela faisait partie de son patrimoine génétique. Il était né avec cet héritage et y avait consacré tout son temps depuis qu'il était en âge de travailler. Par conséquent, ce ne devrait pas être si difficile de se concentrer sur les courbes qui apparaissaient sur son écran.

Son imagination paraissait prendre un malin plaisir à le détourner de son travail. Pire, à lui trouver des occasions de faire un saut chez lui. A plusieurs reprises, après avoir rencontré un client, il était passé par Highland Park avant de rentrer à son bureau et y avait trouvé Cia. C'était pure coïncidence si elle y était, mais ç'aurait été un crime que de ne pas profiter de cet heureux hasard.

L'ironie de la situation ne lui échappait pas. Il s'était marié pour renflouer ses affaires, et voilà que son mariage l'empêchait de se consacrer à son travail !

En fait, Moore avait signé, et Walsh aussi. La présence de Cia et ses interventions avaient certainement joué un rôle positif dans la transaction, il en était persuadé. En tout cas, les deux hommes étaient enchantés de travailler avec lui qui avait bien l'intention de leur donner toute satisfaction.

Si on lui avait demandé s'il était heureux, il aurait répondu que les semaines qui venaient de s'écouler étaient les plus heureuses de sa vie. Les suivantes s'annonçaient tout aussi merveilleuses. Il lui suffisait pour cela de ne pas attacher d'importance à la place grandissante que Cia occupait dans son quotidien. Elle aussi paraissait heureuse. La mine triste et angoissée qu'elle avait fréquemment au début de leur relation avait disparu depuis qu'elle admettait avoir besoin du plaisir physique qu'il lui apportait. Pourquoi le nier ? Cet arrangement flattait son ego.

Matthew frappa à la porte de son bureau. Dès qu'il fut entré, Lucas remarqua son inhabituelle pâleur.

— Que se passe-t-il ?

— Grand-père vient d'être hospitalisé. Il a eu une crise cardiaque. Le pronostic est mauvais. Papa nous demande d'aller tenir compagnie à maman.

Il eut l'impression qu'un poids venait d'écraser sa poitrine.

— Mais… il m'a battu au golf le mois dernier !

Leur grand-père avait soixante-quinze ans, bien sûr, mais il était toujours actif, tant dans sa vie privée qu'au sein de l'entreprise. Tout en parlant, Lucas se rendit compte à quel point sa protestation était dérisoire et ne changeait rien à la réalité.

— Rejoins-moi sur le parking, je vais chercher ma voiture, déclara Matthew sans attendre davantage.

Il referma son ordinateur, demanda à Helen d'annuler les rendez-vous prévus et alla rejoindre son frère. Une fois assis dans la voiture, il envoya un message à Cia pour qu'elle le retrouve à l'hôpital.

Les deux frères demeurèrent silencieux pendant tout le trajet. Depuis la mort d'Amber, leurs uniques sujets de conversation désormais étaient le travail et le baseball, comme Matthew le souhaitait.

Avant son mariage avec Amber, Matthew et Lucas étaient inséparables. Lorsque la jeune femme était apparue dans la vie de Matthew, leur relation avait évolué. Lucas se tenait à distance de leur couple, les regardant avec respect et une certaine envie. A la mort d'Amber, Matthew s'était complètement refermé sur lui-même. Depuis, la communication entre eux était rompue.

Une fois la voiture garée dans le parking de l'hôpital, ils rejoignirent leurs parents dans la salle d'attente où l'atmosphère était tendue, chacun redoutant la mauvaise nouvelle. Un médecin au visage fermé vint la leur annoncer quelques instants plus tard. Leur mère se mit à pleurer. Leur père la prit dans ses bras. Matthew, comme toujours, se tenait à l'écart près de la fenêtre. Il ne voulait rien partager, même pas avec Lucas.

Lorsque Cia arriva peu après, il comprit tout de suite qu'elle n'était pas venue faire de la figuration. Elle était là parce qu'elle était sa femme. Lorsqu'elle s'approcha de lui pour lui prendre la main, il ferma les yeux. Le parfum de noix de coco et de citron vert allégeait miraculeusement le poids qui l'étouffait un peu plus tôt. Cette fois, il pouvait affronter la réalité.

— Merci d'être venue, murmura Lucas.

— Je suis bien triste moi aussi. Je sais que ton grand-père comptait beaucoup pour toi.

Comme il posait son visage sur les cheveux de Cia, Lucas surprit Matthew en train de les regarder, les bras croisés, une expression étrange sur le visage. Sans doute souffrait-il atrocement de sa solitude…

Finalement, Cia ramena Lucas à la maison de ses parents où ils retrouvèrent sa grand-mère. La vieille dame, choquée par le malaise de son mari, avait été trop faible pour l'accompagner à l'hôpital. Chacun l'entoura de son mieux, évoquant les bons souvenirs qu'il avait de celui qui venait de disparaître. Pendant tout ce temps, Cia resta près de Lucas.

Cette attention le toucha profondément. Il y voyait la preuve que, en plus d'être amants, ils étaient devenus amis. Cela ne lui était jamais arrivé, et il ne s'y attendait pas. Pour la première fois, il se demanda ce que deviendrait leur relation une fois qu'ils auraient divorcé. Est-ce qu'ils continueraient à se voir ? En tant qu'amis ou amis-amants ?

Avant qu'il ait pu imaginer une réponse, Matthew lui fit signe de l'accompagner dans la véranda. Comme Cia était occupée à préparer des boissons pour tout le monde, il suivit son frère sans hésitation.

Matthew sortit une bouteille de bière du petit réfrigérateur qui se trouvait dans un coin de la pièce et leur en servit un verre à chacun. Lucas accepta, heureux de se rapprocher de son frère.

— La journée est bien longue…, déclara-t-il tristement.

— Pour moi, chaque jour est trop long, enchaîna Matthew.

— Tu es triste. Tu veux qu'on en parle ?

— Non, mais il le faut, poursuivit Matthew. J'en ai besoin. Tu comprends, d'abord Amber, maintenant grand-père. C'est trop. Je n'en peux plus.

Sa voix était sérieuse. Trop. Lucas s'inquiéta tout à coup pour ce frère qu'il avait cru si solide.

— Tu veux prendre un congé ?

— Oui, rétorqua Matthew avec un rire triste. Congé de moi-même ! Le problème, c'est qu'aucune agence de voyages ne propose ce genre de départ.

— Matthew, tu es encore dans le deuil, mais tu te sentiras mieux dans quelque temps.

— Je ne sais pas ce qui me remettra en selle, mais quoi que ce soit, je sais que ce n'est pas ici que je le trouverai.

— Tu sais où ?

Matthew haussa les épaules.

— Non. Mais je vais chercher. C'est pour ça que je m'en vais. Définitivement.

— Non ! s'écria Lucas. Tu ne peux pas faire ça.

Matthew était un Wheeler. Les Wheeler ne baissaient pas les bras, quoi qu'il arrive. Tout ce que Lucas savait de la vie, il l'avait appris en regardant son grand frère réussir dans tout ce qu'il entreprenait. Matthew était déprimé, parce qu'il était trop fatigué.

— Tu ne peux pas partir, Matthew. Tu as trop travaillé, tu as besoin de repos. Pars escalader l'Himalaya si tu veux, ou boire des margaritas au Belize, mais il faut que tu reviennes.

— Non, je ne reviendrai pas.

Qu'il était têtu ! C'était au moins une chose qu'ils avaient en commun.

— Wheeler Family Partners ne peut pas tourner avec un seul homme, reprit Lucas. Grand-père vient de nous quitter, papa se retire peu à peu de l'affaire, tu ne peux pas tout me laisser entre les mains. Tu sais bien que je suis le mouton noir de la famille !

Le regard aigu de Matthew se fixa sur Lucas.

— Ce n'est plus vrai, tu peux très bien te débrouiller

sans moi. Tu as beaucoup changé depuis quelque temps. Peut-être que cette histoire avec Lana t'a mis un peu de plomb dans la cervelle ? Je ne sais pas, en tout cas, tu es devenu ce que j'étais.

— Qu'est-ce que tu veux dire ?

Matthew prit le temps d'avaler une gorgée de bière.

— Tu es devenu responsable. Marié. Digne de confiance. J'avais toujours cru que je serais celui qui fonderait une famille, qui engendrerait la nouvelle génération de Wheeler. Je me trompais, c'est toi qui le feras.

De surprise, Lucas lâcha le verre qu'il tenait à la main. Il se brisa en atterrissant sur le carrelage, laissant une odeur de bière flotter dans l'air.

— Qu'est-ce que tu racontes ? Je ne suis pas en train de me ranger. Je n'ai pas prévu d'avoir une famille !

— A d'autres ! répliqua Matthew. Je veux bien me pendre si ta femme n'est pas enceinte d'ici à un mois.

La gorge de Lucas était sèche comme du papier émeri. Diable… Cia et lui avaient si bien tenu leur rôle que Matthew se sentait libre de quitter l'entreprise familiale, persuadé qu'il la laissait entre les mains d'un homme enfin installé dans la vie.

— Enfin, corrigea Lucas, nous prenons des précautions. Cia ne souhaite pas avoir d'enfants.

— Bah… Un accident peut toujours arriver. Surtout quand on est amoureux comme vous l'êtes. Je vous ai vus quitter une soirée tous les deux et revenir avec des mines de conspirateurs sans avoir pris la peine de vous recoiffer. Voilà qui en dit long !

Lucas hocha la tête. Il n'allait tout de même pas s'excuser d'aimer faire l'amour avec sa femme !

— Je suis désolé si cela te contrarie, déclara-t-il.

Nous avons une relation normale, c'est tout. Je ne vois pas où est le problème.

— Il n'y en a pas. Ne sois pas si vite sur la défensive ! Je veux simplement dire que tu as trouvé ton équilibre et que j'en suis heureux pour toi. Je reconnais avoir cru que tu te jetais dans le mariage parce que après ta rupture avec Lana tu avais fait la bêtise de mettre enceinte la première venue, mais j'admets que je me suis trompé. Cia est la femme qu'il te faut. Ça saute aux yeux de tout le monde que vous êtes fous amoureux l'un de l'autre.

Autrement dit, Cia et moi méritons l'oscar des meilleurs comédiens du monde, pensa Lucas.

— Merci.

— Ma seule réserve est que tu aurais dû y réfléchir à deux fois avant d'épouser une femme qui ne veut pas d'enfants. La famille ne compte pas pour toi ?

Si leur mariage avait été fait pour durer, Lucas aurait certainement posé la question à Cia le soir où elle lui avait demandé de l'épouser. Mais étant donné les circonstances, cela n'avait pas d'importance.

— Et pour toi ? rétorqua-t-il. C'est bien toi qui parles d'abandonner tout le monde.

— Comprends que puisque tu es devenu ce que j'étais, je peux devenir ce que tu étais, toi. Nous changeons de rôle, c'est tout, la famille reste la même. Maintenant, c'est à mon tour de ne me soucier que de moi-même.

— C'est comme ça que tu me voyais ?

— Désolé si je te fais de la peine, mais oui, c'est bien comme ça que je te voyais. Quelques mois plus tôt, tu n'aurais même pas réagi à cette remarque.

— Tu me parles comme si j'étais devenu un autre homme.

— C'est exactement ce qui s'est passé. Moi, tu vois, je suis incapable d'envisager de me remarier un jour. Et encore moins d'avoir un enfant qui ne serait pas celui d'Amber. Quelque chose en moi s'est cassé. Rien ne le réparera. Jamais.

La voix de Matthew était pleine d'un désespoir que Lucas refusait d'associer à son grand frère si fort, si protecteur avec lui. Les rôles s'étaient effectivement renversés. Maintenant, c'est Matthew qui avait besoin de lui. Il devait lui prouver qu'il avait raison de lui faire confiance, qu'il savait lui aussi être à la hauteur de la réputation des Wheeler.

Ce serait difficile, et pas forcément amusant, mais c'était son devoir.

Le problème était qu'il n'avait pas encore rencontré l'épouse qui rêvait de construire avec lui une grande famille. Où trouverait-il une femme qui lui plaise autant que Cia ?

Matthew se mordit la lèvre en voyant Cia entrer dans la véranda.

— Excusez-moi de vous déranger, dit-elle d'une voix douce. Je voulais juste savoir si vous n'aviez besoin de rien.

— Non, merci, répondit Lucas.

Elle s'approcha de lui et l'embrassa sur les cheveux, exactement comme s'ils étaient un couple normal en train d'affronter le pire en attendant de retrouver le meilleur.

— Alors je retourne auprès de ta mère. Elle a besoin de réconfort.

C'est à ce moment-là que le futur et le présent entrèrent en collision dans la tête de Lucas pour donner le jour à une idée aussi provocante que dangereuse. Une idée qui lui posait le plus grand défi possible dans sa relation avec Cia.

Et s'ils ne divorçaient pas ?

- 10 -

Un léger bruit réveilla Cia au milieu de la nuit. Ou plus exactement, une sorte de sixième sens qui la prévenait que Lucas la rejoignait au lit. Enfin !

— Désolé, je n'ai pas vu le temps passer.

Elle retint un soupir. Comme la nuit précédente, et celle d'avant, et celle d'avant encore… Depuis la mort de son grand-père et le départ de Matthew, Lucas était tendu et préoccupé. Mais il ne lui confiait rien de ses soucis, se contentant de prendre le surcroît de travail comme excuse.

Elle se colla contre lui, lui offrant en silence ce qu'il voudrait prendre d'elle. Il avait fait la même chose quand elle avait eu besoin de lui. Parfois, il sombrait directement dans le sommeil. Parfois, il préférait parler ou regarder la télévision. Ce soir, il se mit à l'embrasser, ce qui était de loin son option préférée. Ils allaient vivre le genre de nuits au cours desquelles rien d'autre qu'eux-mêmes n'existait.

Dans le noir, elle ne pourrait pas scruter son regard, à la recherche de ce qui le préoccupait. Et l'inverse était vrai aussi. C'était tellement plus confortable de laisser dans l'ombre certains aspects de leur relation !

Evidemment, cette politique de l'autruche n'allait pas régler magiquement le problème en occultant la vérité.

La vérité demeurerait la vérité.

Qui était que, entre eux, il y avait plus que du sexe.

Lucas n'était pas seulement un homme qui lui donnait du plaisir au lit. Non, avec lui, faire l'amour avait du sens. Elle en était arrivée là sans s'en rendre compte. Leur futur divorce était toujours à l'ordre du jour, mais leur relation avait changé, ce qui lui faisait peur. Faire marche arrière dès maintenant relevait du simple bon sens. Ce serait moins difficile que plus tard, quand le moment serait venu de passer à la dernière phase de leur contrat.

Le lendemain matin, pour la première fois depuis longtemps, elle s'éveilla dans les bras de Lucas qui dormait encore profondément.

Elle envisageait d'aller préparer le petit déjeuner lorsqu'il ouvrit un œil et la retint par la main.

— Attends… J'ai faim d'autre chose pour l'instant. Et après, je veux t'emmener quelque part.

Elle ne réussit pas à lui arracher un mot de plus.

Ce ne fut qu'au milieu de la matinée, lorsqu'ils se retrouvèrent devant un bâtiment en mauvais état, situé dans le vieux quartier de la ville où se trouvaient toutes sortes de services et de petits commerces, qu'il s'expliqua enfin.

— Ce vieil hôtel vient juste d'être mis en vente.

— Désolée, mais je ne vois pas pourquoi tu m'amènes ici.

— Pour le refuge. Cette bâtisse peut être facilement restaurée.

— Mais je veux quelque chose de neuf !

— Je sais, mais tu as là une possibilité beaucoup

moins onéreuse. Mon comptable a évalué les coûts à au moins trente pour cent d'économie par rapport à une construction neuve. Et je sais auprès de qui tu pourras faire un emprunt.

— Mais je ne veux pas faire d'emprunt ! Le but de notre contrat est de me permettre d'avoir accès à mon argent. Sans cela, je n'ai pas un sou à mettre dans l'affaire.

Il fourra les mains dans ses poches.

— Si cela t'intéresse, je te donnerai l'acompte nécessaire pour arrêter l'affaire.

Elle se pinça les lèvres. Leur entente spécifiait clairement que chacun conservait ses biens.

— Qu'est-ce que tu racontes ? On t'a découvert un cancer en phase terminale ? Ou tu te fiches de moi ?

— Rien de tout ça. Je suis touché par le dévouement dont tu fais preuve. Si tu acceptes mon aide, le refuge sera en état de fonctionner bien plus tôt que ce que tu as prévu. Ce qui fait que tu pourras aider un nombre plus grand de femmes qui ont besoin d'aide.

— Oh ! Lucas !

Elle sentit son cœur sauter de joie dans sa poitrine.

— J'apprécie immensément ce que tu me proposes, mais je ne peux pas accepter. Je veux payer cash pour être certaine que le refuge m'appartiendra. Courtney et moi en avons parlé plusieurs fois. Nous ne voulons ni sponsors ni emprunt qui nous mettraient à la merci d'une banque.

— Bon, d'accord. Pas d'emprunt.

Le regard de Lucas brillait d'une étrange lueur.

— Tout de même, garde ce bâtiment en tête. Le propriétaire est décidé à vendre. Tout compris, achat et restauration, le prix n'a rien à voir avec ce que coûterait une construction neuve. Tu pourrais économiser des millions.

Cette idée fit rapidement son chemin dans sa tête. Tout cet argent pourrait être investi dans le fonctionnement du refuge, ce qui signifierait que, pendant de nombreuses années, il pourrait tourner sans qu'elle ait besoin de chercher des subventions. Quelle tranquillité d'esprit cela lui apporterait !

Qui sait si Lucas ne réussirait pas à persuader le propriétaire d'attendre pour vendre qu'elle ait accès à son héritage ?

Elle considéra le bâtiment avec attention.

— La localisation me plaît. Cet hôtel était situé trop loin des grands axes pour bien fonctionner. En revanche, pour des femmes qui ne veulent pas qu'on les retrouve, c'est parfait.

Il se mit alors à développer ses arguments en termes professionnels, comme l'expert qu'il était en matière d'immobilier. Au lieu de l'écouter, elle recevait sa voix comme une caresse tandis que son intelligence et son cœur se livraient bataille pour savoir si oui ou non elle avait été assez idiote pour tomber amoureuse de son mari.

La réponse, hélas, lui paraissait parfaitement claire. Elle avait réussi à se remettre dans la situation qu'elle avait juré de ne plus jamais connaître, c'est-à-dire à laisser son bonheur dépendre d'un homme. Tout ce qu'elle avait bien pu se raconter pour se faire croire le contraire n'était qu'un tissu de mensonges. Elle éprouvait pour lui des sentiments qu'elle ne pouvait pas tolérer, sous peine de se mettre en danger.

Tant pis si elle aimait vivre avec Lucas ! Tant pis si le hasard lui avait fait épouser un homme qui la comprenait merveilleusement bien ! Il fallait oublier tout cela, parce que la vie n'était pas aussi simple. A tout moment, elle pouvait vous enlever les êtres auxquels on tient. Le meilleur moyen de contrecarrer le destin est de rester libre d'attaches. De toutes sortes d'attaches.

Elle avait choisi d'épouser Lucas parce que sa réputation prouvait qu'il était incapable de se fixer. C'était cela qui lui avait plu. Avec un homme aussi inconstant, elle était assurée d'obtenir le divorce. C'était tout ce qui l'intéressait.

Ensemble, ils avaient un contrat. Pas un avenir.

Le lendemain, Lucas réalisa que, depuis quatre jours, il n'avait vu sa femme qu'au lit. Le temps qu'ils passaient ensemble s'était raccourci jusqu'à cet extrême. C'était criminel. L'absence de Matthew avait multiplié ses responsabilités et sa charge de travail. Il ne lui restait plus de temps pour Cia.

Elle lui manquait.

Il décida de redoubler d'énergie et d'efficacité de manière à pouvoir sortir dîner avec elle. Le défi lui plaisait. Il envoya un texto à Cia. Elle lui adressa tout de suite une réponse qui le mit de la meilleure humeur du monde :

J'accepte le rendez-vous !

Oui, il avait rendez-vous avec une femme qu'il envisageait secrètement de ne plus jamais quitter. Depuis quelques jours, il tournait et retournait cette idée dans sa tête. Il l'évaluait, la soupesait. S'il refusait le divorce, il faudrait qu'il renonce au projet Manzanares, puisqu'il n'aurait pas respecté sa part de leur contrat, mais quelle importance par rapport à son bonheur ?

Restait à voir comment Cia réagirait à la perspective d'un mariage stable. C'était le programme qu'il s'était fixé pour la soirée.

A l'heure du dîner, il se retrouva donc avec Cia assis au bord de la piscine de leur maison. Finalement, ils avaient décidé que leur propre jardin valait largement celui d'un restaurant qui les aurait obligés à parcourir des kilomètres en voiture. Tranquillement, ils commencèrent par échanger des nouvelles de leur journée avant que Lucas aborde le sujet important.

— Est-ce que tu as réfléchi au projet que je t'ai soumis ?

Le regard de Cia s'illumina.

— Toute la journée ! J'en ai parlé avec Courtney, nous avons fait nos calculs, et le résultat est que je pense que je vais acheter cet hôtel. Tu as été vraiment généreux de te soucier de moi alors que tu as déjà tellement à faire.

Elle s'interrompit un instant.

Il retint un soupir satisfait.

Parfait…

— A ce sujet, Cia, tu ne peux pas attendre ton héritage pour prendre ta décision. J'ai appris aujourd'hui qu'il y a d'autres acheteurs potentiels. Comme j'ai compris ton refus de faire appel à une banque, je te propose de fournir l'argent nécessaire. Cela ne me pose pas de problème, j'ai vérifié. Est-ce que tu acceptes ?

Elle ouvrit des yeux ronds.

— Tout l'argent ? L'acompte et les réparations ? Cela représente une somme énorme. Tu ferais ça pour moi ?

— Oui. Bien entendu, il ne s'agirait ni d'un don ni d'un prêt, mais d'une transaction commerciale.

— Mais, Lucas, je n'ai rien en dehors de mon héritage.

— Si.

— Quoi donc ?

— Toi.

— Tu oublies que nous sommes déjà mariés ? Cela t'empêche de me faire la proposition coquine que tu pourrais faire à n'importe quelle autre femme.

Ce n'était pas du tout ce qu'il avait en tête.

— Dis-moi, qu'est-ce que tu penses de cette maison ?

Un peu surprise de voir Lucas changer si vite de sujet de conversation, elle répondit cependant sans hésiter ;

— Je l'adore. J'aurai du mal à retourner dans mon petit appartement. Mais... est-ce que tu vas m'annoncer que le propriétaire nous met à la porte ?

— Matthew me l'a vendue avant de partir.

— Ah... Eh bien... je suis sûre que tu y seras heureux longtemps.

Il se racla nerveusement la gorge.

— En fait... J'aimerais que tu y sois heureuse toi aussi. Avec moi. Mariée pour de bon.

Le visage de Cia se ferma.

— Je trouve cette plaisanterie de fort mauvais goût.

— Désolé, je ne plaisantais pas. Nous sommes partenaires. Nous nous entendons merveilleusement bien au lit. Pourquoi mettre fin à quelque chose qui roule si bien ?

— Pourquoi ? s'écria Cia. Mais parce que nous nous sommes mis d'accord là-dessus ! Si tu refuses le divorce, je n'ai pas accès à mon héritage, et je déchire le contrat Manzanares. Au lieu d'y gagner, nous y perdons tous les deux.

Lucas remarqua avec plaisir que l'argumentation de Cia reposait sur des motifs financiers et ne faisait absolument pas intervenir les mauvais côtés du mariage.

— Le divorce n'est plus nécessaire, puisque je te donne l'argent nécessaire pour le refuge.

Elle se leva de table, furieuse.

— Tu es sûr que tu as fait des études d'économie, Wheeler ? Tu as oublié un petit détail qui s'appelle « dépenses de fonctionnement ». Il ne suffit pas d'acheter et de restaurer un bâtiment, il faut aussi que les femmes mangent, puissent être soignées, éduquées…

Il baissa la tête.

Elle avait raison, il avait oublié cet aspect des choses. Son excuse était qu'une fois qu'il avait signé la vente d'un immeuble, il n'avait jamais à se soucier de savoir comment il fonctionnerait. Tout de même, il se trouvait nul… Au lieu de raisonner, il aurait mieux fait d'attirer Cia dans son lit. Là, ses arguments étaient de meilleure qualité.

Pourtant, il ne voulait pas s'avouer vaincu.

— Qu'est-ce que tu ferais si tu recevais suffisamment de subventions pour faire tourner le refuge ? Tu voudrais toujours divorcer ?

Cette fois, les yeux de Cia devinrent plus sombres. Beaucoup plus sombres.

— Wheeler, tu dis n'importe quoi. Tu as trop bu. Notre contrat comporte une clause très claire concernant notre divorce.

Lucas réalisa qu'il devait jouer le tout pour le tout sous peine de tout perdre.

Il se leva, attrapa Cia par les bras. Son meilleur argument, c'était le magnétisme qui existait entre eux dès qu'ils étaient en présence l'un de l'autre, la beauté du visage de Cia quand il la faisait crier de plaisir. Aucun raisonnement n'arriverait jamais à la cheville de celui-ci.

— Cia, je suis ivre de toi depuis le jour où tu t'es mise en colère parce que je te trouvais aussi sexy qu'une poupée Barbie. J'ai eu le temps de découvrir quc tu as bien d'autres qualités qu'un physique de rêve. Calme-toi et écoute-moi, s'il te plaît.

— Pour t'entendre remettre en question un point essentiel de notre entente ?

— Non. Pour découvrir une alternative possible à notre projet. Tu comprends, je ne peux plus me passer de te sentir dans mon lit, chaude comme une petite caille, douce comme un chaton, et tout à coup, sauvage comme une panthère qui distribue des coups de griffe en feulant à pleine gorge.

Elle éclata de rire.

— Wheeler, tu as décidé de passer tout le zoo en revue ?

Elle riait ! La partie était presque gagnée.

Il posa sa bouche sur les lèvres de Cia et y retrouva la saveur du vin qu'ils venaient de déguster. Il la souleva par les fesses et la plaqua contre lui, contre son sexe impatient de jouir d'elle.

— Tu vois ce que tu me fais ? Je te veux dans mon lit, nue, à crier mon nom pendant que je te donne du plaisir.

D'un geste habile, il fit passer la robe de Cia par-dessus sa tête et découvrit avec ravissement qu'elle portait un soutien-gorge rose fuchsia et le string assorti, mais son impatience le poussa à libérer de leur écrin de dentelle les deux petits seins aux pointes déjà dressées pour recevoir ses caresses.

Ensuite, sa bouche glissa le long de son ventre tandis qu'il la débarrassait du minuscule vêtement de soie rose. Aucun obstacle ne devait l'empêcher d'accéder à ses délices cachés. Il s'agenouilla entre ses jambes impatientes d'accueillir sa bouche brûlante.

— Tu aimes ce que je te fais ?

Elle s'était arc-boutée pour mieux ressentir le plaisir qu'il lui prodiguait.

— Oui… Oh ! oui !

Agrippée à ses cheveux, elle repoussa un instant son visage pour le regarder dans les yeux.

— Lucas… j'ai besoin de toi.

Ces quelques mots résonnèrent dans son cœur aussi gaiement qu'un alléluia. Il les attendait depuis si longtemps !

Il se redressa et, en un temps record, se retrouva nu devant elle, un préservatif à la main.

Elle l'attendait, appuyée contre la table, les jambes ouvertes pour lui offrir le cadeau qu'il attendait.

Au moment où il la pénétra, il se répéta les paroles qu'elle venait de lui dire. « *J'ai besoin de toi !* » Leur entente était si parfaite qu'il ne comprenait pas comment elle pouvait envisager de se séparer de lui.

Elle avait tort, complètement tort. Il faudrait qu'il réussisse à l'en convaincre. Puis il arrêta de penser pour plonger avec elle dans la jouissance totale, parfaite, qu'ils savaient si bien se donner l'un à l'autre.

Plus tard, une fois qu'ils furent couchés, elle vint se blottir dans ses bras.

— Lucas, nous allons divorcer, quelle que soit notre entente physique. Si je t'ai épousé, c'est parce que je savais que tu étais l'homme qui ne ferait aucune difficulté pour me quitter une fois le contrat honoré. Donc, arrête de dire des bêtises et contente-toi de faire ce que tu fais si bien.

Il soupira. Il aurait payé cher pour qu'elle oublic sa réputation de coureur de jupons toujours prêt à une nouvelle aventure. Avec le départ de Matthew, il était devenu l'homme sérieux de la famille, celui qui recherchait la stabilité. Et le plus étonnant, c'est qu'il en avait envie !

Il désirait pour lui ce que Matthew avait perdu. Avec Cia. Pour la première fois de sa vie, il ne souhaitait plus aller voir ailleurs si la vie était plus exaltante. Il était un homme comblé. Le problème était de réussir à convaincre Cia de rester avec lui.

Un doute vint l'assaillir. Et si elle avait raison ? S'il était vraiment le genre d'homme incapable de se stabiliser ? Etait-il possible de changer du tout au tout ?

Oui, forcément, puisque c'est ce qui lui était arrivé. Par conséquent, s'il voulait changer le programme qu'ils avaient prévu, il fallait qu'il trouve le moyen de le faire.

- 11 -

Lorsque Cia alla ouvrir à la personne qui venait de sonner chez elle, elle ne s'attendait pas le moins du monde à trouver Fran Wheeler sur le seuil de sa porte. Elle réussit tout de même à lui sourire en la faisant entrer.

— Je vous en prie, madame Wheeler...

— Je suis désolée de venir sans avoir prévenu, Cia. Au fait, appelle-moi Fran, je t'en prie. Je n'aime pas qu'on me traite comme une vieille dame !

Fran pénétra dans le salon et jeta un regard approbateur à la décoration de la pièce.

— Volontiers, Fran. Hélas, Lucas n'est pas à la maison, mais cela ne vous empêche pas de vous asseoir et de passer un moment avec moi si vous le souhaitez.

Fran pencha la tête sur le côté, sans déranger pour autant ses cheveux blonds soigneusement coiffés.

— C'est pour te rencontrer que je suis venue. Je sais que Lucas assiste à une réunion avec son père, c'est pour cette raison que j'ai choisi ce moment. Je savais que nous serions en tête à tête.

Elle sentit son dos se raidir. Fran était venue lui faire une leçon de morale... Depuis qu'elle avait refusé le collier de perles, elle s'y attendait.

— Dans ce cas, c'est parfait. Je vais...

Une sorte de croassement lui coupa la parole. C'était

Fergie qui ne supportait pas d'être exclu de la conversation.

Fran jeta un regard surpris en direction de la cuisine.

— Qu'est-ce que c'est que cet oiseau ?

— C'est un perroquet. Le cadeau de mariage de Lucas.

— Ah, se contenta de répondre Fran, manifestement surprise de l'idée étrange de son fils, mais en bonne mère, refusant de le critiquer.

Elle ne savait trop comment amorcer une conversation avec sa visiteuse. Le divorce approchait. Elle couchait avec le fils de cette dame de la bonne société. Quel type de relation pouvait-elle espérer avec elle dans une situation pareille ?

Croâââc…

Fergie se manifestait de nouveau, de façon impérative cette fois.

— Fergie a un caractère un peu particulier. Si vous acceptez de venir vous asseoir dans la cuisine, il appréciera d'avoir de la compagnie et nous laissera tranquilles.

— Parfait, je vous suis.

Effectivement, une fois qu'elles se retrouvèrent installées devant une tasse de thé non loin du perroquet, celui-ci se contenta de lisser ses plumes en silence.

Fran remit en place une mèche de cheveux qui n'en avait pas besoin et regarda Cia.

— Les semaines qui viennent de s'écouler ont été très difficiles pour moi. Je voulais te remercier du soutien que tu m'as apporté. Ta présence à l'hôpital, aux obsèques et toutes tes attentions me sont allées droit au cœur.

Ce fut au tour de Cia d'être émue.

— Je suis heureuse si j'ai pu alléger un peu votre peine. Malheureusement, je sais ce que c'est que de perdre ses parents.

— Tu as beaucoup aidé Lucas aussi, ce qui compte énormément pour moi. Je suis très heureuse qu'il ait enfin rencontré une femme qui lui apporte autant dc sérénité.

Elle prit la main de Cia dans les siennes.

— J'ai été maladroite de t'avoir proposé trop vite de m'inclure dans ta vie. J'espère que nous pourrons repartir de zéro.

Cia ferma les yeux, parfaitement désorientée. Que devait-elle répondre à une invitation pareille ? Non seulement elle couchait avec Lucas, mais ils étaient officiellement mariés. Pour un certain temps encore. Si elle rabrouait Fran une nouvelle fois, son attitude pourrait venir aux oreilles de son grand-père. Dallas était une petite ville où les cancans circulaient vite.

— Fran, vous n'avez rien à vous reprocher. Tout est ma faute. Je ne sais pas comment me comporter avec une belle-mère.

Les larmes lui étaient venues aux yeux.

— Il n'y a pas de règle, ma chérie. Je ne demande pas plus que passer un moment avec toi autour d'une tasse de thé !

Cia était au supplice. Elle sentait très bien que Fran lui offrait quelque chose qu'elle ne pouvait pas refuser : son amitié.

Elle s'éclaircit la voix.

— Avec plaisir, Fran.

— Parle-moi un peu de ce refuge. Il y a longtemps

que j'ai envie de faire du bénévolat. Tu crois que je pourrais y venir te donner un coup de main ?

Pour la deuxième fois de la semaine, elle eut l'impression que son cœur éclatait. Non seulement l'homme avec lequel elle vivait voulait rester son mari, mais voici que Fran lui faisait une proposition digne d'une mère.

Tout cela était déboussolant. Tout en parlant avec Fran, elle tentait de négocier avec elle-même. Assez hypocritement, elle se dit que cette conversation n'était pas destinée à nouer des liens avec une personne qui ne ferait plus partie de sa vie dans quelques mois, mais à gagner à sa cause un soutien précieux. Elle raconta donc à Fran comment elle avait pris le relais de sa mère dans cette aventure humaine. Plus Fran paraissait intéressée, plus Cia s'inquiétait. Continueraient-elles à travailler ensemble après le divorce ?

Non, une fois qu'ils seraient séparés, elle n'aurait plus rien à voir avec la famille de Lucas. Une coupure claire et totale serait la meilleure solution.

Puis une idée tortueuse fit son chemin dans son esprit. Lucas n'aurait-il pas envoyé sa mère pour lui servir d'avocate et lui faire reconsidérer le divorce ?

Non, il était trop honnête pour utiliser des moyens pareils. Et, de toute façon, il n'y avait pas d'alternative. Ils devaient divorcer, et c'était à lui de faire la demande pour qu'elle puisse toucher son héritage. Il le savait depuis le début.

Lorsque Cia enfila la robe verte de soie que Lucas venait de lui offrir pour assister au gala du Dallas Museum, elle se dit que c'était vraiment celle qui lui plaisait le plus. Il lui semblait que son corps était enveloppé d'un nuage. Le décolleté mettait sa poitrine en valeur et la couleur chatoyante mettait dans ses yeux des paillettes dorées. Elle avait relevé ses cheveux en chignon, mais elle avait laissé quelques mèches flotter de part et d'autre de son visage. Franchement, elle aimait beaucoup l'image que lui renvoyait le miroir !

Superbe dans son costume Armani, Lucas la rejoignit dans la chambre au moment où elle enfilait ses escarpins noirs vernis.

— Madame Wheeler, vous êtes absolument époustouflante ! déclara-t-il en la regardant.

Puis, sans la quitter des yeux, il plongea la main dans la poche de sa veste et en sortit un écrin qu'il ouvrit aussitôt.

— C'est pour toi.

Il la guida vers le miroir en pied et lui passa autour du cou un collier d'émeraudes étincelantes.

— Est-ce qu'il te plaît ?

Quelle question ! Ce collier était superbe sur sa peau sombre. Il mettait des paillettes d'or dans ses yeux. Il était… le symbole de tous les sentiments complexes qu'elle refusait d'examiner.

— Lucas, je ne peux pas l'accepter.

Elle porta la main sur le fermoir.

— Si. J'insiste.

— Non. Ce cadeau est trop… chargé de sens. Trop cher. Rapporte-le chez le bijoutier.

— Non. Je l'ai fait faire exprès pour toi.

Elle secoua la tête.

— Lucas, ce n'est pas le genre de bijou qu'on offre à une femme dont on s'apprête à divorcer.

Il sourit.

— C'est peut-être une façon de te demander pardon ?

Pardon de lui avoir proposé une alternative au divorce, ou pardon pour quelque chose de beaucoup plus banal ?

— Tu m'as trompée ? Non, tu ne ferais pas ça.

— Comment peux-tu savoir ce dont je suis capable ?

— Je le sais, c'est tout.

— Alors c'est peut-être pour me faire pardonner de t'avoir négligée pour travailler ? Pour t'avoir laissée mouiller ton oreiller de larmes, désespérée d'être négligée par ton mari ?

Elle éclata de rire.

— Cette excuse-là trouve grâce à mes yeux.

Elle jeta un nouveau coup d'œil dans le miroir et sourit à l'image qu'il lui renvoyait. Puis elle se tourna vers lui.

— Maintenant, il faut partir, sinon nous serons en retard. Mais si tu veux, sur le coup de 22 heures, nous pouvons nous retrouver dans le vestiaire !

Le visage de Lucas s'illumina.

— Oui, à condition que tu laisses ici ta petite culotte.

— Bien sûr ! Regarde, déclara Cia qui retira son string de soie noire et le jeta sur le lit d'un geste théâtral.

Le cœur de Lucas se mit à battre plus vite.

— Pourquoi pas dans le vestiaire tout à l'heure *et* maintenant ?

Elle ne savait pas dire « non » à ce genre d'invitation. En un rien de temps, Lucas avait enfilé un préservatif et la pénétrait. Quand ils faisaient l'amour, il la regardait si amoureusement plonger dans le plaisir qu'elle oubliait toutes les raisons qui rendaient « l'alternative » impossible.

Quoi qu'il prétende, Lucas ne refusait pas le divorce

pour qu'ils puissent continuer à faire l'amour. Il avait une autre raison en tête, mais cette fois, elle ne donnerait pas à son compagnon l'occasion de lui briser le cœur. Non. Elle refusait les sentiments, elle voulait sortir indemne de cette histoire.

Ils arrivèrent à la soirée avec une demi-heure de retard. Et si Lucas n'avait pas graissé la patte au chauffeur de taxi pour qu'il oublie de respecter les limitations de vitesse, ç'aurait été bien davantage.

Lorsqu'ils entrèrent dans la grande salle, tous les regards se tournèrent vers le couple éblouissant qu'ils formaient.

— Qu'est-ce qui se passe ? demanda Cia.

— Ils ont deviné que tu ne portes pas de petite culotte, souffla Lucas tout en conservant une expression empreinte de bienséance.

Elle rougit et éclata de rire en même temps.

— Et que tu l'as glissée dans ta poche !

Une main légère se posa sur l'épaule de Cia, interrompant leur sulfureuse conversation. Restait à espérer qu'on ne l'ait pas entendue…

— Oh ! bonsoir, madame Wheeler, s'exclama Cia. Je veux dire, Fran !

Heureusement, un autre couple les rejoignit, ce qui évita à Cia de se poser trop longtemps la question. Par contre, un autre type de problème surgit lorsque la conversation roula sur la famille et les enfants.

Des enfants ? Non, merci ! pensait Cia.

Elle se contenta de sourire et refusa d'imaginer quel genre de père ferait Lucas.

Pourtant, des images s'imposèrent à elle. Elle le voyait

en train d'embrasser son ventre rond. Il la traiterait avec encore plus d'attentions, lui masserait les pieds…

Plus tard, quand le bébé pleurerait la nuit, il insisterait pour se lever et s'en occuper.

Mais toutes ces visions de bonheur étaient entrecoupées d'images violentes, encore plus claires : le gyrophare de la police au milieu de la nuit, les visages désolés des gendarmes, les mots horribles qu'ils prononçaient : « Désolés, mademoiselle… L'accident était terrible… Vos parents sont morts tous les deux. »

Il n'y avait qu'un moyen, un seul, d'éviter pareille tragédie à ses propres enfants, c'était de ne pas en avoir.

L'arrivée d'un nouveau couple réussit à la distraire de ces tristes pensées.

— Je vous présente mon épouse, Cia Wheeler, dit Lucas.

— Je suis Robert Graves, dit l'homme. Vous êtes bien la petite-fille de Benicio Allende ?

— En effet.

— C'est moi qui m'occupe de la publicité pour Manzanares. Votre grand-père a une fois de plus prouvé son sens des affaires. Il vient de m'informer qu'il avait décidé de travailler avec Lucas.

C'était à cause d'elle que son grand-père avait pris cette décision, c'était sûr.

Il lui sembla tout à coup que la pièce tournait autour d'elle. Elle avait stabilisé Lucas. Il avait remonté la Wheeler Family Partners… Etait-ce pour cette raison qu'il ne voulait plus entendre parler du divorce ?

Elle tenta de se rassurer. Lucas était un homme honnête. Il tiendrait parole. Il ne tarderait pas à chercher une nouvelle amoureuse. C'était dans sa nature, Matthew le lui avait confirmé.

Apparemment, il voulait continuer à faire l'amour avec elle. Parfait. Après tout, elle aussi. Ils pouvaient très bien convenir de continuer à se voir en cachette après le divorce. Rien ne l'obligeait à quitter Lucas du jour au lendemain.

Une fois que les Graves se furent éloignés, Andy Wheeler les rejoignit. Fran fit signe à un serveur de leur apporter des coupes de champagne.

Andy Wheeler leva son verre.

— Je veux porter un toast à toutes les nouveautés qui se dessinent. Dans l'entreprise et en famille !

Cia leva son verre elle aussi et absorba une grande gorgée de champagne.

Fran la regarda d'un air désolé.

— Oh… tu bois toi aussi. Alors il n'y a pas de nouveauté de ce côté…

Lucas lui adressa un sourire.

— Le moment venu, tu seras la seconde à l'apprendre, maman.

— Qu'est-ce que c'est que cette histoire ? reprocha Cia à voix basse pendant que Fran s'était tournée pour parler à une amie. On dirait un code entre vous.

— J'ai peut-être un jour fait allusion au fait que nous aurions un enfant…

— Quoi ? Tu es devenu fou ?

— Ne t'inquiète pas. C'est un paravent, rien de plus.

— Un paravent qui me déplaît au plus haut point.

Devant la colère de Cia, il la prit par le bras et l'entraîna dans un coin calme de la grande salle.

— Au moins, je n'ai pas besoin de te demander ce que tu penses d'une grossesse !

Comme il repoussait une mèche qui retombait devant ses yeux, elle se retint de lui donner une tape. Elle était furieuse.

— Lucas, notre mariage n'a rien à voir avec le style « ils furent heureux et eurent beaucoup d'enfants ». Combien de fois faudra-t-il que je te le dise ? Pourquoi est-ce que tu es allé raconter une histoire aussi absurde à ta mère ?

— Ecoute, quantité de gens nous regardent en ce moment. Calme-toi.

Elle fit un effort pour obéir.

— Depuis que Matthew est parti, je suis le seul Wheeler susceptible d'avoir un héritier.

Elle faillit s'étrangler.

— Ce qui signifie que tout le monde me considère comme la machine à fabriquer la relève pour Wheeler Family Partners ?

— Maman a été tellement bouleversée par le départ de Matthew que je lui ai dit que nous essayions d'avoir un enfant pour l'aider à supporter le choc, et non parce que j'ai le projet diabolique de trouer les préservatifs ! Tu comprends ?

Ouf ! Cette histoire de bébé faisait partie de leur comédie, point final. Elle respira plus librement.

Pourtant, elle réalisait que, effectivement, Lucas avait désormais la mission de fonder une famille et qu'il ne la fuirait pas. Heureusement, leur relation ne devait pas durer encore bien longtemps, car à cause d'elle, il ne pouvait pas assumer ses responsabilités. Il devait un héritier à la famille Wheeler. Ce serait égoïste de continuer à le voir après leur divorce.

La perspective d'une autre femme portant à sa place le nom de Wheeler lui déclencha une grimace. Ce fut pire encore lorsqu'elle imagina cette rivale dans le lit de Lucas, portant son alliance, en train de bercer son enfant…

Allons, bientôt elle redeviendrait Cia Allende, comme elle le souhaitait. Cela devrait la réjouir. Hélas, c'était plutôt le contraire qui se produisait.

Tout à coup, une pensée traversa son esprit.

— Lucas ! Tu t'es débrouillé pour aborder ce sujet dans un endroit où tu savais que je ne pourrais pas te sauter à la figure !

Il évita son regard. Elle avait deviné juste. Faire durer leur mariage n'était pas une proposition en l'air.

— Pas du tout, je t'assure.

Furieuse, elle pivota sur elle-même pour rejoindre la foule des invités. Là au moins, elle ne serait plus en tête à tête avec Lucas.

Il la suivit d'assez loin afin de lui laisser le temps de se calmer un peu.

Mais loin de se calmer, elle plongea dans une confusion encore plus grande quand, en se rapprochant du buffet, elle entendit la conversation de quatre messieurs d'un certain âge.

— Ce refuge pour femmes battues est une excellente cause que nous pourrions soutenir de nos dons.

— J'ai visité l'emplacement. Il est excellent. Des travaux de restauration bien menés peuvent facilement métamorphoser ce bâtiment.

Son estomac n'était qu'un sac de nœuds.

Lucas avait fait de la publicité pour son refuge sans lui en parler ? Il avait emmené des gens sur le site ? La conséquence s'imposait : elle devait y renoncer. Un établissement de ce genre ne pouvait pas étaler son adresse dans les journaux sous peine d'être inutilisable. Voilà le résultat des initiatives prises par Lucas.

Est-ce que, par hasard, il en aurait pris d'autres ? Est-ce que son « alternative » au divorce ne cachait pas un projet déjà conclu ?

Autour de son cou, le collier d'émeraudes lui parut soudain abominablement lourd. Qu'est-ce que Lucas avait à se faire pardonner pour le lui offrir ?

- 12 -

Lucas et Cia étaient rentrés chez eux depuis plus de vingt minutes. Après avoir explosé pendant le trajet du retour à propos de la conversation qu'elle avait entendue au cours de la soirée, Cia n'avait plus ouvert la bouche. Rien. Pas un seul mot. Lucas ne savait plus que faire ni que dire. Le pire, c'était l'expression terrible de Cia. Visage fermé, lèvres serrées, sourcils froncés, elle lui faisait presque peur.

Maintenant qu'ils étaient couchés tous les deux, elle n'avait toujours pas desserré les dents. Il décida de faire le premier pas en s'approchant d'elle qui se tenait roulée en boule de son côté du lit.

— Cia, je ne pensais pas que tu allais faire un drame de cette histoire !

Rien.

Il revint à la charge.

— Je t'en prie, ma chérie. Crie, insulte-moi, ça m'est égal pourvu que tu arrêtes de faire comme si je n'existais pas. Si j'ai fait une bêtise, je peux la réparer.

— Tu plaisantes ?

Sa voix glaciale pénétra dans la tête de Lucas, qui sentait monter une mauvaise migraine.

Elle s'assit dans le lit, furieuse.

— Comme si c'était possible ! Tu as tout gâché. Je suis fatiguée, laisse-moi tranquille et va dormir ailleurs.

— C'est si sérieux que ça ?

Il sourit, mais le visage de Cia demeura de marbre.

L'heure était grave. Il n'allait pas s'en tirer avec une plaisanterie.

— Ecoute, Cia, je reconnais que je n'aurais pas dû amener des gens sur le site du futur refuge. Si tu estimes ce projet compromis, je trouverai un autre bâtiment, mais je t'en prie, ne te mets pas dans des états pareils. N'oublie pas que je travaille dans l'immobilier, je trouverai autre chose. Encore mieux, tu verras.

— Bien sûr, répondit-elle en croisant les bras, butée et ironique.

Il aurait préféré une bonne dispute, comme les couples en connaissent de temps en temps, mais ils ne faisaient rien comme tout le monde. Leur couple n'était pas un vrai couple, et Cia refusait la dispute qui aurait calmé ses nerfs et débloqué la situation.

— Je reconnais que j'aurais dû te parler avant de chercher des sponsors. Pardonne-moi d'avoir brûlé les étapes, et embrasse-moi.

— Non. A partir de maintenant, plus de baisers entre nous. Il n'est pas question que du refuge. C'est toute notre relation qui capote. Tu m'as dit que j'étais libre de mes choix, mais je réalise que c'est vrai seulement dans la mesure où tu les approuves. Je ne marche plus dans cette combine. Demain matin, je regagne mon appartement.

— Qu'est-ce que tu dis ?

— Je dis que je rentre chez moi.

— Non, c'est impossible. Nous sommes liés par un contrat de six mois.

Un rire amer brisa le silence de la chambre.

— Un contrat ? Quel contrat, Wheeler ? Un contrat qui vaut seulement quand ça t'arrange de t'en souvenir. Le reste du temps, tu l'oublies ou tu l'arranges à ta façon. Tu cherches des sponsors dans mon dos, tu racontes à ta mère que nous voulons un enfant, et avec tout ça, tu cherches à me faire croire que tu me comprends !

Elle avait parlé d'une voix monocorde. Toute trace de la passion qui l'habitait en temps normal avait disparu.

— Le contrat fonctionne tant que tu y trouves ton intérêt, reprit-elle. Et moi dans tout ça ? Je compte pour quoi ?

Il reconnaissait qu'elle n'avait pas tout à fait tort, mais elle oubliait ce qu'elle aussi gagnait avec leur accord.

— Qu'est-ce que tu veux, Cia ?

— Le divorce. Depuis le premier jour, tu l'as oublié ?

— Non, pas du tout, mais je crois que tu te trompes.

— Arrête de chercher à m'embobiner avec tes beaux discours !

— Cia, tu m'accuses de n'importe quoi, mais je ne veux pas argumenter là-dessus. En revanche, je vais te dire carrément ce que je pense. Nous nous entendons bien tous les deux. Nous passons de bons moments, nous aimons être ensemble. Quant à ce que nous partageons au lit, tu sais aussi bien que moi que c'est exceptionnel. Avec tout ça, comment peux-tu encore penser à divorcer ?

— Tu entends ce que tu dis ? Toute ton argumentation se fonde sur *tes* intérêts. Où est-il question de moi là-dedans ? Tu fais semblant de t'intéresser au refuge, mais c'est de la comédie ! Tu ne penses qu'à toi.

— C'est faux. Je veux vraiment t'aider. Si tu es autant en colère, c'est parce que tu ne veux pas reconnaître que toi aussi tu trouves ton compte dans notre arrangement. C'est bien pour ça que nous avons signé pourtant ? La logique et le simple bon sens demandent que nous continuions quelque chose qui marche si bien.

— Menteur ! Depuis que Matthew est parti, il te faut femme et enfants pour continuer la tradition des Wheeler. Mais comme tu es trop paresseux pour chercher une épouse qui remplisse les critères, tu t'accroches à celle que tu as sous la main.

Il fronça les sourcils. Lui, paresseux ? Comme si vivre avec Cia était de tout repos ! Et pourtant, il ne s'imaginait pas vivre avec une autre femme.

— Tu retournes contre moi tout ce que je te dis.

— Tu ne comprends pas que ton attitude a été irrespectueuse des femmes que je veux protéger ? Elles sont en danger de mort si leur mari les retrouve. Tu imagines ce que j'ai ressenti quand j'ai compris que ces hommes parlaient du refuge comme s'il s'agissait d'un terrain de foot ?

— Pardonne-moi. Je n'avais pas compris à quel point la discrétion est importante pour elles.

— Et moi, je comprends que tu as saboté le site pour gagner du temps. Qui sait si, *accidentellement aussi,* je ne tomberai pas enceinte avant la date du divorce ?

— Ce n'était pas mon intention de gâcher le site !

— Je me sens trahie, tu comprends ? Quand j'ai entendu ces deux hommes parler, j'ai eu l'impression que mon univers s'écroulait.

— Tu n'exagères pas un peu ?

Enfin, une larme coula sur la joue de Cia.

— Lucas, tu m'as déçue. Demain, je retourne chez moi en souhaitant que tu trouves le plus vite possible la femme disposée à fabriquer autant de petits Wheeler qu'il faudra pour que tu sois satisfait. C'est clair ?

— Non.

— Eh bien, tant pis pour toi si tu es trop bête pour comprendre ce que je viens de te dire. Tu n'es pas l'homme que je croyais, voilà tout.

— Mais qu'est-ce que tu attendais de moi ?

— De l'honnêteté, tout simplement. J'étais trop naïve pour imaginer que tu me cacherais tes vrais projets. J'ai cru tout ce que tu me racontais, j'ai accepté tous tes cadeaux. En réalité, ils n'étaient qu'une façon de me mettre en situation de dette envers toi. Tu m'as trahie à deux reprises, en me proposant ta fameuse alternative et en faisant intervenir les sponsors sans m'en parler. Je te jure qu'il n'y en aura pas de troisième !

— Ça suffit, déclara Lucas calmement. Tu es très habile pour interpréter les faits à ta manière, mais maintenant, c'est à mon tour de parler. Est-ce que tu m'aimes ?

— Cette question est parfaitement hors sujet, grogna Cia en détournant son visage.

Puis, craignant qu'il n'y lise plus qu'elle ne souhaitait, elle l'enfonça dans l'oreiller où, hélas, le parfum boisé de Lucas lui emplit les narines.

— Pas du tout, insista Lucas. Je veux savoir ce que tu as dans la tête.

Elle releva la tête pour échapper au charme du parfum et se rassit dans le lit.

— Pourquoi ?

— Parce que tu comptes pour moi.

Elle afficha une mine surprise.

— Tu as une drôle de manière de le montrer !

— Ecoute, je reconnais que j'ai gaffé, mais je te propose de réparer. Réponds à ma question. Est-ce que tu m'aimes ?

— Arrête de poser des questions idiotes !

Elle remonta le drap sous son menton et posa son visage sur ses genoux repliés. Lucas ne devait pas découvrir son secret.

— Disons que j'apprécie l'homme avec qui je couche, parce qu'il est super-performant au lit. Voilà, c'est tout. Ça te va ? De toute façon, ça ne change rien. Tu ne m'aimes pas. Tu es toujours à la recherche d'une poule pondeuse. Moi, j'ai besoin d'un divorce, pas de toutes ces complications.

En fait, ils étaient faits de la même étoffe tous les deux : excellents pour se tenir à distance de toute émotion. Pourquoi avait-elle espéré qu'il allait se répandre en déclarations d'amour ? Le divorce était, et de loin, la solution parfaite pour tous les deux.

— Arrêtons là cette discussion inutile, reprit-elle. Tu as l'intention de demander le divorce, oui ou non ?

Il ne cilla pas. Son regard bleu-gris paraissait plus déterminé que jamais.

— Non.

Elle ferma les yeux un instant. Enfin, il venait de dévoiler sa tactique. Elle était battue à plate couture.

— Tu ne peux pas me faire ça !

— Bien sûr que si. Je veux te donner ce dont tu as réellement besoin à la place d'un divorce que tu regretteras toute ta vie. Tu es une femme jeune, belle, sensuelle. Ne me dis pas que ton rêve est de te faner toute seule dans ton coin. Ce serait un crime.

Il avança la main, la posa dans les cheveux de Cia, qu'il fit glisser entre ses doigts comme une cascade de soie brune.

En fait, la solitude n'avait jamais été le but recherché par Cia. Elle voulait seulement éviter de souffrir. Mais le tsunami qu'elle avait découvert dans les bras de Lucas avait détruit toutes ses défenses. Des rêves jusque-là refoulés avaient commencé à prendre forme, à s'épanouir. Qu'allait-elle devenir maintenant ?

— Cia, je te propose un partenariat à long terme. Nous nous connaissons bien. Notre relation sexuelle est merveilleuse. Nous trouverons une solution pour ton nouveau refuge. A nous deux, nous serons imbattables. Pourquoi ne veux-tu pas envisager cette solution ?

— Parce que ce n'est pas suffisant. Je ne sais pas comment on fait pour vivre une relation qui dure. Et toi pas plus que moi, d'ailleurs. Le sexe ne suffit pas. Et le fait qu'on se plaise non plus.

Il hocha la tête, consterné.

— Je ne comprends pas. Qu'est-ce qui te manque ?

L'amour…, murmura Cia dans son for intérieur.

Oui, elle voulait quelque chose que Lucas ne pouvait pas lui donner et qu'elle-même ne savait pas lui donner.

Comment vivre avec un homme quand on a au cœur la peur permanente de le perdre et de souffrir ? Elle ne savait pas aimer sans devenir dépendante. Donc, mieux valait blinder son cœur pour se protéger.

— Tu es toujours prêt à t'amuser, mais la vie n'est pas faite que de plaisir.

— Sois honnête, Cia ! Je n'ai jamais dit qu'un mariage qui dure n'est qu'une longue partie de plaisir. Je sais seulement que je ne veux pas que ce que nous vivons se termine.

Il la prit doucement par les épaules, et la tendresse de son geste fit battre plus vite son cœur.

— Je sais que tu as besoin de ce que notre relation t'apporte.

— Non ! s'écria-t-elle. C'est faux.

Lucas faisait sa proposition parce qu'il croyait qu'elle acceptait de dépendre de lui, pas parce qu'il souhaitait vivre avec elle.

— Non. Je n'ai pas besoin de ton égoïsme caché sous les apparences d'un partenariat. Je n'ai pas besoin de toi, Lucas. Rends-moi ma liberté.

A la contraction de ses mâchoires, elle se dit qu'il devait être un peu peiné. Il était temps. Elle était à court d'arguments. Le stade suivant de leur joute aurait été une catastrophe, car elle aurait perdu la tête et lui aurait demandé de la prendre dans ses bras.

— Comme tu voudras, conclut Lucas d'une voix rauque.

Il quitta le lit. Pendant qu'il prenait quelques vêtements dans la penderie, elle fit glisser les bagues de ses doigts et les posa sur la table de chevet.

Une fois sur le pas de la porte, il se retourna vers elle.

— Je t'aiderai à rassembler tes affaires demain. Dans le fond, notre divorce causera moins de surprise si nous nous séparons dès maintenant.

La lumière du couloir faisait apparaître en contre-jour sa large carrure.

— Réfléchis bien, Cia. Est-ce que tu penses à

quelque chose que je pourrais te proposer pour que tu reconsidères la perspective du divorce ?

Elle sentit sa gorge se serrer. Si elle ouvrait la bouche pour parler, elle allait fondre en larmes. Et chaque fois qu'elle pleurait, il la prenait dans ses bras. Une fois blottie contre lui, elle ne pouvait plus se cacher qu'elle l'aimait. Qu'elle l'aimait comme une folle, mais qu'il ne lui rendait pas son amour.

Voyant qu'elle ne répondait pas, il hocha la tête et sortit.

Dans le noir, le visage ruisselant de larmes, elle murmura :

— Tu aurais pu proposer de m'aimer…

- 13 -

Les papiers du divorce attendaient depuis une semaine sur le bureau de Lucas. Seule manquait sa signature, mais il ne pouvait se résigner à l'apposer au bas du document. Depuis le départ de Cia, son univers avait basculé. Sa vie lui paraissait aussi vide que sa grande maison et que son lit où flottait encore le parfum de la jeune femme.

Il s'était trompé. Cia n'avait pas besoin de lui. Il ne lui restait plus qu'à se noyer dans le travail pour essayer de l'oublier. D'ailleurs, les contrats s'étaient remis à affluer. La Wheeler Family Partners était demandée aux quatre coins de la ville. Ses efforts étaient donc bien récompensés, il lui suffisait de concentrer son attention sur ceux-là et d'oublier celui qui le liait encore à Cia. Une petite signature en bas d'une page, et il aborderait une nouvelle tranche de sa vie, libre et prospère.

Hélas, rien ne l'intéressait. Il glissa la main dans sa poche pour sentir sous ses doigts l'écrin qui contenait les bagues de Cia. Pourquoi continuait-il à les garder comme un talisman ? C'était stupide et ça le faisait souffrir alors qu'il devait oublier.

A cet instant, Helen l'avertit qu'une visiteuse demandait à le rencontrer.

Cia... Pour quelle raison venait-elle le voir ?

Il eut bientôt sa réponse. Helen fit entrer non pas Cia, mais Lana, élégante comme toujours dans son tailleur de couturier et ses escarpins à hauts talons.

La surprise était de taille. Que venait-elle chercher chez lui ? Il l'invita à prendre un café dans la salle de réunion dont les parois vitrées préviendraient tout risque d'effusion déplacée.

— Est-ce que je peux faire quelque chose pour toi ? demanda Lucas.

— Non. Je suis venue te demander pardon de t'avoir fait autant de tort. Et de t'avoir menti.

— A quel sujet ?

— Quand je t'ai dit que mon mari était jaloux. C'était faux. Quand je lui ai parlé de toi, il s'est contenté de me répondre que cette aventure lui coûterait moins cher qu'un divorce, et il s'est replongé dans ses dossiers.

Il hochait la tête, perplexe.

— Mais pourquoi donc ?

— Henry aura cinquante-huit ans en décembre. Quand nous nous sommes mariés, il était déjà sans illusions sur l'amour que je lui portais, mais je voulais te faire croire que je comptais pour lui… pour que tu aies envie toi aussi de me trouver désirable et que tu restes avec moi. Mais ça n'a pas marché, et j'ai été désespérée de découvrir que pour toi, notre relation n'était qu'un jeu.

— Tu le savais depuis le début.

— Oui, mais j'espérais que tu changerais, que tu finirais par m'aimer vraiment. Quand j'ai vu que je me trompais, j'ai voulu te faire le plus de mal possible.

Il haussa les sourcils.

— Lana, je suis désolé pour toi.

— Je n'ai que ce que je mérite. Laisse-moi juste ajouter que j'ai suffisamment évolué pour être heureuse de ton bonheur.

Lana marqua un temps de silence.

— Voilà. Je ne viendrai plus te déranger. Sois heureux et oublie-moi. Tu mérites mieux que ce que j'avais à t'offrir.

Heureux ? Lucas était tout sauf heureux !

Il avait tellement eu à cœur de prendre à sa charge le rôle de Matthew qu'il avait oublié l'essentiel. Il comprenait maintenant pourquoi son frère avait éprouvé le besoin de partir, de quitter sa belle maison et tout ce qui lui rappelait Amber. Il l'aimait encore ! Et lui, superbe idiot, il n'avait même pas eu l'idée d'admettre qu'il aimait Cia et ne pouvait pas vivre sans elle.

Même si cela ne devait rien changer à l'issue de leur relation, il fallait au moins qu'il lui dise les mots qui lui brûlaient la gorge : « Je t'aime, Cia. »

Fergie n'allait pas bien. Il refusait de manger depuis que Cia avait regagné son appartement.

Dans le fond, elle le comprenait très bien, car elle en était au même point. Elle aussi avait perdu l'appétit.

En allant se coucher, elle se promit d'aller le lendemain consulter une agence afin de reprendre ses recherches pour le refuge. Elle pouvait très bien se passer de Lucas. Tout au moins, pour ce qui relevait de l'immobilier, car une fois dans son lit, son grand corps tiède lui manquait tant qu'elle avait envie de crier.

Tout à coup, elle entendit un coup frappé à sa porte. Vite, elle enfila une robe de chambre et alla jeter un coup d'œil par le judas.

Lucas…

Il tenait un dossier à la main. Les papiers du divorce. Il venait les lui apporter en personne.

De ses mains tremblantes, elle ouvrit et le fit entrer.

Ses yeux cernés et les plis soucieux de son front dénonçaient sa fatigue. Sans doute travaillait-il trop ? Peu importait, elle n'avait pas à s'en préoccuper.

Comme il s'avançait dans l'appartement, un croassement comique se fit entendre, suivi d'un battement d'ailes. Fergie s'était mis à aller et venir frénétiquement sur son perchoir.

— Lou… ka, lou… ka, lou… ka, criait-il, comme s'il ressuscitait.

— Je ne savais pas qu'il avait appris ton nom ! s'étonna Cia.

— Nous y avons assez travaillé tous les deux, avoua Lucas en riant.

Ainsi, Fergie et Lucas avaient fait ami-ami en cachette ? Voilà qui expliquait sans doute sa crise d'anorexie.

— Tu es venu m'apporter les papiers ? demanda Cia, pressée d'en finir avec Lucas dont le parfum se répandait déjà dans le petit appartement.

— En un sens.

— Explique-toi.

— Eh bien… je suis venu te dire que je suis tombé amoureux de toi et que tu m'as donné envie de m'engager complètement et pour la vie.

Elle éclata de rire.

— Super ! Tu m'apportes le dossier du divorce et tu me déclares ton amour. Pas mal comme logique !

— Cia, il n'y a pas de dossier de divorce.

Il sortit un briquet de sa poche et mit le feu au document qu'il regarda se consumer entre ses doigts.

Ebahie, elle vit son divorce partir en fumée.

Il posa les derniers lambeaux de papier noirci sur la table basse de verre, ce qui permit à Cia de remarquer qu'il portait toujours son alliance. Tant pis pour lui.

— Pourquoi est-ce que tu as fait ça ? C'est idiot. J'ai un double dans ma chambre. Tu ne sortiras pas d'ici sans l'avoir signé.

— Cia, je refuse de divorcer, point final.

Elle recula d'un pas, sourcils froncés.

— Ecoute-moi, reprit Lucas. J'ai gâché ton projet dans l'espoir de te forcer à dépendre de moi. Je le regrette amèrement.

Elle sentit des larmes lui monter aux yeux.

Il se sentit alors encouragé à poursuivre.

— Je n'avais pas compris que tu avais mis ton cœur en jeu dans notre histoire, et je suis désolé d'avoir été si lent à comprendre le cadeau que tu m'avais fait. Maintenant, je sais. Tu veux être aimée, et tu veux que ce soit *moi* qui t'aime.

Le regard de Lucas s'était fait intense, brûlant. Cia avait du mal à respirer. Ce n'était pas la première fois qu'il la regardait ainsi ! Non, chaque fois qu'il portait les yeux sur elle, c'était la même chose, mais elle avait refusé de le voir.

Il s'avança vers elle et la prit dans ses bras.

— Cia, mon amour. Laisse-moi t'aimer.

Elle ferma les yeux, respira l'odeur de papier brûlé. Lucas venait de lui ouvrir son cœur. C'était si tentant de s'abandonner à ce nouveau Lucas… Pourtant, elle s'arracha à son étreinte.

— Ce n'est pas ce que je veux.

— Arrête de me mentir, de te mentir à toi-même ! Tu as tellement peur que tu mens pour te protéger. Tu n'as pas compris que la solitude aussi fait souffrir ?

— Oui, c'est vrai, j'ai peur…

Avait-elle parlé à voix haute ?

— Je sais, répondit Lucas. Je refuse de te laisser partir.

Elle ferma les yeux. Enfin, il lui disait tout ce qu'elle avait envie d'entendre.

— Comment est-ce que je peux savoir que toutes tes belles paroles ne vont pas s'envoler ?

— Fais-moi confiance. C'est tout ce que je peux te proposer.

Elle sentait son cœur battre à tout rompre.

— Mais… sans le divorce, je n'ai pas accès à mon argent. Comment est-ce que je vais faire ?

Le regard de Lucas se fit perçant, comme pour pénétrer jusqu'au cœur de Cia.

— Réfléchis : tu ne veux pas dépendre de moi, mais tu acceptes de dépendre de ton grand-père. Tu trouves ça logique ?

— Je ne comprends pas.

— C'est simple : parie sur nous et sur notre amour. Va trouver ton grand-père, regarde-le bien en face et dis-lui qu'il peut garder son argent parce que tu as décidé de garder ton mariage.

— Mais… comment est-ce que je vais oser ?

— Tu préfères dépendre financièrement de ton grand-père ou courir le risque de te lancer dans la vie avec moi ?

La réponse lui brûlait les lèvres. Pourtant, un point important restait à éclaircir.

— Et si je ne veux pas d'enfants ?

Il lui sourit.

— Et si, moi, j'en veux ? Et si je veux que tu jettes tous tes vieux habits ? Et si… et si…

Elle se mit à sourire.

— Oui, je comprends. Les solutions viendront au fur et à mesure que les questions se poseront.

— Exactement, nous les trouverons ensemble. Je ne veux plus une séduisante Barbie à exhiber aux réceptions mondaines, mais une épouse, une vraie.

Bref, tout ce qui la faisait mourir de peur avant de connaître Lucas.

— Wheeler, tu risques de te repentir de ce que tu viens de dire ! Si tu veux une vraie épouse, il faudra que tu en passes par un vrai mariage, avec robe blanche et grandes orgues !

Il eut un horrible grognement.

— J'accepte, mais en échange, tu seras obligée de supporter une véritable lune de miel… Et j'ajoute encore une condition.

— Laquelle ?

— Laisse-moi t'offrir une vraie chemise de nuit de soie pour remplacer ton T-shirt en coton !

Elle éclata de rire.

— Donnant-donnant. Tu auras la permission si tu m'autorises à t'apprendre à danser.

Les mains de Lucas commencèrent à se glisser sous sa robe de chambre.

Depuis son perchoir, Fergie criait à tue-tête :

— Lou… ka, Lou… ka !

*
* *

Même avec l'aide de Fran Wheeler, les préparatifs du mariage prirent deux mois entiers. Lucas préféra taire les péripéties qui entouraient leur histoire d'amour. Il se contenta de dire que Cia regrettait finalement de ne pas avoir eu de cérémonie et qu'elle avait envie de réunir tout le monde pour la célébration de leur mariage.

Ce qui fait que le jour dit, elle remonta la nef de l'église au bras de son grand-père pour rejoindre son mari dans le chœur. Ensuite, les mariés coupèrent l'énorme gâteau avant de danser toute la soirée au milieu de leurs invités.

A un moment donné, comme Lucas lui demandait si elle était heureuse de la soirée, elle hocha la tête.

— C'est magnifique. Epuisant, mais magnifique. Je suis comblée.

En fait, elle se demandait si sa fatigue n'avait pas une autre cause. Avec la bousculade des préparatifs, elle n'avait pas eu le temps d'acheter un test de grossesse, mais la perspective d'être enceinte avait cessé de l'épouvanter. A tel point que si le test se révélait positif, elle était disposée à tenter l'aventure.

A la fin du slow qu'ils venaient de danser amoureusement, Lucas la ramena à la table où se trouvaient Fran et Andy. Cia porta la main au collier de perles qu'elle arborait avec fierté. Même si Matthew n'était pas revenu pour leur mariage, elle avait non seulement gagné un mari, mais aussi une famille.

Son grand-père s'approcha d'elle.

— Excuse-moi, Cia, mais je suis fatigué, je vais me retirer. Passez une bonne fin de soirée.

Son grand-père avait accepté de la conduire à l'autel,

mais malgré tous les arguments invoqués par Cia, il avait refusé de modifier la clause concernant son héritage. Finalement, elle ne lui en voulait pas. Elle se débrouillerait sans lui. Lucas avait été d'accord pour que, en guise de cadeau de mariage, ils demandent à leurs invités de faire une donation pour le refuge où Fran la secondait maintenant avec efficacité.

Cia se sentait parfaitement apaisée. Enfin. Rien ne lui rendrait ses parents, mais la confiance qu'elle plaçait en son mari lui avait permis de clore définitivement ce chapitre.

Elle venait d'en ouvrir un tout neuf qu'ils écriraient ensemble, un peu chaque jour, pendant longtemps. Très longtemps.

RACHEL LEE

Surprise par l'amour

Passions

éditions HARLEQUIN

Titre original : THE WIDOW OF CONARD COUNTY

Traduction française de FLORENCE MOREAU

83-85, boulevard Vincent-Auriol, 75646 PARIS CEDEX 13.
Service Lectrices — Tél. : 01 45 82 47 47
www.harlequin.fr

- 1 -

De sa fenêtre, Sharon Majors observait l'homme qui remontait l'allée poussiéreuse menant à sa maison, un simple sac à dos jeté sur l'épaule. Pas l'ombre d'une voiture à l'horizon, constata-t-elle, avant de s'apercevoir qu'il boitait légèrement.

C'était sans doute un routard, comme il y en avait beaucoup par ces temps difficiles à Conard County, au cœur du Wyoming. Il ne s'écoulait pas une semaine sans qu'une personne en quête de travail vienne frapper à la porte de son modeste ranch.

Pourtant, elle n'avait pas grand-chose à offrir : depuis que Chet avait été tué en Afghanistan, elle n'avait pas le cœur à s'occuper de la propriété. Elle avait loué ses pâturages à son voisin, qui y faisait brouter son cheptel de moutons, tandis que l'érosion due au vent, au soleil, et à la neige commençait à attaquer les communs, les clôtures et même la maison. Il aurait fallu se lancer dans des travaux de réparation pour endiguer la lente mais inexorable détérioration du ranch, seulement elle n'en avait pas le courage.

En réalité, elle aurait souhaité vendre, ce qui lui aurait permis du même coup d'échapper à ses souvenirs, mais malheureusement les ranchs de petite taille ne trouvaient guère preneur, ces temps-ci.

Avec tristesse, elle repensa aux projets que Chet et elle avaient échafaudés ensemble, au rêve d'acquérir une petite propriété qu'il pourrait diriger, une fois retraité de l'armée. Quatre ans plus tôt, lors d'une permission, ils s'étaient décidés, mais maintenant que tous ces rêves s'étaient écroulés, elle se fichait éperdument du ranch.

Le plus dur, c'était en été, quand elle n'avait pas ses cours pour la maintenir active, et que toutes ses amies enseignantes profitaient de leur temps libre pour aller rendre visite à leur famille ou partir en vacances à peu de frais. Elle aussi aurait pu s'accorder quelques jours de loisir, mais voyager seule ne l'intéressait pas, et elle ne pouvait pas non plus trouver refuge chez sa famille : sa mère autrefois si belle avait sombré dans l'alcoolisme, sous la pression des difficultés de la vie, tandis que son père était devenu un homme aigri. Par conséquent, elle n'avait guère envie de les voir.

Aussi restait-elle au ranch, comme paralysée, incapable d'entreprendre quoi que ce soit. Elle se disait qu'elle n'avait pas le droit d'abandonner la propriété, qu'elle devait monter la garde, mais n'était-ce pas tout simplement un prétexte pour justifier son désœuvrement ? Car, au fond, si elle était partie, qui s'en serait préoccupé ?

Poussant un soupir, elle se dirigea vers la porte grillagée, et attendit que l'inconnu arrive à la hauteur de la véranda et, inévitablement, lui demande du travail, comme tous les autres visiteurs du même acabit.

Cependant, quand il fut assez près pour qu'elle puisse le détailler, elle éprouva une certaine surprise. Contrairement à la plupart des vagabonds qui se présentaient à sa porte, il semblait en bonne santé, en dépit de sa démarche légèrement claudicante. Par ailleurs, ses cheveux, bien qu'un peu trop longs à son goût, étaient très propres. Il avait l'air tourmenté, certes, mais n'avait pas les traits tirés, et ses vêtements — un jean et un T-shirt — tout comme ses boots paraissaient relativement neufs.

Si elle avait été en meilleure forme psychologique, elle l'aurait sans doute trouvé séduisant, avec son côté brut qui soulignait sa virilité… Mais quelle honte d'avoir ce genre de pensées ! Elle réprima vite la légère attirance qu'elle venait d'éprouver. C'était déjà bien assez de se sentir coupable d'être encore en vie alors que Chet était parti, sans renforcer encore ce sentiment par un frisson de désir éphémère pour un inconnu ; la femme en elle s'était éteinte en même temps que Chet.

Elle se tenait derrière la porte grillagée, la main sur la poignée quand il atteignit les marches de la véranda. Il la considéra quelques instants, avant de déclarer à brûle-pourpoint :

— Tu es plus belle que sur la photo que Chet avait de toi.

A ces mots, complètement bouleversée, elle eut un haut-le-cœur et s'agrippa au chambranle de la porte, sentant que son sang refluait de son visage… Puis tout s'assombrit et se mit à tournoyer.

— Et m… ! l'entendit-elle marmonner.

Elle fut vaguement consciente qu'il ouvrait la première porte d'un coup sec, puis qu'il jurait quand le loquet de la deuxième lui résista. Alors elle l'entendit secouer la porte, qui céda et elle sentit ensuite ses mains vigoureuses l'empoigner…

— Quel manchot je fais ! s'exclama-t-il, continuant à

maugréer. J'aurais pu commencer par dire : « Bonjour, je suis Liam. » Mais non ! Je crache le morceau tout de suite comme un idiot.

Il la conduisit alors vers le canapé et l'aida à s'asseoir, tandis qu'elle s'efforçait de reprendre une respiration régulière. Son esprit qui tourbillonnait encore était resté fixé sur un mot : Liam. C'était l'ami dont Chet lui parlait tout le temps dans ses lettres.

Peu à peu, elle recouvra un certain calme et tout cessa progressivement de tourner dans le salon. Elle leva alors les yeux vers l'homme de haute taille qui était planté devant elle, et arborait un air préoccupé.

— Ça va aller ? demanda-t-il.

— Oui, oui, répondit-elle bien vite.

Puis elle ferma les yeux pour retrouver définitivement contenance.

— C'était si inattendu, ajouta-t-elle.

— Je comprends, c'est ma faute. Je me suis comporté comme un idiot, et c'est d'ailleurs ce que je suis, depuis un bon bout de temps maintenant. C'est à cause de mon TCC.

Elle rouvrit les paupières.

— Ton quoi ?

— Mon traumatisme cranio-cérébral, enfin mon traumatisme crânien, si tu préfères. Avant, j'étais plus doué pour les relations sociales.

— Ce… Ce n'est rien…

D'où venait qu'elle n'arrivait plus à s'exprimer ? Nul doute que c'était le choc. Elle s'attendait si peu à ce que le passé s'invite aujourd'hui chez elle sans prévenir, pensant que le chapitre s'était clos avec les funérailles, après qu'on lui avait présenté les dernières condoléances. A l'évidence, elle s'était trompée.

— Je vais bien, reprit-elle au bout de quelques instants. Je vais bien.

En réalité, elle cherchait à se rassurer. Cela ne faisait-il pas un bon bout de temps qu'elle pratiquait la méthode Coué ?

— Tu es encore très pâle, constata-t-il.

Il se tenait toujours debout devant elle, mais il s'était éloigné de quelques pas, sans doute pour lui permettre de se remettre de ses émotions.

— Donc, c'est toi, Liam.

Le tutoyer, comme il le faisait avec elle avec tant de naturel, ne lui posa aucun problème. Après tout, c'était un peu comme s'ils se connaissaient depuis très longtemps.

— Oui. Je suis Liam O'Connor. Je pense que Chet t'a déjà parlé de moi.

— Oh oui ! Très souvent… Mais assieds-toi, s'il te plaît.

Il regarda alors autour de lui, l'air hésitant, et opta finalement pour le fauteuil préféré de Chet.

A cet instant, le cœur de Sharon se serra. Bien sûr, il ne pouvait pas le deviner, et elle s'exhorta à ne pas être ridicule. Seulement voilà : personne ne s'était assis dans ce fauteuil depuis le dernier séjour de Chet au ranch, ce qui remontait à deux ans maintenant. Il était dérisoire de traiter un meuble comme une sorte de mémorial, mais elle ne pouvait pas s'en empêcher.

Elle tenta de se ressaisir, au lieu de se laisser envahir par les émotions. Qu'est-ce qui avait bien pu conduire Liam au ranch, après tout ce temps ? se demanda-t-elle avant de repenser à son traumatisme crânien… Elle avait toujours été reconnaissante au destin que Chet n'ait pas eu à affronter une telle épreuve. Son meilleur ami n'avait pas eu cette chance et débarquait chez elle ! Comment devait-elle réagir face à ce fantôme surgi du passé ?

— Euh… J'ai cassé ta porte, déclara-t-il. Enfin, j'en ai brisé le montant.

Il se mit à fixer ses grandes mains, les serra et les desserra, puis ajouta :

— Je suppose que j'ai fait trop de musculation. Je réparerai les dégâts avant de repartir.

Elle voulut protester, lui assurer que ce n'était pas la peine, mais son intuition lui dicta que ce serait maladroit.

— Pourquoi est-ce que tu as fait trop de muscu ? demanda-t-elle plutôt.

Il releva la tête et leurs yeux se croisèrent. Pour la première fois, elle vit que ses prunelles étaient d'un vert clair peu ordinaire.

— C'était une façon de gérer la situation.

— Ah…

Le dialogue n'était décidément pas simple, et Liam ne se montrait pas très bavard.

— Ecoute, je suis désolé, j'aurais dû t'appeler, te prévenir de mon arrivée d'une façon ou d'une autre, reprit-il soudain, comme s'il avait lu dans ses pensées. Mais honnêtement, je ne savais pas comment m'y prendre. Je pensais que je ne pouvais pas t'apprendre tout ça par téléphone… Alors j'ai décidé de surgir à l'improviste et, résultat, tu as failli t'évanouir ! Est-ce que je t'ai déjà dit que je n'ai plus le sens des relations sociales ?

De nouveau, elle sentit son cœur tressaillir, mais cette fois pour lui, par compassion pour son traumatisme crânien, et les conséquences que l'accident avait forcément sur sa vie tout entière.

— Il n'y avait pas une manière idéale de procéder, finit-elle par déclarer. Mais pourquoi es-tu venu jusqu'ici, au juste ?

— J'avais fait une promesse à Chet.

Elle sentit immédiatement que cette réponse était lourde de sens.

— J'aurais dû venir bien plus tôt, continua-t-il, mais de nombreux événements se sont produits... Je comptais te rendre visite lors de ma première permission après sa mort, et finalement, je me suis retrouvé à l'hôpital... Il m'a fallu un certain temps pour pouvoir... pouvoir...

Sans terminer sa phrase, il enchaîna :

— Je suis resté longtemps à l'hôpital et d'ailleurs, je ne savais même pas si j'en sortirais un jour.

— Je suis navrée, murmura-t-elle.

Il haussa les épaules.

— Il m'a fallu du temps pour me remettre, pour que la mémoire me revienne, du moins en partie. C'est seulement après que j'ai retrouvé la lettre.

— La lettre ? fit-elle en portant la main à sa gorge.

Sharon eut la sensation que son cœur cessait de battre, puis qu'il se remettait à cogner violemment dans sa poitrine.

— Euh, j'ai l'impression que je vais trop vite..., s'excusa Liam. Je suis désolé, mais je ne mesure plus toujours la portée de mes paroles ou de mes gestes. Si tu trouves que je passe les limites, n'hésite pas à m'arrêter, d'accord ?

— Entendu.

Là-dessus, il parut se refermer sur lui-même. Devait-elle le laisser tranquille ou l'encourager à poursuivre ?

— Navré, je perds parfois le fil de mes pensées, reprit-il en posant ses yeux vert clair sur elle. Rien n'est plus comme avant, mes propos sont embrouillés... Bref, Chet et moi étions amis, mais ça, tu le sais. Nous étions comme des frères. Il tenait absolument à ce que je vienne au ranch avec lui, mais nous n'avions jamais de permission en même temps. Il me parlait toujours de toi, du ranch... Je me souviens que je pensais parfois qu'il était un peu fou.

— Fou ?

Elle n'aimait pas ce mot.

— Ce n'est pas péjoratif. Simplement, il était différent. Je ne connais personne d'autre qui ait eu le projet de transformer un ranch en un gîte pour animaux.

— C'était pourtant son souhait le plus cher. Pour tous les animaux, pas simplement les domestiques.

— Je sais. Parfois, quand les choses étaient calmes, la nuit, nous nous allongions sous notre tente, ou sous les étoiles ou dans une grotte... Et, alors que nous montions la garde, il me parlait de tous les animaux qui n'avaient aucun endroit où aller. Il m'a notamment parlé d'une louve et d'un mustang.

Elle hocha la tête, un faible sourire aux lèvres.

— Effectivement, il les avait recueillis.

— Je me suis toujours demandé comment on pouvait s'occuper d'un loup.

— Il comptait créer un immense enclos pour une petite meute, expliqua-t-elle.

— Cela ne m'étonne pas. Quand Chet avait une

idée en tête, il allait jusqu'au bout. Il m'a également confié qu'il souhaitait faire de son ranch un modèle, pour enseigner aux gens comment vivre en harmonie avec la nature.

— C'est vrai, il voulait organiser des visites destinées aux enfants.

— C'était une bonne idée, approuva Liam. Je me souviens aussi qu'au fur et à mesure qu'il en parlait, son projet prenait de l'ampleur et j'avais l'impression qu'un simple ranch ne lui suffirait pas.

Malgré elle, Sharon se mit à rire.

— Tu as sans doute raison. Il voyait toujours grand.

— C'était une façon comme une autre d'occuper nos longues nuits de veille…

Il fit une pause et reprit :

— Bon, je crois qu'il est temps que je te donne ta lettre. Je ne veux pas te déranger trop longtemps par ma présence.

Il balaya le salon du regard avant d'ajouter :

— J'ai dû laisser mon sac à dos à l'extérieur. Je reviens tout de suite.

Elle le suivit des yeux, puis observa le montant de la porte : il l'avait complètement détaché du mur, du côté de la poignée, ce qui supposait une force impressionnante ! Devait-elle avoir peur de lui ?… Non. Après tout, c'était pour l'empêcher de tomber qu'il avait défoncé la porte.

En fait, remarqua-t-elle, il ne boitait pas vraiment. On aurait plutôt dit que… il hésitait. Comme s'il ne savait plus tout à fait comment se déplacer.

Il revint rapidement, son sac à dos à la main. Une fois rassis, il ouvrit une pochette latérale.

— Nous nous étions donné mutuellement des lettres

à remettre à nos proches, au cas où il nous arriverait malheur, expliqua-t-il.

Puis il sortit une petite enveloppe qu'il lui tendit.

Le cœur battant à tout rompre, elle s'en empara… Son nom était écrit dessus, de l'écriture familière de Chet. Puis elle remarqua une petite tache marron, dans un angle.

— C'est du sang ? demanda-t-elle dans un souffle, le cœur au bord des lèvres.

— Ce n'est pas le sien, mais le mien, répondit tout de suite Liam.

Elle leva les yeux vers lui, des yeux qui commençaient à la piquer.

— Et tu crois me rassurer, en disant cela ?

Comme il ne répondait pas, elle enchaîna :

— Tu l'as lue ?

— Bien sûr que non ! C'est pour toi, c'est privé…

— Exact, fit-elle en clignant ses yeux qui la brûlaient terriblement, à présent. Tu aurais pu me l'envoyer par la poste au lieu de te déplacer jusqu'ici.

Leurs regards se croisèrent.

— J'avais promis à Chet de te la remettre en mains propres.

Puis il se leva et ajouta :

— Je vais faire un tour dehors, pendant que tu la lis. Après, je réparerai la porte.

Et, avant qu'elle n'ait le temps de le retenir, il avait disparu.

Ses doigts tremblaient, son cœur battait comme un fou. Seize mois… Seize mois que Chet était mort. Après tout ce temps, elle devait tout de même être capable de supporter la lecture de cette lettre, non ? N'avait-elle pas déjà surmonté le pire ?

Et puis combien de fois n'avait-elle pas rêvé d'entendre une fois encore la voix de Chet, de recevoir une dernière lettre de lui… Une lettre ou n'importe quoi d'autre qui vienne de lui, l'homme qu'elle aimait plus que tout au monde !

Probablement n'y avait-il pas de grandes révélations dans cette lettre — rien qu'elle ne sache déjà. Chet avait sans doute dû lui rappeler deux ou trois choses, au cas où il ne reviendrait pas…

Avec lenteur et prudence, elle ouvrit l'enveloppe. La colle avait séché, et craqua presque sous ses doigts. Elle retira alors la feuille de papier qui avait été glissée à l'intérieur, et sentit immédiatement les larmes inonder ses yeux.

« Sharon, ma chérie, si tu lis cette lettre, cela voudra dire que… Bon, inutile de perdre du temps avec des évidences. Je veux te redire que tu es sans cesse présente dans mes pensées, depuis que je suis ici. Quoi qu'il arrive et quoi que je fasse, je pense à toi. Tu es la flamme de ma vie, la raison qui me pousse à continuer. Tu es tout ce que j'ai toujours désiré, et je ne souhaite qu'une chose : te retrouver.

» Toutefois, si cela ne devait pas arriver, repense à l'immense joie que tu m'as donnée, à tout le bonheur que nous avons partagé. Et quand tu te le seras rappelé, que tu t'en seras imprégnée, souviens-toi aussi de ce que je t'ai sans cesse répété : Sharon, dans l'existence, il faut avancer !

» Tu dois refaire ta vie, retrouver le bonheur. Parce que si tu ne bouges pas, mon ciel deviendra un enfer.

» A toi pour toujours,

Chet. »

Les doigts tremblants, elle froissa la feuille et, s'écroulant sur le canapé, fondit en pleurs. C'était comme si on venait de lui enfoncer un couteau dans le cœur, toute la souffrance du deuil resurgissait d'un coup.

De la véranda, Liam l'observait, indécis et compatissant. S'il n'avait pas été blessé, il lui aurait remis la lettre un an plus tôt. Cette lecture tardive rouvrait forcément toutes ses blessures.

— Ce n'était peut-être pas très malin de ta part, marmonna-t-il alors.

Depuis qu'il était sorti de l'hôpital, il avait pris l'habitude de se parler à lui-même. S'il était en bien meilleure forme que six mois auparavant, il lui arrivait encore de perdre la notion du temps et de l'espace et, en de tels instants, il se mettait à se parler à haute voix, ignorant des regards curieux et embarrassés que les gens lui lançaient.

Plus d'une fois au cours des deux dernières semaines, il s'était demandé s'il n'aurait pas été préférable d'oublier cette lettre. Seulement, il avait fait une promesse à son ami et de semblables serments ne se brisaient pas, même s'il avait bien conscience qu'il prenait le risque de bouleverser une femme qui avait, par ailleurs, peut-être refait sa vie et ne voulait plus entendre parler du passé.

Mais, quand il avait appris que Sharon vivait toujours au ranch, il s'était dit que finalement elle n'avait peut-être pas encore tourné la page et qu'il était possible que la lettre l'y aide.

Alors, il s'était mis en route pour le ranch et, à son arrivée, dès l'instant où il avait posé les yeux sur elle, il avait tout de suite — à son grand effroi — ressenti du désir. Bon sang, du désir pour Sharon Majors, la femme de son meilleur ami ! Il fallait dire qu'elle était très attirante, avec sa crinière châtain et ses prunelles bleu vif comme l'azur. La réaction inattendue de son corps l'avait surpris, et il avait alors eu l'impression d'être un véritable salaud…

Il ferma les paupières quelques secondes, plein de culpabilité et de dégoût pour lui-même : Chet ne lui avait pas confié cette mission pour qu'il convoite sa femme.

Et maintenant qu'il l'entendait sangloter, il s'en voulait. Comment son ami et lui avaient pu un jour imaginer que ce genre de lettres réserverait une bonne surprise à leur destinataire ? « Des mots par-delà la tombe », c'était ainsi que Chet les avait qualifiées. C'étaient aussi de véritables bombes, pensa-t-il alors, surtout quand elles parvenaient si tard ! La lettre n'aurait sans doute pas paru aussi cruelle, si Sharon l'avait reçue dès qu'elle avait appris la mort de Chet.

Sa propre lettre avait disparu avec Chet, et c'était tant mieux. Sa sœur, la destinataire et la seule famille qui lui restait, lui avait tourné le dos quand tout donnait à penser qu'il devrait être nourri à la petite cuillère pour le restant de ses jours ; alors, il n'aurait vraiment pas voulu que cette lettre lui parvienne, ni maintenant ni jamais. Il avait tellement souffert en apprenant que sa sœur ne souhaitait pas s'occuper de lui.

Les sanglots redoublés de Sharon l'arrachèrent à ses

pensées et le ramenèrent au présent, dans le Wyoming, et il se sentit désemparé. A vrai dire, depuis son accident, c'était un sentiment qui lui était familier : il était fréquent qu'il ne sache plus gérer les situations auxquelles il était confronté, qu'il n'arrive pas à se faire comprendre d'autrui, et que son comportement social ne soit pas adapté. Comment réagissait-il autrefois ? C'était comme si ses souvenirs s'étaient évaporés.

Irrité contre lui-même, il poussa un soupir et regarda la porte : instantanément, il se souvint qu'il l'avait cassée et qu'il avait promis de la réparer. Tout en la fixant, il tâcha d'imaginer comment il s'y prendrait et se rendit compte qu'il en était incapable…

La frustration le submergea. A cause de lui, une femme qui tentait de s'en sortir pleurait de désespoir et il n'était même pas en mesure de réparer une fichue porte qu'il avait disloquée !

Les médecins avaient beau lui assurer qu'il avait fait d'incroyables progrès depuis son arrivée à l'hôpital — bien plus qu'ils ne l'auraient cru — et qu'il en accomplirait encore de nombreux, il ne parvenait pas à les croire, surtout quand il regardait les dégâts qu'il venait de causer et son incapacité à y remédier…

Malgré lui, il poussa un juron. Il devait repartir au plus vite d'ici pour fuir tout ce gâchis. Seulement, il ne pouvait pas pénétrer dans la maison pour y récupérer son sac tant que Sharon pleurait. En attendant, il décida d'aller faire un tour pour se calmer. Au moins, il avait appris cela, pensa-t-il en guise de consolation : maîtriser sa colère pour qu'elle n'éclate pas tel un engin incontrôlable, et ne blesse quelqu'un.

*
* *

Sharon pleura toutes les larmes de son corps et lorsqu'elle finit par se redresser et s'essuyer le visage, elle était tout endolorie : cela faisait plus d'un an qu'elle ne s'était pas effondrée de cette manière.

Liam était parti, constata-t-elle alors, et elle éprouva aussitôt un immense sentiment de culpabilité à l'idée d'avoir fait fuir un homme qui avait juste cherché à tenir une promesse. Mais tout à coup, elle avisa son sac à dos, par terre, devant le fauteuil qu'il avait occupé. Dieu soit loué ! Il était encore dans les parages.

Elle devait au moins lui offrir un café, une collation, faire preuve d'un minimum de courtoisie pour le remercier d'avoir effectué ce long trajet jusqu'au cœur de nulle part afin de lui remettre la lettre de Chet. La démarche n'avait pas dû être aisée pour lui non plus.

Et puis, c'était le meilleur ami de Chet ! Chaque fois qu'elle recevait une lettre de son mari, il évoquait Liam, leurs activités communes. Alors, pour la première fois, elle songea que lui aussi avait dû être très éprouvé par la disparition de son compagnon de guerre.

Presque honteuse de sa réaction et soucieuse de faire disparaître les traces de ses pleurs, elle alla se rafraîchir le visage dans la salle de bains, mais rien n'y fit : ses yeux étaient toujours gonflés. Au fond, quelle importance cela avait-il ? Le chagrin était une émotion honnête qu'elle n'avait pas à dissimuler.

Revenue dans le salon, elle considéra la porte qu'il avait démolie : devait-elle y voir un symbole ? Ses pensées étaient trop embrouillées pour qu'elle soit en mesure d'y réfléchir.

Soudain, elle aperçut Liam qui remontait l'allée,

comme il l'avait fait tout à l'heure. Cette fois-ci, cependant, elle ressentit un réel apaisement en distinguant sa silhouette. Comme elle aurait été chagrinée, s'il était reparti pour de bon !

Comme il atteignait les marches de la véranda, il leva la tête.

— Ça va mieux ?

— Oui, merci. Je suis désolée de t'avoir fait fuir.

— Non, ce n'est pas toi…

Il se tut quelques secondes avant de reprendre :

— Je t'ai promis que je réparerais ta porte, mais je ne sais vraiment pas comment m'y prendre.

Elle faillit lui dire de ne pas s'en préoccuper, mais il semblait si frustré… A la place, elle suggéra :

— Et si nous la réparions à deux ? Je suis assez bricoleuse. Mais avant, mangeons un morceau. Je ne sais pas ce qu'il en est pour toi, pour ma part, je meurs de faim.

Il parut hésiter, puis il monta les marches et la rejoignit à l'intérieur. Il était plus grand que Chet, et également plus imposant, ce qui lui avait échappé tout à l'heure. La musculation, sans doute.

Elle le conduisit dans la cuisine, une pièce ensoleillée dotée de placards blancs, de murs et de rideaux jaunes et dont le sol laminé imitait à la perfection un véritable parquet. C'était la première pièce que Chet et elle avaient restaurée ensemble, juste après l'achat du ranch. Le reste, c'était elle qui s'en était chargée quand il était reparti pour le front.

Elle fit signe à Liam de s'asseoir à la table de bois qui possédait un dessus en céramique dont elle était très fière.

— Est-ce qu'il y a des plats que tu n'aimes pas ? lui demanda-t-elle.

Il lui adressa un petit sourire.

— Là d'où je viens, on apprend à aimer tout ce qui est comestible.

— J'espère te proposer mieux que cela ! Est-ce que tu bois du café ?

— Je ne peux pas m'en passer.

A ces mots, elle mit la cafetière en marche et entreprit de confectionner des sandwichs. Elle en fit deux assez épais pour Liam, qu'elle garnit de jambon et de fromage, comme elle en avait l'habitude pour Chet.

Elle aimait préparer à manger pour autrui. Depuis des années, ses amies et elle se retrouvaient une fois par mois au ranch pour jouer aux cartes et, à cette occasion, elle cuisinait toujours pour tout le monde et y prenait grand plaisir. Même après la mort de Chet, la tradition avait perduré.

Peu à peu, elle se sentit de meilleure humeur, au point qu'elle fut même capable de gratifier Liam d'un petit sourire quand elle lui servit son repas. Elle s'assit ensuite en face de lui, se contentant d'un sandwich plus modeste et d'un café, et s'efforça de trouver un sujet de discussion neutre.

— Tu allais où, au juste, quand tu t'es arrêté ici ? demanda-t-elle.

— Nulle part.

Son sandwich à la main, elle marqua une pause.

— Tu veux dire que tu es venu au fin fond du Wyoming juste pour me remettre la lettre ?

— Mouais. Mmm, c'est délicieux... Cela fait longtemps que je n'ai rien mangé de si bon. Le café aussi est excellent. Merci.

— Je t'en prie.

Il mangeait comme un homme affamé, tandis qu'elle ne parvenait qu'à grignoter, sentant un curieux trouble l'envahir.

— Tu es juste sorti, alors, reprit-elle.

— De l'hôpital, tu veux dire ?

— Oui.

— En fait, cela fait presque un mois qu'on m'a « relâché », précisa-t-il alors.

— Tu as de la famille ?

Il secoua la tête en signe de dénégation.

— Liam, qu'est-ce que tu vas faire ? lui demanda-t-elle d'un ton plus sérieux.

— Je ne sais pas encore. Il faut que j'y réfléchisse.

Il n'avait ni projet ni famille, venait juste de sortir de l'hôpital et souffrait d'un traumatisme crânien : le tableau était sombre ! On ne pouvait errer sans but lorsqu'on avait subi une telle épreuve. Elle n'était pas experte en la matière, mais en tant qu'enseignante, elle avait eu l'occasion de rencontrer des personnes souffrant de troubles, et nul doute que Liam en faisait partie.

Elle décida alors de faire ce que Chet aurait attendu d'elle. Ce qu'elle-même estimait nécessaire de faire pour un homme qui avait eu le cran d'entreprendre une véritable expédition pour tenir une promesse.

— Tu sais, commença-t-elle avec lenteur, j'ai besoin d'aide sur le ranch. Si tu n'es pas pressé de repartir, bien sûr…

Il se figea.

— Je ne suis pas pressé, reconnut-il, mais je ne vois

pas en quoi je peux t'aider. Ou plus exactement si je suis capable de t'aider en quoi que ce soit… J'oublie tout, même le fil de mes pensées. Comment est-ce que je pourrais t'aider si tu dois en permanence avoir un œil sur moi pour les choses les plus simples ?

Elle se mordit la lèvre, cherchant les mots justes afin de ménager la susceptibilité de Liam.

— Eh bien, tu sembles avoir de la force, non ? observa-t-elle.

— Physiquement, je suis fort, c'est vrai. Il n'y a que mon cerveau qui montre des signes de faiblesse.

— Je ne crois pas qu'il soit à ce point affaibli.

— Tu n'en sais rien du tout, Sharon, déclara-t-il alors d'un ton vif.

— Tu as raison, mais à mon tour, je vais te dire une bonne chose : garder un œil sur toi me sera très utile.

Il fronça les sourcils.

— C'est-à-dire ?

— Il faut que je me remue, moi aussi, que je me trouve des occupations ! J'ai laissé le ranch aller à la dérive… Mes voisins viennent de temps en temps me donner un coup de main pour éviter qu'il ne tombe en ruine, mais je déteste dépendre des autres, ne pas être capable de me débrouiller seule. Grâce à toi, je pourrais redonner un air plus pimpant au ranch.

Elle le vit s'assombrir. Avait-elle prononcé des paroles déplacées ? Mais en réalité il méditait ses propos, puisqu'il répondit finalement :

— C'est charité contre charité ?

— Je n'avais pas envisagé la situation sous cet aspect, mais oui, je suppose.

— Je ne veux pas de ta charité, décréta-t-il avec dureté.

— Mais moi non plus !

— Je ne veux pas que tu me recueilles comme si j'étais un animal errant, enchaîna-t-il sur le même ton.

— Liam ! Cela ne m'a même pas traversé l'esprit. Comme je te l'ai dit, j'ai laissé le ranch aller à vau-l'eau. Tu me rendrais service en acceptant de m'aider.

Il réfléchit quelques instants, puis reprit :

— Peut-être… Si je ne fais pas trop de dégâts.

— Ecoute, ça, ce n'est pas grave, tout est toujours réparable. J'ai fait suffisamment de dégâts moi-même pour le savoir. Il faut que tu comprennes, Liam, que j'ai besoin d'aide. Moi aussi j'ai besoin de quelqu'un qui me permette de reprendre contact avec la réalité.

— Tout cela a dû être terrible pour toi.

Ce n'était pas une question, mais elle hocha la tête.

— Je n'ai pas eu le cœur de m'occuper du ranch, et aujourd'hui justement, je me disais que tout cela ne pouvait pas continuer ainsi. Tu ne pouvais pas mieux tomber. Et puis, il y a autre chose…

Il haussa un sourcil étonné.

— Quoi ?

— Je n'avais pas envie d'employer un inconnu. Je n'aurais pas eu l'esprit tranquille.

— Mais tu ne me connais pas, Sharon. Je suis un étranger pour toi.

— Pas vraiment. Chet me parlait de toi dans toutes ses lettres.

Elle fut surprise du petit sourire qu'il lui adressa alors.

— Lui aussi me parlait de vos lettres, et des échantillons de couleurs que tu y joignais pour qu'il te donne son avis sur la peinture du salon ou de la chambre à coucher.

Elle lui rendit son sourire.

— Je tenais à avoir son approbation. Il me renvoyait ceux qu'il aimait.

— Et je parie qu'il ne t'a jamais avoué le sort qu'il réservait aux autres ?

— Non. Qu'est-ce qu'il en faisait ?

— Il leur tirait dessus.

Elle porta la main à sa bouche pour étouffer un petit rire.

— C'est vrai ?

— Je t'assure ! Les échantillons étaient assez petits pour représenter un défi, pour lui : celui de viser juste !

De nouveau, il sourit, puis son regard se fit distant, et il ajouta :

— En fait, il aimait tous les échantillons. Et ce qui lui plaisait surtout, c'était que tu lui demandes son avis.

— J'en suis heureuse.

Chet lui avait assuré qu'il souhaitait être consulté et tenu au courant de la décoration du ranch, mais parfois elle avait douté de sa sincérité, et s'était dit qu'il cherchait simplement à être gentil avec elle…

Son cœur se serra, pas de façon violente, comme lors de la lecture de la lettre, tout à l'heure, mais de manière familière : c'était une sensation de douleur diffuse avec laquelle elle s'était habituée à vivre…

— D'accord, déclara Liam tout à coup d'un ton décidé.

Elle leva vers lui un regard surpris et sceptique.

— C'est entendu, répéta-t-il. Je vais essayer de t'aider. Mais il faut que tu me fasses une promesse en retour.

— Laquelle ?

— Si je deviens une charge trop lourde pour toi, je veux que tu me le dises franchement, et alors je repartirai. Pour l'instant, je ne sais pas ce que je suis capable de faire ou pas. Depuis mon accident, je dois tout réapprendre.

— Nous apprendrons ensemble.

Il la regarda alors avec insistance.

— Il me semble t'avoir demandé de me faire une promesse !

— Je te le promets, dit-elle d'un ton solennel.

Bien évidemment, c'était une promesse qu'elle n'avait pas l'intention de tenir : elle ne laisserait pas cet homme repartir pour aller Dieu sait où… Elle le devait à Chet.

— Très bien, dit-il.

Et il se remit à manger, satisfait du contrat qu'ils venaient de passer.

- 2 -

Dans le Nord, les soirées étaient longues, mais Sharon n'avait nulle envie de se mettre en quête de ferrure et autre paumelle pour réparer la porte, même si Liam semblait impatient de s'atteler au travail. A la place, elle lui proposa d'aller installer ses affaires dans la chambre d'amis, puis de venir la rejoindre dans le salon afin de siroter un dernier café avec elle.

Il la considéra quelques instants.

— Tu veux me poser des questions, n'est-ce pas ? s'enquit-il alors.

— Des questions ? répéta-t-elle, surprise.

— Oui, sur Chet.

Choisissant prudemment ses mots, elle lui répondit :

— Je pense seulement faire plus ample connaissance.

Il fronça légèrement les sourcils, comme si cette perspective le contrariait, puis se dirigea vers l'escalier.

Elle entendit ses pas résonner sur les marches, et ensuite sur le palier. Elle demeura pensive. En quoi son traumatisme avait-il affecté sa personnalité ? Il lui fallait le comprendre, car elle souhaitait établir la meilleure relation possible avec lui.

Dans quelle mesure serait-il capable de lui livrer des informations sur lui-même ? En ce moment, sa vie s'apparentait sans doute à une suite permanente de découvertes ; il évoluait dans un monde peu familier où il essayait de tester ses limites et d'évaluer ses capacités.

Il fallait impérativement qu'elle se renseigne sur les conséquences d'un traumatisme crânien, et se promit, quand il dormirait, d'aller faire des recherches sur internet.

Lorsqu'il redescendit, presque une heure s'était écoulée. Il avait pris une douche et enfilé son vieil uniforme : un pantalon de camouflage, un T-shirt noir et des rangers. Beaucoup de militaires ne possédaient pas plus que ce que l'on pouvait entasser dans un sac à dos ou un casier, et d'ailleurs à quoi bon se soucier de sa garde-robe quand on passait le plus clair de son temps en tenue de combat ? Chet avait laissé tous ses vêtements à la maison, mais Liam n'avait visiblement pas de foyer, pas de famille… A cette terrible idée, son cœur se serra pour lui : il avait décidément besoin de quelqu'un !

Ils prirent place sur le canapé, les tasses de café à portée de main sur la table basse. Il se taisait et attendait, comme s'il redoutait d'être soumis à un feu de questions. Elle décroisa et recroisa les jambes, à la fois nerveuse et navrée de lui donner l'impression de jouer les investigatrices.

— Tu m'as dit que tu avais des problèmes de mémoire, finit-elle par déclarer, ou que tu ne savais plus très bien comment t'y prendre, dans certaines situations. Est-ce qu'il y a autre chose que je devrais savoir ?

A ces mots, il plissa le front.

— C'est-à-dire ?

— Eh bien, comme nous allons travailler ensemble,

j'ai besoin de me faire l'idée la plus juste possible de ton état actuel.

— Je comprends, soupira-t-il. Je crois t'avoir signalé que j'avais du mal à me concentrer longtemps sur une tâche, non ?

— Tu as fait preuve de suffisamment de concentration pour arriver jusqu'au ranch.

— Ça, c'était simple. Je me suis contenté de faire un pas après l'autre. Tout ce que je devais trouver, c'était mon chemin, et pour cela je me guidais sur ma carte. Par chance, je sais encore lire des indications.

— Quoi d'autre ?

— Je me mets facilement en colère, et avec ce traumatisme, mon travers s'est accentué. Je m'énerve très souvent. Je m'efforce de me contrôler, mais ne t'étonne pas si tu m'entends jurer.

— Ce n'est pas du tout un problème, j'y suis habituée puisque Chet jurait très souvent lui aussi.

— Oui, c'est vrai que nous le faisons tous, à l'armée.

Un ange passa, puis elle déclara :

— Dis-moi, le chambranle semble vraiment te tracasser.

— Parce que je l'ai cassé… Bon, je reconnais que, parfois, j'ai des obsessions. Comme cette porte.

Il haussa les épaules.

— Je suis moi-même en train de me redécouvrir, tu sais, ajouta-t-il.

— Alors je découvrirai en même temps que toi l'homme que tu es devenu, dit-elle.

Et, en l'entendant soupirer, elle sentit son cœur fléchir.

— Sans doute, répondit-il.

Son regard vert se fit alors distant, et elle le laissa

s'immerger dans ses pensées. Une intuition lui traversa l'esprit : si Chet avait subi un traumatisme crânien, comme Liam, elle aurait été complètement désemparée.

L'air songeur, il reprit :

— J'ai vu des moutons, en venant ici. Je ne savais pas que vous en possédiez.

— Ils sont à mon voisin. Je lui loue mes pâturages.

— C'est une bonne idée. Je me souviens que Chet voulait élever des chèvres. Pourquoi des chèvres, tu le sais ?

Elle eut un petit sourire nostalgique.

— Il pensait que ce serait plus drôle que des moutons. Pour ma part, je n'en sais rien du tout. Je ne connais absolument rien aux chèvres.

— Ç'aurait été difficile pour toi, décréta-t-il soudain en plongeant son regard dans le sien.

— De quoi parles-tu ?

— Puisque tu ne connais rien aux chèvres, comment aurais-tu pu t'en occuper ?

Malgré elle, elle émit un petit rire triste.

— Ce sont des questions sur lesquelles nous nous serions penchés plus tard.

— Oui, quand le château en Espagne aurait été bâti…

Et à ces mots, un sourire amusé éclaira le visage de Liam.

Elle fut surprise de sa remarque, après la façon dont il avait dénigré ses propres capacités, mais il enchaîna :

— Je plaisante, bien sûr. Chet possédait un grand sens pratique, et il s'en serait forcément sorti, mais j'aimais beaucoup ses rêves car ils étaient grandioses et enchanteurs.

— C'est vrai, approuva-t-elle. A moi aussi ils me plaisaient énormément.

Une vague de chagrin la submergea alors, mais elle s'efforça de la chasser.

— Il nourrissait des rêves paisibles, observa Liam. Et puis, il cherchait toujours à s'informer.

— C'est-à-dire ?

— Il discutait beaucoup avec les paysans afghans, les éleveurs de chèvres. Il leur demandait de lui transmettre leur savoir, ce qu'ils acceptaient volontiers.

Elle éprouva une légère déception.

— Il ne m'en a jamais rien dit, fit-elle à mi-voix.

— Il ne voulait peut-être pas t'inquiéter. Nous étions censés être des cœurs et des esprits gagnants. C'était ce qu'on nous répétait, à l'armée. Mais Chet ne perdait jamais une occasion d'apprendre. En Afghanistan, il prêtait souvent main-forte aux paysans qui creusaient des puits d'irrigation, ou rassemblaient leurs troupeaux. Il m'entraînait dans ces aventures. C'était drôle.

Tout à coup, il sursauta.

— Désolé, s'excusa-t-il, je te rends de nouveau triste. Il faut que j'arrête de ressasser.

Sur ces mots, il se leva et examina la porte cassée.

— J'aurai besoin d'une longue latte de bois arrondie, poursuivit-il. Tu crois que tu as cela, dans la grange ?

— Je ne sais pas…

— Je peux aller voir ?

— Si tu veux.

Après tout, pourquoi l'empêcher de s'occuper de la réparation s'il y tenait vraiment ? Elle le regarda s'éloigner, puis essuya les larmes qui coulèrent malgré elle de ses yeux. Puisqu'il était déterminé à réparer le chambranle, elle allait rechercher des instructions en ligne et les imprimer afin qu'il puisse se raccrocher à quelque chose, au cas où…

Liam était sur le point d'exploser et il avait sauté sur le premier prétexte pour se précipiter hors de la maison. Penser à Chet le mettait dans tous ses états : comme il regrettait de ne pas avoir effectué la ronde à sa place, cette nuit-là ! Contrairement à lui, son ami avait une vraie vie, en dehors de l'armée, et il était tellement injuste qu'il ne soit plus là. Tandis que lui, à qui aurait-il manqué, au fond ?

Il écoutait les histoires que Chet lui racontait comme un enfant couvant du regard un jouet qu'il ne pourrait jamais obtenir. Cette sensation, au moins, il s'en souvenait. Il n'était pas envieux de la vie de Chet, ni de sa femme, ça non, mais il aurait tout simplement aimé avoir lui aussi une existence en dehors de la grande muette au sein de laquelle il évoluait depuis seize années, et dans laquelle il était entré à l'âge de dix-huit ans.

Chet lui donnait toujours l'impression qu'il ferait partie de son projet, de ce ranch dont il rêvait, et il avait envie d'y croire même s'il doutait d'être à la hauteur, car il était un enfant de la ville, un enfant de Dallas. Néanmoins, il était si amusant d'écouter Chet… Et aujourd'hui, voilà qu'il se retrouvait à Conard County, mais sans son ami, et complètement démuni ! Le moins qu'il pouvait faire, c'était d'aider sa femme.

Et pourtant, réparer cette simple porte représentait une énorme source de frustration car il ne savait absolument pas comment s'y prendre. Il avait l'impression d'avoir été lâché dans un pays étranger dont il ne connaissait ni la langue ni les coutumes.

Même si c'était une expérience qu'il avait réellement vécue, en Afghanistan, jamais elle n'avait assombri toute sa vie et toute chose comme actuellement.

Autrefois, il était toujours maître de la situation, quelle qu'elle soit, il pouvait assembler les pièces du puzzle. Mais aujourd'hui, le puzzle en comportait un million et il ne savait pas du tout par où commencer.

Encore qu'il ne devait pas être trop sévère avec lui-même… N'avait-il pas réalisé de réels progrès ? Ainsi, il l'avait compris quelques minutes auparavant, il devait sortir de la maison avant qu'un accès de colère ne le terrasse, et c'était déjà un pas en avant énorme.

Il faisait sombre dans la grange, en dépit de ses nombreuses fenêtres, mais il trouva rapidement l'interrupteur. Il repéra aussitôt des bottes de foin et se précipita dans leur direction ; il se mit alors à donner des coups de poing comme dans un punching-ball, afin d'évacuer toute la rage qui brûlait en lui.

Au bout d'un moment, épuisé, il s'effondra sur l'une des bottes et regarda ses mains, tout en s'efforçant de faire la paix avec l'homme qu'il était devenu — ce qui n'était guère aisé. Il sentait que la colère montait parfois en lui tel un tsunami, qu'elle jaillissait de nulle part.

Et si la rage était le seul sentiment réel et fort qui lui restait ?

Accablé par la peine que ce doute éveillait en lui, pliant et dépliant plusieurs fois les doigts, il chercha quelque chose sur quoi fixer son attention, ainsi qu'on le lui avait appris lors de sa convalescence, même si cette technique devait s'appliquer *avant* l'accès de colère. Malheureusement, parfois il n'avait pas le choix.

Et soudain, il se rappela le chambranle qu'il devait réparer. Il fallait qu'il trouve une pièce de bois semblable à celle qu'il avait cassée. Se levant, il inspecta la grange du regard. C'était un lieu de stockage très désordonné, à l'image de son cerveau, et il lui fallut un bon bout de temps avant de repérer enfin des outils sur un banc, du bois posé contre le mur, et enfin des appareils électriques sur le sol, à côté… Il décida de se concentrer sur les pièces de bois.

Elles semblaient quasiment neuves. A quoi Chet les destinait-il ? Aux clôtures ? Sans doute… Il les regarda, et fut heureux de pouvoir les classer selon leur calibre. Il n'avait pas tout oublié, et c'était déjà une bonne chose. Seulement voilà, par quoi allait-il commencer ?

Finalement, au fond de la grange, il trouva une latte de bois qui ressemblait au chambranle cassé. A vue de nez, il estima qu'elle ferait l'affaire. Mais Chet l'avait peut-être destinée à un autre usage, comment savoir ? Et puis il se souvint que son ami était mort, et que tous ses projets s'étaient envolés avec lui.

Alors, la latte de bois à la main, il se rassit sur la balle de foin et ferma les yeux… Comme il aurait aimé que Chet soit ici, à sa place ! C'était de son mari que Sharon avait besoin, pas de lui, un piètre substitut.

Assez ! Il devait se secouer, cesser d'aborder le problème dans sa globalité, et l'envisager étape par étape, la prochaine consistant à réparer la porte. Et il allait avoir besoin de concentration pour une tâche qui autrefois lui aurait paru bien simple !

*
* *

Sharon fut soulagée de voir Liam revenir avec une longue latte de bois à la main. Elle avait hésité à aller le chercher, mais elle ne voulait pas non plus l'embarrasser.

Même si elle le connaissait encore très peu, elle se doutait que son traumatisme crânien avait eu de graves répercussions sur la confiance qu'il avait en lui-même. Outre la blessure physique, il ne fallait pas oublier toute la dimension émotionnelle et psychologique. Sans compter le deuil de son meilleur ami…

Redeviendrait-il un jour l'homme qu'il avait été ? Elle savait par expérience que tous ceux qui avaient souffert d'un tel traumatisme en gardaient toujours quelques séquelles…

Elle éprouva une subite tristesse. Connaîtrait-elle jamais l'homme que Chet avait apprécié ? Elle devrait probablement se contenter de cette nouvelle version de Liam. Mais, après tout, il serait peut-être une personne bien meilleure, qui pouvait prédire la façon dont il évoluerait ? Toujours est-il qu'elle se défendait de tout préjugé à son endroit.

Quand elle entendit la porte d'entrée se refermer, elle regagna le salon, ses feuilles imprimées à la main, et le trouva en train de comparer sa pièce de bois à celle qu'il avait arrachée du chambranle.

— Ça fera l'affaire, dit-il comme pour se rassurer lui-même.

— Bien sûr. Tu n'as pas eu trop de mal à trouver ?

Il se tourna vers elle.

— Il y a beaucoup de choses, dans la grange.

— Effectivement. Nous étions comme des écureuils qui font des stocks de noisettes afin d'être prêts à…

Elle s'interrompit et faillit vaciller devant l'inévitable : ces projets ne verraient jamais le jour.

— Nous nous projetions dans le futur, conclut-elle rapidement.

— C'est une chose que je dois réapprendre, commenta-t-il.

— Je t'y aiderai, promit-elle.

Elle se rendit alors compte qu'elle venait de prendre un gros engagement, mais il ne parut pas y prêter attention. Aucun d'entre eux ne savait combien de temps allait durer leur cohabitation…

Avec un soupir, elle lui tendit les feuilles qu'elle avait imprimées, avec les instructions pour réparer le chambranle.

— Est-ce que ces schémas t'évoquent quelque chose ? demanda-t-elle.

Il s'en empara, puis fronça les sourcils.

— Tout est éclaté.

Que voulait-il dire, au juste ? Il s'agissait simplement de schémas qui montraient les différentes pièces d'un chambranle et comment elles s'emboîtaient les unes dans les autres.

Soudain, après une hésitation, elle eut une intuition.

— Liam, est-ce que tu sais encore lire ?

Devant sa gêne, une immense peine l'envahit tandis qu'elle l'entendait répondre :

— Ça dépend… Les choses faciles, oui. Pour le reste, je dois réapprendre.

— Oh ! Liam, je suis désolée ! s'exclama-t-elle spontanément. Tu t'en sors si bien, pourtant.

— Je peux de nouveau marcher et parler, c'est déjà énorme, tu sais ! D'ailleurs, parfois, je parle trop, mais il y a tant de choses que j'ignore encore, et notamment ce qui va me revenir ou non. J'ai parfois l'impression que je vais plus t'importuner que t'aider. Tu es vraiment certaine que tu veux me garder ?

— Bien sûr ! Il est hors de question que tu ailles ailleurs qu'ici.

Et elle le pensait vraiment.

— Mais je ne suis plus bon à rien.

— Allons, tu finiras par retrouver la mémoire. En attendant, tu n'as pas perdu tes muscles, alors que moi, je n'en ai pas beaucoup.

Par jeu, elle lui tâta le bras et ajouta :

— Regarde-moi cette force ! Et ces épaules solides. Je vais les utiliser sans réserve.

Son rire la surprit par sa sincérité.

— Ne te gêne pas, renchérit-il. Il est vrai que de ce côté-là, tout fonctionne sans problème.

Elle leur servit ensuite à dîner, puis insista pour reporter la réparation de la porte au lendemain.

— Nous avons eu une dure journée tous les deux, lui rappela-t-elle.

L'arrivée de Liam, la lettre de Chet et toutes les émotions qu'elle avait fait surgir l'avaient psychologiquement épuisée. Et elle était certaine qu'il en allait de même pour lui : il avait dû gérer une situation très délicate et avait vraisemblablement atteint ses limites, lui aussi.

Il était temps de se reposer, et de retrouver son calme.

Elle lui proposa alors de déguster un thé glacé sous la véranda, tandis que le crépuscule s'effaçait doucement pour révéler le ciel de la nuit, constellé d'étoiles. Après quoi, elle l'aida à faire son lit car, pour avoir jeté un coup d'œil dans la chambre d'amis, elle avait pu constater qu'il ne s'était pas encore installé.

S'attendait-il à être renvoyé d'un instant à l'autre ? Ce doute lui valut de nouveau un petit coup au cœur.

Elle se rassura en se disant qu'il devait se réhabituer à vivre. A l'hôpital, il avait réappris le principal, c'est-à-dire ce qui était nécessaire à sa survie, mais elle était certaine qu'il ferait encore de gros progrès. Le problème, c'était que les vétérans recevaient souvent peu de soins, en comparaison de ce dont ils avaient besoin.

Un peu plus tard cette soirée-là, une fois au lit, elle se mit à fixer le plafond, tout en réfléchissant…

Etait-elle vraiment en mesure de l'aider ? Allons, elle ne devait pas être défaitiste ! Pour ce qui était de la lecture, par exemple, elle était tout à fait capable de lui réapprendre à lire couramment. Par ailleurs, il avait dit avoir besoin de listes quotidiennes, comme point de repère, et elle pourrait facilement les lui établir. Liam était un homme intelligent, c'était indéniable, elle devait juste faire confiance au temps. Et il était de toute façon hors de question qu'elle l'abandonne à son sort et à un monde qui ne le comprendrait pas.

Elle le devait à Chet, à Liam, et à elle-même.

Liam ne parvenait pas à trouver le sommeil. Depuis son accident, il était habitué aux insomnies ; les médecins n'avaient pu établir si elles étaient liées au traumatisme crânien ou à l'angoisse que l'accident avait déclenchée en lui.

A l'hôpital, il avait vite compris que ce genre de commotion demeurait un mystère pour les spécialistes eux-mêmes. Il leur était difficile de faire la part des choses entre les carences dues au choc et les troubles liés à l'anxiété.

Si seulement il avait su qu'il allait se remettre complètement, cela l'aurait aidé à mieux vivre la situation actuelle, mais personne ne détenait de réponse définitive. Ce qu'on lui avait affirmé avec certitude, en revanche, c'était qu'aujourd'hui, les patients survivaient à des blessures qui auparavant les auraient tués. Apparemment, il devait se contenter de cette maigre consolation, pour le moment.

Instinctivement, il toucha sa cicatrice, sur le côté de son crâne… Il pouvait s'estimer heureux : lui, au moins, connaissait l'origine de ses troubles, alors que de nombreux vétérans souffraient des mêmes symptômes sans avoir subi une telle blessure. Ce devait être encore pire à accepter.

Il se retourna dans son lit, et s'efforça de se calmer, mais en vain. Il avait pourtant de la chance qu'on l'ait autorisé à sortir de l'hôpital. Cela ne signifiait-il pas qu'on l'estimait capable de se comporter correctement ? Il n'avait rendez-vous pour un contrôle que dans un an.

Il aurait pu aussi être bien plus amer qu'il ne l'était, mais c'était surtout la frustration qui l'emportait chez lui. Quand il se comparait à l'homme qu'il avait été, la colère l'envahissait…

Il n'était pas certain que ce « marché » avec Sharon tienne sur le long terme, car combien de temps serait-elle en mesure de le supporter ? Il craignait de repartir dans quelques jours, dans un état pire que celui où il était arrivé…

Il eut soudain envie de bondir de son lit, de saisir son sac à dos et de reprendre la route sans attendre. Il n'était pas du tout en état de gérer de nouveaux problèmes, et sa rencontre avec Sharon lui avait rappelé ses limites. Et dire qu'il y avait encore peu, il donnait des ordres à ses hommes, au cœur de la bataille, il organisait des opérations en escouade… Aujourd'hui, il en était réduit à accepter la charité d'une veuve, et il s'en sentait humilié !

Ce fut alors qu'il se rappela la façon dont elle avait palpé ses muscles, tout à l'heure, en affirmant qu'elle avait besoin de sa force physique… C'était sans doute vrai, elle avait beau posséder une grande force morale et de nombreux talents, elle avait besoin des muscles d'un homme pour l'entretien de la propriété. Cette pensée le rasséréna : elle était la femme de son meilleur ami et il lui devait bien ça. Pour le reste, il vivrait au jour le jour…

Las de chercher le sommeil, il finit par se lever et alla se poster derrière la fenêtre, pour observer le ciel sans lune. Ce n'était pas ainsi que Chet et lui avaient imaginé sa première visite : ils s'étaient tous les deux promis de prendre du bon temps, de boire quelques bières, d'échafauder de nouveaux rêves…

Il s'était également vu faire le tour du ranch avec un Chet heureux de lui montrer enfin tout ce dont il lui avait parlé pendant qu'ils montaient la garde, en Afghanistan. Il s'était figuré en train de peindre et de poser le papier peint, et même de réparer la balustrade de la véranda qui, selon Chet, était branlante…

Ce fut alors qu'il se souvint du bois, dans la grange : peut-être était-il destiné à réparer la rambarde ! Pour en avoir le cœur net, il questionnerait Sharon à ce sujet, le lendemain.

Pour la première fois depuis un bon bout de temps, il avait des projets pour la matinée suivante : réparer une porte et s'attaquer au problème d'un garde-fou.

Cela lui suffisait, pour le moment. Et même s'il resta encore longtemps près de la fenêtre, sans parvenir à trouver le sommeil, ni l'anxiété ni la frustration ne resurgirent.

- 3 -

Après s'être douchée et habillée, Sharon descendit au rez-de-chaussée où elle fut surprise de trouver Liam déjà debout, penché sur les schémas de chambranle qu'elle lui avait imprimés. Ce matin-là, le ciel était lourd de nuages menaçants, et il avait d'ailleurs plu dans la nuit.

Comme elle entrait dans la cuisine, il leva les yeux vers elle et lui adressa un vague sourire.

— Bonjour, Liam. Alors, ça s'éclaire ?

— Bonjour, Sharon. Oui, plus ou moins…

— Tu sais, moi aussi j'ai étudié ces schémas et je dois dire qu'ils me laissent perplexe. Pour tout t'avouer, j'ai toujours un mal fou à assembler un meuble à partir de la notice de montage livrée avec !

— C'est bien vrai, ça ?

L'espace d'un instant, son regard vert s'assombrit d'un voile de méfiance.

— Oui, je t'assure ! Chet se moquait toujours de moi à ce sujet. Comme excuse, je prétendais que les femmes n'étaient sans doute pas douées pour ce genre de choses, mais que c'était leur intuition qui leur permettait finalement de s'en sortir.

Un rire lui échappa et il brandit la feuille imprimée.

— Cela ressemble à un vrai puzzle !

— Tu as raison. Bon, on va quand même essayer

de l'étudier en prenant notre petit déjeuner. Du bacon et des œufs, ça te va ?

Une fois qu'ils furent attablés devant leur assiette, elle s'exclama soudain :

— Tu sais quoi ? Je vais chercher un surligneur. Cela nous permettra d'y voir plus clair.

Quand elle revint, il lui prit sans mot dire le surligneur des mains, ce qui la surprit, mais elle lui laissa volontiers la direction des opérations et s'affaira autour du bacon et du café. Il semblait avoir un appétit d'ogre, ce matin.

— Un autre œuf ?

— Avec plaisir.

— Deux peut-être ?

— Bonne idée. Dis-moi, tu as un surligneur d'une autre couleur ?

— Des dizaines. Je vais les chercher.

— Apporte aussi un stylo !

Elle se précipita dans son bureau et réapparut avec une boîte de Stabilo de toutes les couleurs, un stylo et un crayon.

— Tu peux écrire les légendes ? demanda-t-il. Je veux établir l'ordre des étapes par couleur.

— Pas de problème, dit-elle en s'emparant de son bloc-notes, tout en gardant un œil sur les œufs brouillés, dans la poêle.

— Si je me trompe, tu me le dis, fit-il.

Puis il coloria la pièce à retirer.

— Numéro 1. Jaune.

Elle écrivit ce qu'il lui dictait. Ils continuèrent ainsi tout en mangeant. C'était un plaisir de le voir aussi enthousiaste et sûr de lui. Petit à petit, il coloriait les différentes pièces et visiblement, il en tirait une grande satisfaction. Et il avait de quoi être fier de lui ! Elle n'eut pas à le corriger une seule fois.

— Ce ne devrait pas être bien difficile, maintenant, dit-elle en observant le schéma coloré.

— Normalement non.

— Le plus dur, ce sera sans doute de retirer la pièce de bois sans faire trop de dégâts, ce qui risque d'être le cas si nous utilisons un levier…

— Exact… Pourtant, ce n'est pas compliqué, il doit forcément y avoir une solution.

Elle avait la sensation qu'il se parlait à lui-même. Au fond, si cela pouvait l'aider… En tout cas, elle était impressionnée par sa capacité à avoir si vite identifié les différentes étapes à suivre.

— Tu vas réparer cette porte, dit-il encore.

Et cette fois, il n'y avait aucun doute : c'était bien à lui-même qu'il s'adressait. Cela lui permettait de se concentrer, il le lui avait dit la veille. A bien y réfléchir, elle utilisait aussi cette tactique. Quand elle cherchait ses ciseaux, par exemple… Pour ne pas oublier l'objet de sa quête en se mettant à penser à autre chose, elle effectuait un mouvement de ciseaux avec les doigts. La méthode de Liam participait du même esprit, sauf qu'il y avait recours plus souvent qu'elle.

— Les clous de finition ! s'exclama-t-il, en regardant le schéma et en montrant de petits clous. Comme ils sont peints, on ne les voit pas, mais c'est ce que nous devons retirer en premier. Et en douceur.

Se tournant vers elle, il lui adressa alors un grand sourire.

— Je crois que j'en suis capable.

Naturellement, elle le laissa faire.

Liam regarda Sharon regagner son bureau. Sous prétexte de régler des factures, elle le laissait seul face au chambranle… Elle l'estimait donc capable de le réparer sans son aide, et il aurait dû s'en réjouir ! Toutefois, il se serait senti bien plus à l'aise s'il en avait été lui aussi convaincu.

Près du montant cassé se trouvaient le schéma et la feuille qui recensait les étapes. Elle les avait écrites en gros caractères, sans doute pour qu'il puisse les lire plus facilement.

Une vague d'angoisse le submergea, aussitôt suivie d'une bouffée de colère. Ce qui le tracassait le plus, ce n'était pas d'échouer, mais *d'avoir peur* d'échouer. L'envie de donner un gros coup de poing dans le mur le démangeait… Mais à quoi cela servirait, sinon à effrayer Sharon ? Sans compter que cela ne l'aiderait pas à réparer la porte.

Il considéra de nouveau le schéma. S'il avait été capable d'établir l'ordre des étapes, il pouvait tout à fait le suivre, à présent, non ?

Il fallait qu'il se lance…

Comme par le passé, à l'époque où la vie et la mort le regardaient droit dans les yeux et le poussaient à l'action.

Il n'avait jamais été lâche, ça, certainement pas ! Bien sûr, il lui était arrivé d'avoir peur, ce qui était plutôt rassurant et prouvait qu'il n'était pas une tête brûlée, mais lâche, jamais. Il s'empara d'un petit outil destiné à faire effet de levier sans grand risque pour le reste du chambranle… Il en était capable, il suffisait d'y croire.

Finalement, une fois passée l'épreuve de la première

étape, il enchaîna les autres bien plus facilement qu'il ne l'aurait cru et s'en réjouit.

Assise à son bureau, Sharon était plongée dans la lecture d'un ouvrage traitant de troubles cognitifs et de la façon de les surmonter. Elle l'utilisait parfois pour préparer ses cours mais en l'occurrence, elle n'avait pas affaire à un élève ! La situation était par conséquent fort différente, et ce manuel peu approprié. Vaincue, elle le reposa.

Des recherches sur internet seraient sans doute plus utiles. Oh ! Elle n'avait aucune illusion sur sa capacité à accomplir des merveilles auprès de Liam, elle n'était pas une spécialiste, mais elle pourrait peut-être éviter de commettre certaines erreurs si elle se renseignait plus précisément.

Toute à sa tâche, elle attendit le moment où Liam se mettrait à jurer… Selon Chet, un homme ne pouvait pas bricoler sans recourir, à un moment ou à un autre, à un langage fleuri. De fait, elle était habituée à ces marmonnements qui accompagnaient les travaux de Chet.

Pourtant, aucun son ne lui parvint, et elle finit par s'en alarmer… Liam était-il en réalité sorti, incapable de réparer la porte et en colère contre lui-même ? Ou pire encore, terriblement blessé.

Comme elle s'apprêtait à se lever pour aller vérifier, elle entendit un coup, et se rassit immédiatement : il fallait donc croire qu'il travaillait en silence.

Elle regarda alors par la fenêtre : le ciel s'assombrissait de plus en plus, un orage couvait. Tant mieux ! Les sols avaient tellement besoin de pluie.

Un souvenir lui traversa l'esprit : Chet et elle assis sous la véranda en attendant l'orage. Comme ils trouvaient grisant de sentir la brise enfler et la fraîcheur se renforcer ! Elle avait toujours aimé la violence des orages et, en repensant à ces après-midi paresseux passés en compagnie de Chet, elle éprouva une amère douceur : le bon temps s'était envolé si vite !

Songeuse, elle prit son visage entre ses mains, laissant ses pensées vagabonder... Souvent, au début, elle barrait tout simplement la route aux souvenirs, c'était l'unique moyen d'escamoter la douleur. Hier, l'arrivée de Liam avait rouvert la boîte de Pandore, et la douleur en avait jailli, toute fraîche, insoutenable et bien réelle.

Mais aujourd'hui, la souffrance s'était atténuée et elle était capable de se rappeler les bons moments sans éprouver une nostalgie lancinante. Hélas, ils n'avaient pas passé beaucoup de temps ensemble ! Chet avait été si souvent absent pendant leur mariage... Une fois, elle avait compté ses jours de permission depuis qu'ils étaient mariés : sur sept ans de mariage, ils représentaient à peine une année ! Le calcul lui avait coupé le souffle.

Evidemment, ils avaient communiqué via Skype, s'étaient envoyé d'innombrables e-mails, et s'étaient téléphoné, mais cela ne compensait pas le peu de moments qu'ils avaient partagés. Cela la chagrinait profondément... Ils avaient passé tellement de temps à s'attendre, à échafauder des projets pour leurs retrouvailles, pour l'avenir, qu'elle se demandait s'ils n'avaient pas raté le présent.

Allons, elle était bien trop sévère ! Les rêves, n'était-ce pas ce qui nourrissait la vie ? Et ce qu'ils avaient pu rêver, tous les deux !

— J'ai fini.

Elle sursauta. La voix de Liam venait de l'arracher à ses rêveries.

— Désolé, ajouta-t-il, je ne voulais pas te faire peur.

— Ce n'est rien, j'étais perdue dans mes pensées. Tu as dit que tu avais fini. *Déjà ?*

Il haussa les épaules.

— Cela fait bien deux heures que je travaille dessus. Viens voir ! Si ça ne te convient pas, je pourrai peut-être faire autrement.

Elle jeta un coup d'œil à son ordinateur. Il avait raison, la matinée s'était presque écoulée. Et un grondement de tonnerre la tira définitivement de sa torpeur.

— L'orage s'annonce violent, déclara-t-elle en frissonnant.

L'espace d'une seconde, elle avait eu l'impression que Chet se tenait près d'elle.

Il hocha la tête, sans s'apercevoir de son trouble, puis s'écarta de la porte pour la laisser passer.

Une fois dans l'entrée, elle s'arrêta devant la porte, médusée... Quelle réussite ! Elle ne s'était pas attendue à du si beau travail. Il ne manquait plus qu'un coup de peinture et le tour serait joué ! Il avait même remis la poignée.

— Waouh ! fit-elle en se tournant vers lui, un grand sourire aux lèvres. C'est du beau travail. Je n'ai vraiment rien à redire !

L'air gêné qu'elle lut alors sur le visage de Liam l'étonna : peut-être estimait-il ne pas mériter le compliment, ou bien ne la croyait-il pas sincère... Cette réaction la tracassa d'autant plus que la veille, il avait abordé sans embarras ses propres problèmes et s'était montré plutôt ouvert.

Elle avait lu que les personnes souffrant d'un traumatisme crânien étaient souvent d'humeur changeante. Ce matin, il débordait d'énergie et là, il paraissait fatigué. Elle considéra de nouveau la porte, le schéma : nul doute que le travail qu'il venait de fournir avait dû lui demander un grand effort de concentration.

Un grondement de tonnerre secoua alors la maison. Elle le vit faire la grimace : les bruits assourdissants devaient sans doute lui être désagréables. Avec le temps, Chet les supportait lui aussi de moins en moins bien. Et pour cause : ils devaient évoquer le tumulte des combats…

— Et si on fêtait ça ? s'exclama-t-elle sur une impulsion.

— Fêter quoi ?

— Le fait que tu aies réparé ma porte et que tu aies si bien réussi. J'en aurais été tout à fait incapable.

— Pas de condescendance, s'il te plaît, répliqua-t-il avec froideur.

Blessée, elle détourna les yeux.

— Ce n'était pas de la condescendance, mais un compliment, rien de plus… Et puis je suis sérieuse quand je te dis que j'aurais été incapable d'en faire autant. J'aime qu'on me prenne pour une bricoleuse, mais en fait, je dois fournir de gros efforts pour être à la hauteur. Bon, on va boire un chocolat chaud ? Avec l'orage, le temps va se rafraîchir.

Sans ajouter un mot, elle se précipita vers la cuisine, très mal à l'aise.

Avait-elle commis une erreur en invitant cet homme

à séjourner chez elle ? Etait-il à ce point imprévisible et susceptible ? Une sorte de bombe à retardement émotionnelle, en somme…

Dans un éclair de lucidité, elle se rendit compte que Liam n'était plus l'homme que Chet avait connu. Comment avait-elle pu faire abstraction de cette réalité ? Fallait-il qu'elle soit stupide !

Machinalement, elle se mit à préparer du chocolat chaud, toujours torturée par ses pensées. Liam était l'ami de Chet, pas question de l'abandonner à son sort… Elle ne le renverrait sous aucun prétexte.

Elle était en train de verser la poudre de cacao dans le lait qui chauffait sur la gazinière lorsqu'elle l'entendit entrer dans la cuisine.

— Désolé, Sharon, dit-il. Je t'avais prévenue que j'avais mauvais caractère.

— Ce n'est pas bien grave, trancha-t-elle sans le regarder. Mais je t'assure sincèrement qu'il n'y avait aucune condescendance dans mes propos, juste de l'admiration.

— Merci. C'est la réponse qui convient, n'est-ce pas ?

— Oh ! ça suffit, Liam, s'exclama-t-elle en riant. Le chocolat sera prêt dans une minute. Ensuite, nous pourrons discuter et voir comment nous entendre.

— Si je suis source d'ennuis, je…

— Assez ! Je t'ai dit que nous allions parler. A moins que tu ne sois pressé de reprendre la route.

Cette fois, il ne répondit pas et, tirant une chaise, prit place à la table.

Elle retint un frisson, pressentant qu'elle allait vivre une expérience intéressante… Héberger un étranger chez elle était un événement en soi, et les réactions imprévisibles de Liam corsaient encore l'affaire. Elle ferma les yeux un court instant avant de retirer la casserole de la gazinière pour verser le chocolat fumant dans les mugs.

Bien sûr que Chet aurait approuvé son invitation, mais elle se rendait compte qu'elle lui avait proposé de rester surtout pour elle-même. La présence de Liam lui donnerait peut-être l'impression de n'être plus uniquement une femme qui avait perdu son mari et traversait ses journées dans la solitude.

Depuis la mort de Chet, elle évitait de montrer ses émotions, même avec ses élèves. Elle était restée une bonne enseignante qui s'intéressait aux lycéens, mais elle avait bien conscience de ne plus être aussi impliquée qu'autrefois. Elle avait érigé un mur entre elle et les autres. A bien y réfléchir, c'était trop dur et il était temps qu'elle aille de l'avant.

Elle s'assit en face de Liam et posa un mug devant lui.

— C'est chaud, le prévint-elle.

Il hocha la tête et referma ses larges mains sur le mug. Un autre coup de tonnerre résonna, violent et caverneux, déchirant les cieux… Cette fois, il ne fit pas la grimace, mais elle nota une certaine nervosité dans son regard.

— Parle-moi de ta rééducation, à l'hôpital, demanda-t-elle, désireuse de faire diversion.

— Que veux-tu savoir ?

— Tout ! Chet ne t'a jamais dit que j'étais curieuse comme une belette ?

A cette remarque, elle vit un sourire se dessiner sur son visage, à présent plus détendu.

— C'est un vaste sujet, reprit-il.

— Commence par ce que tu veux. Tiens, par exemple, est-ce que tu en es content ?

— La rééducation que j'ai reçue était exceptionnelle, mais vu mon état, les médecins n'avaient pas vraiment le choix, sans quoi ils auraient dû me garder pour la vie à l'hôpital.

— C'est-à-dire ? Dans quel état étais-tu au juste ?

— J'ai dû tout réapprendre. A marcher, à manger. J'avais oublié de gros pans de ma vie, comme si on avait effacé mes souvenirs.

Touchant sa jambe gauche, il ajouta :

— Celle-ci a toujours un peu de mal à fonctionner comme avant, mais les médecins m'ont dit que cela finirait par revenir.

— Et est-ce que tu as retrouvé la mémoire ?

— En grande partie, oui. Je n'ai pas l'impression d'avoir des trous abyssaux, mais en même temps, je ne suis pas sûr de l'avoir entièrement recouvrée.

Une lueur traversa alors son regard. Visiblement, il essayait de minimiser.

— En gros, reprit-il, ma mémoire est suffisamment bonne pour que je sache qui je suis et qui j'étais. Mais parfois, je ne sais plus comment on s'y prend pour des choses simples, comme ta porte. Je me retrouve complètement bloqué.

— Ce doit être très frustrant, en effet, dit-elle d'un ton compatissant.

Il hocha la tête, et enchaîna :

— Je sens malgré tout une nette amélioration. A l'hôpital, on m'a réappris les gestes essentiels, et j'ai aussi suivi une thérapie pour maîtriser mes frustrations et mes colères. Et puis, quand ils ont estimé que je pouvais contrôler mes humeurs et que j'étais capable de me prendre en charge, ils m'ont autorisé à sortir.

— Et… c'est tout ? Sans suivi ? Sans se soucier de savoir si tu pouvais de nouveau lire et écrire ?

— Sharon…

Il hésita.

— Ils n'ont pas le temps ni les moyens pour aller plus loin. Nous sommes trop nombreux. Je peux déjà m'estimer chanceux d'avoir reçu tous ces soins.

— C'est tout simplement injuste et révoltant ! s'insurgea-t-elle, consternée.

— Allons, ne t'énerve pas, c'est inutile.

— Je sais, mais tout de même !

— Chet disait que tu avais du caractère, et il avait raison !

— Avoue qu'il y a de quoi être indigné ! Comment étais-tu censé t'en sortir, une fois renvoyé de l'hôpital, tu peux me le dire ?

— Je sais marcher, parler, me conduire de façon raisonnable. Ce pourrait vraiment être pire.

Il avait sans doute raison, mais elle ne pouvait s'empêcher d'imaginer Chet à sa place et la réaction qu'elle aurait eue.

— Quand j'aurai décidé de ce que je veux faire de ma vie et de l'endroit où je souhaite habiter, je me mettrai en contact avec une association locale qui me donnera un coup de pouce.

— Vraiment ? fit-elle, en s'efforçant de tempérer son indignation.

Car comment, eu égard à son état, Liam serait-il en mesure de s'installer quelque part, de trouver du travail ? C'était invraisemblable ! Combien d'autres, comme lui, étaient livrés à leur sort, à la merci de leurs familles s'ils en avaient, ou de proches pas toujours compréhensifs ? Un autre coup de tonnerre déchira le silence, et bientôt la pluie se mit à tomber.

Bon, elle devait cesser de l'interroger, car il allait finir par se sentir mal à l'aise.

Elle inspira profondément pour retrouver son calme, et but une gorgée de chocolat... Au prix d'un gros effort, elle finit par trouver des paroles encourageantes.

— Je suis certaine que tu te souviens de bien plus de choses que tu ne crois. Au fond, tu es sorti de l'hôpital depuis peu de temps, et tu n'as pas eu l'occasion de mettre ta mémoire à l'épreuve.

— Peut-être, dit-il, un faible sourire aux lèvres. Chet disait aussi que tu étais une éternelle optimiste.

— Et cela ne m'a jamais desservie ! Mais regarde, c'est toi qui as eu l'idée de colorier le schéma et d'écrire des légendes ! Je suis certaine qu'il y a des quantités de choses que tu n'as pas encore explorées, tu vas te surprendre toi-même.

Il prit un air songeur avant de répondre :

— J'espère... Sans doute !

Soudain, un sourire éclaira son visage et il déclara :

— Je comprends pourquoi Chet t'aimait.

Elle se figea, surprise, mais pas offensée.

Ce fut alors qu'il se mit à jurer et ajouta :

— Désolé, je dis parfois ce qui me passe par la tête sans réfléchir. D'ailleurs, tu en as déjà fait l'expérience.

A ces mots, il voulut se lever mais, lui saisissant le bras, elle le retint.

— Non, ne pars pas... J'étais juste étonnée. Tu parles

si facilement de Chet… Mes proches, eux, s'efforcent toujours de ne pas mentionner son nom.

— Ils cherchent à t'épargner.

— Peut-être, mais c'est pire de faire comme si Chet n'avait jamais existé ! Je te suis vraiment reconnaissante de ce que tu viens de dire.

— Donc tu ne vois pas d'inconvénient à ce que je parle de lui ?

— Absolument pas ! Nous l'aimions tous les deux. Tiens, cela me donne une idée. Tu ne voudrais pas rencontrer ses amis ? Pas tout de suite, mais dans quelque temps.

Il hésita.

— Peut-être. Je vais y réfléchir.

Soudain, elle s'aperçut qu'elle lui tenait toujours le bras. Troublée, elle le relâcha. Le contact avait éveillé en elle une très douce sensation. Seigneur, était-ce bien de… l'excitation, ce qu'elle ressentait ? Elle n'en était pas tout à fait sûre. Il y avait si longtemps qu'elle n'avait pas été si près d'un homme.

Une délicieuse chaleur inondait son corps, elle sentait son sang bouillonner… Décidément, cela faisait trop de temps qu'elle vivait seule et son corps la trahissait !

C'était tout de même incroyable ! Elle était assise en face d'un quasi-étranger et le désir avait tout à coup jailli en elle, un désir réservé autrefois uniquement à Chet. Un sentiment de culpabilité la submergea : il s'agissait du meilleur ami de Chet, que diable ! Sa réaction était vraiment déplacée.

— Quelque chose ne va pas, Sharon ?

Il n'avait visiblement pas perdu sa capacité de discernement, à moins qu'on ne puisse lire en elle comme dans un livre ouvert. Ses amis ne la taquinaient-ils d'ailleurs pas souvent à ce sujet ?

Encore que cela pouvait présenter aussi des avantages, notamment avec ses élèves. Ils comprenaient tout de suite quand ils allaient trop loin, sans qu'elle ait besoin de leur faire la moindre observation.

— Non, ça va, mentit-elle.

Un coup de tonnerre fit alors trembler la fenêtre et une pluie bien plus drue se mit à tomber. Se rendant compte que la pièce était plongée dans l'obscurité, elle se leva pour allumer la lumière…

L'éclairage lui révéla un très bel homme en train de fixer son mug, comme pour y trouver des réponses. Et puis tout à coup, il posa une question qui l'arracha à ses rêveries.

— Est-ce que Chet voulait vraiment élever des loups ?

— Je ne crois pas que ç'aurait été possible, car les loups se déplacent beaucoup… Ils parcourent au moins soixante-dix kilomètres par jour. Je pense qu'ils seraient devenus fous dans un enclos.

— Peut-être, fit-il.

Brusquement, il se leva avant de déclarer, nerveux :

— Il faut que je m'occupe. Seulement, ce n'est pas le moment idéal pour sortir un peu.

— Les activités extérieures semblent en effet proscrites pour l'instant, approuva-t-elle.

Avait-il besoin de bouger, ou juste de faire quelque chose ?

— Tu as des idées, Liam ? Avec ce temps, j'avoue que je suis un peu à court de propositions…

— J'ai besoin d'une liste, la coupa-t-il. Il me faut une liste pour savoir que j'ai quelque chose à faire.

Elle se mordit la lèvre, hésitante.

Alors il reprit avec une honnêteté désarmante :

— Il est nécessaire que je sache que les heures qui vont suivre ne seront pas vides, sinon je vais devenir fou… Tu as une tâche à me confier ?

Comme elle le comprenait ! Dans les mois qui avaient suivi la mort de Chet, ce qui l'avait sauvée, c'était de rester occupée, coûte que coûte. D'ailleurs, elle sentait parfois cette frénésie la reprendre.

— Tu veux une longue liste, ou juste une tâche ?

— Une liste, ce serait mieux, mais si tu as une tâche à me confier dans l'immédiat, je suis preneur.

— Laisse-moi réfléchir. Il y a beaucoup à faire dehors, mais pas tant que ça à l'intérieur…

Il tourna la tête vers la fenêtre.

— Il fait aussi sombre qu'en pleine nuit, constata-t-il.

C'était un bel orage, en effet. Les fenêtres tremblaient et le tonnerre semblait gronder des profondeurs de la terre. Visiblement, cela le stressait ; elle avait vu Chet réagir de la même façon et elle se demandait si les vétérans finissaient par perdre, un jour, leur hypersensibilité à certains types de bruits.

— Le tuyau du sèche-linge a besoin d'être nettoyé, déclara-t-elle promptement. Je déteste faire ça et cela fait une éternité que je le néglige.

— Je m'en charge. Autre chose ?

— Je vais y réfléchir.

Il releva lentement un coin de sa bouche.

— C'est ce que tu fais déjà, non ?

Elle ne répondit pas. Comment allait-elle l'occuper ? Elle-même, poussée par une sorte de fébrilité, avait rangé la maison de fond en comble, de sorte qu'elle était impeccable. Néanmoins, elle comprenait à présent ce que Liam pouvait ressentir, et n'était-ce pas un énorme progrès pour leur relation ?

- 4 -

Ce matin-là, Liam, serrant les dents, était monté dans le pick-up, à côté de Sharon.

Deux jours après l'orage, elle lui avait annoncé qu'elle comptait se rendre en ville : elle voulait acheter de la peinture pour repeindre l'extérieur du ranch ainsi que la grange. Elle lui avait alors proposé de l'accompagner.

L'idée de rencontrer des inconnus l'angoissait énormément et il avait failli refuser tout net. Mais, au prix d'un gros effort, il avait surmonté son appréhension et accepté sa proposition. Sans compter qu'il aurait été bien peu courtois de sa part de la laisser porter de lourds pots de peinture. S'il était un domaine où il ne doutait pas de lui, c'était bien celui de la force physique.

Alors, il avait pris sur lui et avait décidé d'accepter sa proposition. Et à ce moment précis, assis à côté d'elle tandis que le paysage défilait, il se sentait, pour la première fois depuis bien longtemps, curieusement à sa place.

— Si tu as envie de rentrer avant que nous n'ayons terminé, n'hésite pas à me le dire, lui dit-elle avec un sourire, comme il attachait sa ceinture de sécurité. Aucune de mes courses n'a de caractère urgent. Et puis, tu peux aussi m'attendre dans le camion, si tu préfères.

— Inutile de me materner, répliqua-t-il avant de se mordre la langue.

Pourquoi fallait-il qu'il se montre si rude envers les personnes qui cherchaient juste à être sympathiques avec lui ? Il s'apprêtait à s'excuser, quand elle reprit la parole :

— Je ne te materne pas. Je t'informais simplement que ce n'était pas grave si je ne faisais pas toutes mes courses aujourd'hui. J'étais juste polie.

La politesse, c'était sans doute une de ces notions qu'il avait oubliées en chemin... Il se rendit alors compte qu'il l'avait agacée, car elle semblait littéralement bouillir sur son siège. Et elle était de toute évidence toujours aussi énervée quand ils arrivèrent à Conard City. Il prit une profonde inspiration avant de rompre le silence.

— Je sais que je ne suis pas facile à vivre. Tu peux me laisser ici, et je rentrerai à pied.

— Est-ce que j'ai dit quelque chose ? répliqua-t-elle sur un ton vif. Je n'ai même rien laissé entendre. Seulement, Liam, il faut que tu comprennes que moi aussi j'ai mon caractère ! Si tu me parles mal, ne t'attends pas à ce que je te réponde gentiment. Moi non plus, je ne suis pas parfaite !

Il ne répondit rien, se contentant de fixer par la fenêtre les montagnes qui s'éloignaient progressivement.

— Tu veux toujours faire de la peinture pour moi ? reprit-elle.

— Bien sûr !

Il aurait été prêt à peindre ses prés, si elle lui avait demandé, car reprendre la route pour aller nulle part n'avait aucun sens. En mémoire de Chet, il se devait de rendre service à Sharon, sans compter qu'il avait un besoin vital du travail qu'elle lui proposait.

Et puis, grâce à elle, il ne se sentait plus seul. Quand le bruit dans son cerveau devenait insoutenable, il savait qu'il pouvait compter sur elle pour le divertir, avec sa conversation.

En d'autres termes, il était dépendant d'elle et, même si cela ne lui plaisait pas, il n'avait pas vraiment le choix. De toute façon, avait-il déjà été entièrement autonome, dans sa vie ? Il était entré très jeune dans l'armée et s'était toujours appuyé sur ses compagnons.

Retenant un soupir, il jeta un regard en coin à Sharon, qui fixait obstinément la route.

— Tu m'en veux toujours ?

— Non. Je m'énerve vite, mais je ne suis pas rancunière, c'est une perte de temps et d'énergie.

Et elle lui adressa un beau sourire.

— Chet aimait ton caractère, observa-t-il.

— Ah bon ? Il te l'a dit ?

— Oui, il disait qu'il savait tout de suite quand quelque chose t'avait contrariée, mais qu'en général tes contrariétés ne duraient pas.

Il lui décocha à son tour un sourire, heureux de n'avoir pas commis d'impair, cette fois.

— C'est vrai… ? Il te parlait souvent de moi ?

Visiblement, elle mourait d'envie d'en apprendre davantage sur ce que faisait son mari, quand il était loin d'elle, là où il n'avait pu l'emmener…

— Oui, et notamment, comme je te l'ai déjà dit, quand nous montions la garde. Je savais alors que je devais redoubler de vigilance.

— Comment ça ?

— Eh bien, son esprit, dans ces moments-là, était avec toi, et il fallait bien que quelqu'un continue à veiller. Mais j'adorais l'écouter.

— Ce n'était pas rasoir, tu es sûr ?

— Non. Il était vraiment fou de toi, il est important que tu le saches.

— Merci…

Il éprouva un réel soulagement. Encore une fois, il s'en était bien sorti : il était vrai qu'il n'avait proféré que la vérité et, par chance, il n'avait pas mis les pieds dans le plat.

Et dire qu'il y avait quelques jours à peine, il avait débarqué au ranch tel un intrus ! Aujourd'hui, ce n'était plus le cas, il en était sûr.

A cette pensée, un sourire éclaira son visage.

— Qu'est-ce qui te fait sourire ? demanda-t-elle.

— Rien. Je me sens bien, c'est tout.

Il savoura ce sentiment en espérant qu'il ne fondrait pas comme neige au soleil dès l'instant où il descendrait du pick-up… Ce fut alors qu'elle lui posa une question qui le ramena sur terre, et il comprit instantanément qu'encore une fois il n'avait pas dit ce qu'il fallait !

— Quand… quand Chet a été tué, il n'a pas été, euh, distrait ?

Evidemment, elle pensait aux propos qu'il avait tenus auparavant, lorsqu'il lui avait confié que Chet était moins attentif quand il lui parlait d'elle.

— Bien sûr que non ! Il se trouvait au beau milieu d'un échange de coups de feu. Il ne pouvait penser à rien d'autre.

— O.K.

Il hésita, cherchant ses mots, mais ils lui échappaient, telles des anguilles…

— Chet était très prudent, Sharon, se contenta-t-il de lui assurer. Il tenait à rentrer à la maison.

Elle hocha la tête, les yeux rivés à la route, et il eut la sensation qu'elle était soudain plus tendue.

— Est-ce que… A-t-il dit quelque chose ? demanda-t-elle tout à trac.

— Tu veux dire… avant de mourir ? Non, il n'en a pas eu le temps. Tout s'est passé très vite.

— Tant mieux ! affirma-t-elle avec véhémence.

Sa réaction le surprit. A son tour, il se mit à fixer la route, en espérant qu'elle ne lui demanderait pas trop de détails.

Le silence s'abattit alors dans le pick-up.

Quels chemins étaient en train de parcourir les pensées de Sharon ? Pourvu qu'elles n'empruntent pas les mêmes que les siennes… D'un côté, il ne voulait plus songer à l'Afghanistan et d'un autre, il n'arrivait pas du tout à envisager le futur. Il avait la sensation de se trouver dans une sorte de no man's land, comme piégé dans le présent.

Autour de lui, le nombre de maisons avait augmenté, signe que la ville n'était plus très loin. Immédiatement, il se tendit… Visiblement, les agglomérations lui posaient toujours problème, ce qui était paradoxal, dans la mesure où les pires ennuis qu'il avait connus, c'était dans des montagnes extrêmement isolées.

Il regarda dans le rétroviseur latéral. Les sommets disparaissaient peu à peu derrière lui… Ne ferait-il pas mieux de prendre le taureau par les cornes et de descendre, tout simplement, pour rebrousser chemin ?

Non, il tiendrait bon !

Il se mit à effectuer des exercices de respiration pour se calmer, de sorte qu'il remarqua à peine le charme du centre-ville quand ils le traversèrent.

Son comportement était vraiment ridicule, puisque rien en ville ne pouvait lui rappeler de mauvais souvenirs. Et pourtant, ce qu'il ressentait était proche de la claustrophobie.

Sharon braqua tout à coup vers la droite et ils se retrouvèrent sur le parking d'un dépôt de bois, comme l'indiquait la pancarte de bienvenue. L'enseigne était abîmée par les intempéries, et il lui manquait même un coin, constata-t-il, soudain songeur. Une sorte de paralysie venait de s'abattre sur lui à l'idée de devoir descendre du pick-up… C'était pourtant simple : il lui suffisait de marcher près de Sharon jusqu'au magasin, et tout irait bien. Dans un ultime effort, il ouvrit la portière et mit pied à terre… A sa grande surprise, une impression de bien-être l'envahit, au moment où il huma l'odeur inattendue de bois frais qui emplit tout de suite ses poumons… C'était comme si cette fragrance portait en elle un souvenir agréable, ce qui lui facilita l'épreuve de découvrir un nouvel environnement.

Sans réfléchir davantage, il emboîta le pas à Sharon. Elle savait où elle se rendait, puisqu'elle avançait sans la moindre hésitation, saluant différentes personnes au passage. Il s'en sentit rassuré. Ils pénétrèrent alors dans l'entrepôt.

Il venait d'apercevoir le rayon peinture quand un homme de grande taille, âgé d'environ trente-cinq ans, se mit en travers de leur chemin. Il était vêtu d'une salopette verte sur laquelle était imprimé le nom du magasin.

— Sharon ! s'exclama-t-il. Ça fait un bail !

— Ed ! s'écria-t-elle à son tour. Je suis ravie de te voir. Je suis venue acheter de la peinture et des pinceaux. Beaucoup de peinture.

— Tu comptes repeindre le ranch de fond en comble ?

— C'est exactement mon intention !

L'homme porta alors le regard sur lui.

— On dirait que tu as de la main-d'œuvre…

Sharon se tourna vers lui et déclara sans attendre :

— Je te présente Liam O'Connor, un ami de Chet qui était à l'armée avec lui. Il a eu la gentillesse de me proposer son aide.

Ed le jaugea, puis regarda Sharon…

Liam perçut tout de suite que le magasinier n'était pas insensible aux charmes de Sharon, ce qui lui déplut fortement. Il eut instantanément envie de la protéger. Mais… n'était-ce pas de la jalousie, qu'il ressentait ?

Pris au dépourvu par la puissance de sa réaction, il dut se maîtriser pour afficher un air impassible et serrer la main qu'Ed lui tendait. Il n'avait pas le droit de se sentir possessif envers Sharon, ni même de chercher à la protéger. Seulement, quand il avait croisé le sourire d'Ed, il avait reconnu la griffe de la rivalité.

De toute évidence, Ed avait des vues sur la veuve de Chet et l'idée qu'un étranger puisse concevoir de tels plans lui était insupportable. Du calme ! s'ordonna-t-il, en s'efforçant de contrôler sa respiration. Au fond, il s'était peut-être fait des idées, et avait tiré des conclusions hâtives sur les intentions d'Ed.

Celui-ci se tourna alors vers Sharon.

— Eh bien, qu'est-ce que tu veux peindre au juste ?

— La maison et la grange. Il faut que tu m'aides à estimer la quantité de peinture dont j'ai besoin.

— C'est pourtant bien toi, le professeur, non ?

Elle se mit à rire.

— En l'occurrence, il me faut les conseils d'un spécialiste. A certains endroits, le bois est très sec, rugueux même.

Ed posa alors la main sur l'épaule de Sharon et l'entraîna vers le rayon peinture.

— Cela, c'est facile à traiter ! lui assura-t-il.

Les façons familières d'Ed envers Sharon irritaient passablement Liam. Mais une fois de plus, il serra les mâchoires mine de rien : il n'avait lui-même aucun droit sur Sharon !

— Choisis les couleurs qui te conviennent, Sharon. Tu ne pourras pas emporter toute la quantité nécessaire aujourd'hui, il faudra que je passe commande, et je te livrerai au fur et à mesure. Ce sera plus facile pour toi. Et puis je te ferai les mélanges.

— Merci, lui répondit-elle en souriant. Mais comme tu peux le constater, j'ai de l'aide.

Pourquoi Ed avait-il proposé de s'occuper des mélanges ? Il pouvait tout à fait s'en charger ! Ah, ce que ce type pouvait l'agacer !

— Bon, reprit Ed, tu vas commencer par quoi ? La maison ou la grange ? Et par quelle couleur ?

Sharon se tourna alors vers Liam, et répéta :

— La maison ou la grange ?

Elle lui demandait de décider ?

Depuis sa blessure, il avait pris très peu de décisions, et en réalité il ne savait pas si c'était parce qu'il n'y avait pas été autorisé ou parce qu'il n'en était pas capable. Toujours est-il qu'il devait répondre ! S'il hésitait trop longtemps, il perdrait la face vis-à-vis d'Ed.

— La grange, décréta-t-il d'un ton assuré, loin de ressentir la détermination qu'il affichait.

— Parfait ! répondit-elle. La grange nécessitera une quantité de peinture plus importante que la maison.

— Peut-être qu'un vernis serait préférable, pour le bois, suggéra Ed. Enfin, je crois qu'il y a déjà de la peinture, non ? A mon avis, le bois doit être bien abîmé, et il faut le nourrir avec de l'enduit.

— Voilà ce qui arrive quand on néglige trop longtemps un ranch ! soupira Sharon.

— Tu aurais dû me faire signe, je t'aurais envoyé les garçons, observa Ed.

Encore une fois, cette remarque l'irrita, mais il parvint à se maîtriser, même si sa colère menaçait d'éclater à tout moment. Décidément, il fallait qu'il soit en permanence vigilant.

— Merci, Ed, répondit Sharon, mais comme tu le sais, nous avions des projets bien précis… Mais les choses ont changé.

« Les choses ont changé » ? Curieuse façon d'évoquer la mort de Chet, pensa Liam. Et il sentit l'ombre du chagrin passer sur lui et Sharon.

Une fois la commande enregistrée, il porta plusieurs pots d'apprêt dans le pick-up tandis qu'Ed le suivait avec des pinceaux et des chiffons.

Puis ce dernier déclara :

— Si tu as besoin d'aide, Liam, fais-moi signe. C'est un lourd travail pour un seul homme.

— Merci, répondit-il, d'un ton qu'il espérait courtois.

Une fois qu'ils furent remontés dans le pick-up, Sharon déclara :

— C'est un homme charmant.

— Mouais.

— Comment ça : « Mouais » ? Il a fait quelque chose qui t'a déplu ?

— Pas du tout.

Il sentit son regard sur lui, mais il refusa de lui faire face, n'ayant pas envie de partager ses impressions. D'ailleurs, étaient-elles logiques ? De toute façon, il n'y avait rien de logique dans les sentiments.

Il poussa un soupir.

— C'est agaçant, continua-t-il, j'ai comme des coups dans la tête, ça recommence… Mais oui, bien sûr qu'Ed est charmant.

— Je suis désolée pour ta migraine. J'allais te proposer de déjeuner chez Maude, mais l'endroit est petit et en général bondé.

Il redoutait effectivement que ce ne soit une épreuve. Cela faisait si longtemps qu'il n'était pas allé au restaurant ! Saurait-il encore comment on se comportait ?

Et tout à coup, poussé par une énergie qu'il ne pensait pas posséder encore, il s'entendit répondre :

— Allons-y, c'est une bonne idée ! Et c'est moi qui t'invite !

La seule façon de sortir du tunnel dans lequel il se trouvait depuis de longs mois, n'était-ce pas de creuser un trou de côté et de s'en échapper ? Cette image, qui venait de naître en lui, lui parut séduisante et un sourire lui vint aux lèvres.

*
**

Sharon percevait les changements d'humeur qui troublaient Liam. Elle ne parvenait pas toujours à en identifier les causes, mais elle distinguait les moments de tension, les instants d'irritation, les secondes d'incertitude. Elle l'avait senti comme sur des montagnes russes durant tout le trajet qui les avait conduits en ville. Cette sortie lui serait-elle finalement favorable ou préjudiciable, telle était la question qui la tourmentait.

Il était curieux qu'il se réjouisse d'aller au restaurant. Il cherchait vraisemblablement à lui faire plaisir. Quelques minutes plus tard, elle le vit franchir le seuil du local sans aucune hésitation.

Pour un homme qui avait fait la guerre et vécu des atrocités, se retrouver dans un lieu festif et bruyant devait représenter une vraie épreuve…

S'il n'avait pas été victime d'un TCC, aurait-il tout de même souffert d'un stress post-traumatique ? Ou bien avait-il tout simplement perdu confiance en lui devant l'étendue des dégâts et la rééducation nécessaire à les réparer ?

Même s'il l'avait avertie qu'il proférait parfois des paroles déplacées, il avait fort bien réagi devant Ed, ce dernier n'ayant pas perdu la moindre occasion pour souligner l'ampleur de la tâche qui l'attendait, au ranch, et pour sous-entendre que Liam ne serait peut-être pas en mesure de l'accomplir seul. Il se pouvait qu'il n'ait pas entièrement tort, mais c'était la décision de Liam, et Ed n'avait pas à la discuter.

Comme il était encore un peu tôt pour déjeuner, le restaurant n'était pas plein, ce qui était une bonne chose. Pourtant, une fois qu'ils furent installés autour d'une banquette, elle songea qu'elle avait sans doute commis une erreur en entraînant Liam dans ce lieu : Maude, la propriétaire, était une femme aux façons un peu brutales, et elle n'hésitait jamais à rabrouer ses clients.

— Nous n'aurions peut-être pas dû venir ici, commença-t-elle.

— Pourquoi ?

— A cause de Maude.

— Qui est Maude ?

— La propriétaire du restaurant. Chet disait toujours qu'elle était un vrai adjudant. Elle n'est pas toujours très aimable avec ses clients. Non, on ne peut pas dire qu'elle dorlote ceux qui la font vivre.

— Ah bon ? fit-il en souriant.

Sa réaction la surprit, d'autant qu'il ajouta :

— En tout cas, merci. Ne dit-on pas qu'un homme averti en vaut deux ?

Malgré elle, Sharon sentit une certaine tension l'envahir : certes elle savait que Liam pouvait se contrôler, cependant il n'avait jamais eu affaire à Maude, qui était vraiment acariâtre…

— Il est possible, tu sais, qu'elle ne te laisse même pas commander toi-même ton repas et qu'elle choisisse à ta place.

— Dans ma vie, j'ai rarement eu l'occasion de choisir moi-même mes plats, alors une fois de plus ou de moins, quelle importance ?

Touché ! Sans doute la vie militaire rendait-elle une personne indifférente à ce qu'elle mangeait.

Soudain, elle aperçut Maude se diriger droit sur eux, ses yeux noirs tout brillants… Elle avait vieilli, pris de l'embonpoint, mais elle possédait toujours la même vitalité : elle lui rappela un chat ayant repéré un oiseau et fonçant sur sa proie. A sa décharge, elle avait le cœur sur la main et était très bonne cuisinière.

Arrivée à la hauteur de la table, elle se mit à fixer Liam.

— Qui est-ce ? demanda-t-elle d'un ton dur à Sharon.

C'était du Maude tout craché.

— C'est Liam. C'était le meilleur ami de Chet, à l'armée.

— Il t'en a fallu du temps pour venir jusqu'ici ! fit alors Maude en s'adressant à Liam.

Sharon crut qu'elle allait s'étrangler. Elle redouta qu'il ne lui rétorque sur le même ton quand, à sa grande surprise, il lui répondit d'un ton très posé :

— Certaines routes sont longues et sinueuses.

Maude soutint son regard, puis sourit.

— De l'Afghanistan à l'Amérique, sans aucun doute, observa-t-elle.

C'était une réponse des plus inattendues de la part de la revêche Maude, qui lança ensuite, plus qu'elle ne les déposa, les menus sur la table.

Dès que Maude fut hors de portée, Sharon se pencha vers Liam.

— Ça alors ! s'exclama-t-elle. C'est bien la première fois qu'elle est aussi aimable.

Liam haussa les épaules.

— Il suffit de soutenir son regard.

Elle faillit éclater de rire, mais posa bien vite sa main sur sa bouche : elle n'avait pas envie que Maude croie qu'ils se moquaient d'elle, car elle avait servi des steaks brûlés pour bien moins que ça !

— Qu'est-ce que tu me conseilles ? lui demanda Liam.

Il éprouvait sans doute des difficultés à lire le menu, d'autant que celui-ci était écrit à la main. Elle aurait aimé aborder avec lui un sujet qui la tracassait... Elle caressait en effet l'espoir de lui réapprendre à lire couramment, mais elle craignait de le froisser en lui faisant part de ses intentions.

— Maude est réputée pour ses hamburgers.

— Parfait, alors c'est ce que je vais prendre !

Et tandis que, dix minutes plus tard, ils savouraient leurs hamburgers, Sharon s'interrogeait toujours sur ce qui avait bien pu arriver à Maude pour qu'elle se montre presque affable. C'était un total revirement !

— Tu as dompté le dragon, Liam ! s'exclama-t-elle quand ils remontèrent dans le pick-up, une bonne demi-heure après.

— J'en ai connu de plus redoutables.

— Je suis sérieuse, tu sais, je ne l'ai jamais vue aussi sympathique. Chez Maude, il y a toujours des scènes, si tu vois ce que je veux dire.

Il se mit à rire.

— J'en verrai peut-être une la prochaine fois.

Elle mit le contact, puis hésita.

— Liam ?

— Oui ?

Alors elle se lança :

— Est-ce que tu aimerais réapprendre à lire couramment ? Parce que si tu en as envie, je peux t'aider. Je suis enseignante.

Il parut pris au dépourvu.

— Au fond, pourquoi pas ? répondit-il au bout de quelques secondes. Les médecins ne se sont pas vraiment prononcés sur ma capacité ou non à retrouver toutes mes aptitudes. Selon eux, on ne peut rien prédire, dans des cas comme le mien.

— Si tu veux, nous pouvons passer à la bibliothèque et emprunter des livres en édition simplifiée. Si tu es d'accord, bien sûr. Ou bien nous pouvons aussi trouver une méthode par nous-mêmes.

— Oublions la bibliothèque, dit-il après une courte hésitation. Je peux lire des textes courts.

— Dans ces conditions, il suffira de rafraîchir tes notions, dit-elle.

Pourvu que son optimisme soit justifié… Quel était le degré de son traumatisme ? Elle l'ignorait. Dans certains cas, ce qui était perdu l'était de façon irrémédiable. Elle espérait que ce serait différent pour Liam.

Et ce fut ainsi que trois jours plus tard, Liam se retrouva en haut d'une échelle, à jauger le deuxième mur de la grange qui devenait toute blanche au fur et à mesure qu'il appliquait l'apprêt.

C'était un travail facile et apaisant, qui le délivrait de la tension permanente dans laquelle il vivait : il savait au moins peindre, ce qui lui ouvrait des portes pour le futur.

Le soir, il était en général épuisé, et cette bonne fatigue prenait le dessus sur son angoisse, de sorte qu'il était quasiment détendu.

Du haut de son échelle, il avait l'impression que son monde était de nouveau en place. Il se remit au travail et, tout en passant son rouleau sur le bois abîmé, il se demanda s'il n'avait pas eu tort de refuser la proposition de Sharon concernant la location d'un pulvérisateur de peinture. Cependant, cela aurait introduit des complications, et il était sans doute préférable qu'il s'en tienne pour l'instant à des outils manuels.

Et puis il avait envie d'un bon travail physique ! Evidemment, la rééducation n'avait pas été de tout repos. Réapprendre à parler et à marcher n'avait pas été une mince affaire, sans compter l'épreuve de porter une cuillère à sa bouche…

Mais aujourd'hui, la situation était bien différente.

Bien sûr, il restait le problème de la lecture… Il espérait de pas avoir été trop brutal avec Sharon en refusant les livres qu'elle lui avait proposés, mais ouvrir un livre pour enfants et de ne pas être capable de le lire l'aurait profondément blessé. Les médecins n'avaient pas été des plus optimistes à ce sujet. Il est vrai qu'ils avaient sans doute opté pour la prudence afin de lui éviter de cruelles déceptions. Le problème, c'était qu'ils ne l'avaient pas non plus incité à se lancer, à essayer…

Désormais, cela devait changer !

Fort de sa décision, Liam s'empara du pot d'enduit qui était accroché à l'échelle par un crochet. Tout en plongeant son rouleau dedans, il l'approcha de lui afin de pouvoir discerner ce qui était écrit dessus…

Il savait encore son alphabet, c'était énorme, et il reconnaissait quelques mots simples et courants, comme ceux qui figuraient sur les cartes de lecture avec lesquelles Sharon l'avait testé. La prochaine étape, ce serait les phrases, assembler les mots correctement… Elle ne lui semblait pas aussi insurmontable qu'il l'aurait cru.

— Peins, s'ordonna-t-il soudain à voix haute.

Ce n'était pas vraiment une idée de génie de tester ses capacités de lecture sur une échelle, un pinceau à la main, et à six mètres du sol !

Force était de reconnaître qu'Ed avait raison : le bois absorbait l'apprêt comme le sol du désert aurait pompé l'eau de pluie. Il l'entendait presque boire à grands traits.

La couleur argentée qu'avait prise le bois sous l'effet de l'érosion lui plaisait énormément, mais il ne fallait pas s'y fier, car ce n'était pas sain pour la grange ; aussi, implacablement, le recouvrait-il d'apprêt.

Grâce à ce travail, il pensait moins à Sharon et il s'en félicitait. Il était venu au ranch pour lui remettre la lettre de Chet, le meilleur ami qu'il ait jamais eu au monde, et le genre de pensées qu'il nourrissait pour elle s'apparentait, à ses yeux, à une trahison.

Dès le premier regard, sa beauté l'avait saisi ; elle devait indubitablement susciter le désir chez tous les hommes qui croisaient son chemin. Aujourd'hui, il s'était habitué à son charme ensorceleur, mais il n'arrivait toujours pas à surmonter la forte attirance qu'il ressentait pour elle, d'autant qu'il avait l'impression qu'elle s'intensifiait chaque jour...

Dès qu'il s'approchait d'elle, son parfum l'enfiévrait : son odeur naturelle, celle de sa peau, de ses cheveux, était à elle seule un vrai bouquet de senteurs, au terrible pouvoir séducteur.

Cela faisait une éternité qu'il n'avait rien ressenti de tel et, pour être honnête, il doutait d'être capable d'affronter une femme : il avait peur de s'embrouiller, de bredouiller, bref, de se ridiculiser. Il était des moments, dans la vie, où il fallait vraiment se montrer à la hauteur, éviter de dire n'importe quoi ou de se montrer maladroit, et hélas, actuellement il était très doué pour ce genre de bévue ! La meilleure solution n'était-elle pas par conséquent de se tenir à l'écart des sentiments ? A l'écart de Sharon ?

Regardant son pot d'apprêt, il se rendit compte qu'il était presque vide.

Il faudrait qu'Ed leur livre de l'enduit, pensa-t-il. Et cette idée lui déplut instantanément.

— Egoïste, marmonna-t-il alors en rassemblant son matériel avant de descendre de l'échelle.

Et pour faire bonne mesure, il ajouta :

— Tu es complètement fou.

Il n'avait rien à offrir à une femme comme Sharon, alors pourquoi ne cessait-il de vouloir l'enfermer dans une cage dorée, à l'écart de tout regard masculin ? Sharon avait besoin d'un homme, un vrai, pas d'un bon à rien comme lui !

Il venait de poser le pied sur le dernier barreau quand il sentit un picotement entre ses épaules, le genre de sensation qui lui indiquait infailliblement, en zone de guerre, que des yeux étaient braqués sur lui…

Sa réaction fut instinctive.

Il plongea à terre et se mit à scruter ce qui l'entourait. En un clin d'œil, il repéra l'intrus : un homme à cheval, dans le lointain, qui avançait vers lui… Il lui fallut quelques secondes pour recouvrer ses esprits, se souvenir qu'il n'était pas en Afghanistan et que ce cavalier ne représentait vraisemblablement aucun danger. Du moins l'espérait-il. Lentement, il se releva.

— Liam ?

Au son de la voix de Sharon, il pivota sur ses talons. Elle s'avançait tranquillement vers lui, un pichet de limonade et un verre à la main.

— Il y a quelqu'un à cheval, là-bas, qui se rapproche du ranch, lui dit-il d'une voix tendue.

— Où ? demanda-t-elle en observant l'horizon, sourcils froncés.

— Sur la colline.

Elle se retourna.

— Détends-toi, lui dit-elle alors avec douceur. C'est mon voisin, celui qui possède les moutons.

A cet instant, il comprit qu'il s'était comporté comme un idiot. Nul doute qu'elle l'avait vu se coucher à terre... Une vague de colère le submergea et il posa son matériel de peinture sur la bâche.

— Je vais faire un tour, annonça-t-il brusquement.

Et aussitôt, il s'éloigna, sans prêter attention au fait qu'elle l'appelait. A une époque de sa vie, il voyait des ennemis sur chaque colline, et il était furieux de constater que ce réflexe n'avait pas totalement disparu.

Comment était-il censé vivre « normalement », si les fantômes du passé refusaient de le lâcher ?

- 5 -

Sharon regarda Liam traverser le champ à grandes enjambées, comme s'il avait le diable à ses trousses. Elle avait beau comprendre sa réaction, cela lui brisait le cœur…

Il lui était arrivé de percevoir des comportements un rien irrationnels chez Chet, lors de ses permissions, mais jamais de façon aussi marquée que chez Liam. Sans doute parce que sur le ranch, Chet était en famille, entouré de gens qu'il aimait et connaissait bien.

Son ami n'avait pas cette chance. C'était un étranger sur une terre étrangère. Son environnement lui était si peu familier qu'il n'était pas en mesure d'évaluer les menaces qui l'entouraient. L'idée qu'il doive supporter cette injustice, en plus du traumatisme qu'il avait enduré et des séquelles dont il souffrait toujours, dépassait son entendement…

Il lui avait paru en meilleure forme, ces derniers jours, mais elle aurait été naïve de croire qu'il était guéri. Il était simplement accaparé par une tâche harassante, mais qui ne résolvait en rien son problème de fond. Elle poussa un soupir : elle se sentait tellement impuissante à l'aider !

Adressant un petit signe de la main à son voisin,

silhouette encore lointaine, elle revint vers la maison. Mille questions tournoyaient dans son esprit.

Elle devait faire davantage pour Liam, puisque le travail qu'elle lui avait donné ne suffisait manifestement pas. Il avait besoin d'une ancre à laquelle se raccrocher, et qui lui permettrait de reconstruire sa vie. Il avançait vite dans son travail, et cela la préoccupait : quand il aurait terminé, allait-il reprendre la route ? Où irait-il alors ? Que ferait-il ?

Ces questions lui donnaient presque la nausée…

Au fond de son cœur, elle n'avait pas du tout envie qu'il s'en aille. Oui, c'était sans doute inconvenant, mais force était d'avouer qu'il lui plaisait… Chaque fois qu'elle posait les yeux sur lui, son pouls s'accélérait et des frissons la parcouraient… Seulement voilà, le sexe n'était pas une solution, ni pour elle, ni pour lui !

Encore que ce serait sans doute une belle expérience, pensa-t-elle malgré elle. Et c'est avec un petit sourire aux lèvres qu'elle gravit les marches de la véranda. L'espace d'un instant, elle avait vu ses doigts courir sur le corps vigoureux de Liam… Il n'avait pas pratiqué la musculation à des fins esthétiques, mais le résultat tenait de la merveille, c'était indéniable.

Cela faisait trois jours qu'elle admirait ses muscles qui ondulaient sous le soleil alors qu'il enduisait la grange, et l'image l'obsédait plus particulièrement quand elle se mettait au lit. Elle sentait bien trop souvent des ondes de chaleur inonder son corps. Cette réaction tenait-elle à sa solitude ou bien courait-elle le danger imminent de s'éprendre d'un homme qu'elle connaissait à peine ?

Curieusement, elle n'éprouvait plus de culpabilité à cette idée, comme au début. Sans doute parce que ces derniers temps, à l'instar de Liam, elle avait décidé d'avancer, de reprendre sa vie en main.

Et puis Chet aurait détesté qu'elle se morfonde, il ne supportait pas que l'on s'apitoie sur son propre sort. Elle l'entendait encore lui répéter : « La vie distribue les cartes, à toi ensuite de les abattre. »

A ce souvenir, un sourire lui vint de nouveau aux lèvres. Il avait raison, bien sûr. Son autre maxime préférée, c'était : « La vie, c'est ce qui arrive quand on a d'autres projets. » La formule venait de John Lennon qui l'avait lui-même empruntée à un écrivain du début du XXe siècle, mais peu importait la source, c'était le contenu qui comptait.

Sharon posa le pichet de limonade et le verre qu'elle destinait à Liam sur la table basse de la véranda, puis s'assit sur l'une des chaises longues que Chet et elle avaient prévu de remplacer par des fauteuils en osier plus solides. Peut-être opterait-elle finalement pour des chaises Adirondack en cèdre rouge qu'elle avait repérées dans une galerie marchande et qui lui plaisaient énormément.

Sur son cheval, Ransom Laird se rapprochait. Il lui rendait rarement visite, comme la plupart de ses voisins, d'ailleurs : elle pouvait ne pas les voir pendant des semaines parce que se déplacer d'un ranch à l'autre requérait du temps et que les gens par ici étaient fort occupés. Elle aussi l'était, quand Chet avait une permission.

Sauf que maintenant, il ne rentrerait plus jamais... Désormais, c'était sur Liam qu'elle devait veiller.

— Salut, Sharon ! dit Ransom en arrivant à la hauteur de la véranda.

Puis il descendit de sa monture qu'il attacha à la balustrade.

— Bonjour, Ransom. Je te sers un peu de limonade ?

— Avec plaisir.

Il prit place sur un siège tandis qu'elle remplissait un verre. La soixantaine fringante, Ransom était le genre d'homme qui pouvait encore faire battre plus fort le cœur d'une femme, avec ses airs de cow-boy séduisant qui avait de l'expérience.

— Comment va Mandy ? lui demanda-t-elle.

— Elle doit remettre son manuscrit dans deux semaines et ne va pas lever les yeux de son écran d'ici là ! En attendant, ce sont les garçons et moi qui assurons l'intendance. Je lui apporte de temps en temps un sandwich.

Sharon se mit à rire.

— Pourquoi se met-elle cette pression ? Elle a suffisamment de succès pour que son éditeur lui accorde un peu plus de temps.

— Bien sûr ! Elle pourrait avoir tout le temps voulu, mais selon elle, sans date de remise précise, elle ne rendrait jamais ses romans. J'avoue que je ne comprends pas très bien, mais c'est son *modus operandi*, et je n'ai rien à dire.

Il fit une pause avant de reprendre :

— Donc tu as employé un bricoleur ?

— Je vois que les gens parlent.

— Quels gens ? Moi, je ne parle à personne. Maintenant, si ce sont les moutons qui font des commérages, je ne réponds plus de rien.

Ils se mirent à rire, et il enchaîna :

— J'ai juste vu qu'il repeignait la grange, de loin. Est-ce que c'est moi qui l'ai effrayé ?

— Peut-être, je ne sais pas… Il s'appelle Liam et c'était le meilleur ami de Chet, à l'armée. Il est venu m'apporter une lettre.

Les traits de Ransom se tendirent.

— Qu'est-ce qui lui est arrivé ?

— Liam a subi un traumatisme cranio-cérébral.

Il laissa échapper un juron.

— Alors tu l'as pris sous ton aile, c'est ça ? demanda Ransom.

— Pour être honnête, je ne sais pas au juste qui est sous l'aile de qui. J'avais besoin de quelqu'un pour faire des travaux, et il avait besoin d'un endroit où s'arrêter pour respirer un peu.

— Il n'a nulle part où aller ?

— Apparemment non.

S'adossant à son siège, Ransom avala un peu de limonade.

— Mmm, elle est délicieuse, s'exclama-t-il.

Et, à brûle-pourpoint, il ajouta :

— Tu sais, Mandy aussi m'a recueilli, autrefois. Elle m'a ouvert sa maison. C'était censé être temporaire, le temps que je guérisse, et puis tu vois, je suis finalement resté.

— Ah bon ? Je n'étais pas au courant.

Elle savait vaguement que Ransom était un ancien agent de la CIA qui avait été torturé à l'étranger avant de quitter l'agence et de venir s'installer ici, une vingtaine d'années auparavant, mais elle ignorait que Mandy s'était occupée de lui. Un jour, elle lui demanderait de lui raconter toute l'histoire.

— En général, nous n'en parlons pas beaucoup… Bref, ce que je voulais dire, c'est que tu as bien fait d'accueillir l'ami de Chet. Parfois, une personne a besoin de se poser quelque part, en attendant de voir venir. Et notre région est idéale pour cela. Quand il aura fini le bricolage chez toi, je pourrai peut-être l'employer. Si l'élevage des moutons l'intéresse, bien sûr.

— Merci, Ransom, c'est vraiment très gentil à toi. Sais-tu que je pensais justement à acquérir un petit troupeau, moi aussi ?

— C'était l'un des projets de Chet, si je me souviens bien… Même si je ne suis pas certain que tous, parmi nous, auraient approuvé la totalité de ses projets.

Elle se mit à rire.

— Tu veux parler des loups ?

— Notamment. A propos, j'ai entendu dire qu'il y en avait deux qui rôdaient dans la montagne. Les gens d'ici sont sur les dents.

— Oh non !

— Et si ! On en a discuté lors des réunions de la Fédération agricole. En fait, il y a une solution toute simple.

— C'est-à-dire ?

— Des cow-boys et de bons chiens, mais je sais que certains sont vraiment inquiets et aimeraient des mesures plus radicales. Nous verrons. Il faut avoir les moyens, comme pour tout.

— L'un des professeurs avec qui je travaille, Linc Blair, est aussi éleveur de chiens de berger, il pourrait peut-être combler en partie la demande de la région.

— Merci pour l'info, Sharon. Je prendrai contact avec lui.

Là-dessus, Ransom vida son verre, et se leva.

— Je dois me remettre au travail. Désolé de n'avoir pas rencontré Liam. Salue-le de ma part.

— Je n'y manquerai pas.

— Ah oui, j'allais oublier… ! J'étais venu t'inviter au barbecue que nous organisons le mois prochain. Ce sera pour le premier samedi. J'espère que tu es libre. Liam est aussi convié — s'il a envie de venir, bien sûr.

— Merci, lui dit-elle avec un beau sourire. J'adore les barbecues. Qu'est-ce que tu veux que j'apporte ?

— Pour ça, il faut que tu appelles Mandy. Encore qu'elle ne réponde pas au téléphone en ce moment, mais les garçons feront les messagers. En fait, ce barbecue, c'est pour fêter l'achèvement de son livre.

Se levant, il toucha le bord de son chapeau en guise d'au revoir, puis descendit les marches pour rejoindre son cheval. A cet instant, Liam surgit à l'angle de la maison et se figea, les traits tirés.

Ransom s'immobilisa lui aussi, peu désireux sans doute de le brusquer.

— Salut, finit par dire Liam.

— Bonjour, répondit Ransom d'un ton décontracté.

Et tout en tenant les brides de son cheval, il s'avança vers Liam, la main tendue.

— Ransom Laird, lui dit-il. Ce sont mes moutons que vous entendez bêler.

Liam lui serra la main.

— Liam O'Connor, répondit-il. En fait, c'est un bruit très rassurant, et ils sont tout à fait paisibles.

— C'est vrai qu'ils sont placides, approuva Ransom. Désolé de devoir filer, mais le travail m'appelle. Vous êtes le bienvenu au barbecue que j'organise dans quelques semaines. Sharon vous donnera les détails.

De nouveau, il toucha le rebord de son Stetson et enfourcha son cheval.

— Ravi de vous avoir rencontré, ajouta-t-il avant de s'éloigner au galop.

Liam ne bougea pas, regardant Sharon.

— Il a l'air charmant, dit-il enfin.

— Il l'est ! Le barbecue, ce n'est pas pour tout de suite, tu as tout le temps d'y penser, tu sais. Un peu de limonade ?

— Volontiers.

— Je vais chercher un autre verre.

Une minute après, elle revint avec deux verres. Elle les remplit tous deux avant de reprendre sa place sur la chaise longue. Liam finit alors par s'asseoir sur l'autre chaise.

— Je suis désolé, dit-il.

— Pour quoi ? Pour avoir été toi-même ?

— Non, pour avoir été grossier.

— Ce n'est rien. Ransom n'était encore qu'un point à l'horizon quand tu t'es éloigné. Tu aurais tout à fait pu ne pas le voir.

— Mais je l'ai vu ! Et il le sait.

— Ce n'est pas grave, c'est un homme très compréhensif.

Son verre à la main, elle regarda un instant la condensation se former…

— Que s'est-il passé, au juste, Liam ? reprit-elle.

Il haussa les épaules.

— Je me suis tout simplement rendu compte que

j'étais incapable de me réhabituer à la vie ordinaire et cela m'a rendu furieux.

— Allons, ne t'en fais pas, ça reviendra, lui assura-t-elle d'un ton ferme.

— Tu n'en sais rien.

— Il y a peu encore tu étais un combattant ! Il faut que tu réapprennes à vivre dans un environnement en paix. Je sais que tu as subi un TCC, mais tu me sembles vraiment être une personne flexible, alors ne te donne pas pour vaincu d'avance.

Il ne répondit rien. Devait-elle s'en féliciter ou se maudire ? Elle n'en savait fichtre rien. Liam était un homme si mystérieux : soit il ne voulait pas aborder certains sujets, soit il ne le pouvait…

Sharon avala une gorgée de limonade et regarda les prés, tout autour. Ils commençaient à roussir, à force de subir le soleil implacable des après-midi d'été… Si les hommes avaient pu être aussi évidents que le rythme des saisons ! Hélas, les vérités liées aux émotions étaient les plus difficiles à exprimer, et tous les mots du dictionnaire n'y auraient pas suffi.

— La peinture ! s'exclama-t-il tout à coup avec inquiétude.

Elle leva les yeux vers lui.

— Pardon ?

— J'étais en train de peindre et j'ai tout abandonné. Les pinceaux vont être inutilisables.

Elle se mit à rire.

— Ce n'est pas bien grave, de toute façon c'est la grange qui les maltraite, et nous devrons souvent les changer. Ne t'inquiète pas pour ça.

— Je dois finir ce que j'ai commencé… Avant d'oublier.

Il avait prononcé ces ultimes paroles d'un ton si sarcastique que son cœur fit un bond dans sa poitrine.

— Très bien, dit-elle en reposant son verre. Allons voir le matériel. Comme toi, j'ai besoin d'occupation, tu sais. Tu crois être le seul à ne pas vouloir penser ?

Elle l'observa quelques secondes, et vit passer un curieux éclair dans ses yeux.

— Parfois, j'oublie aussi que…

Il ne termina pas sa phrase.

Devinant ses pensées, elle compléta :

— Que je suis la femme de Chet, c'est ça ? Quelquefois, si j'ai de la chance, cela m'arrive à moi aussi.

Ces propos pouvaient sembler durs, mais ils étaient sincères : l'oubli n'était pas à mépriser, c'était un baume susceptible d'apaiser bien des souffrances.

Se levant d'un bond, Sharon se dirigea vers la grange, du côté badigeonné. Liam lui emboîta tout de suite le pas.

— Je pourrais encore continuer, dit-il.

— C'est vrai, mais il fait vraiment chaud et je n'ai pas envie que tu tombes de l'échelle. Et puis tu n'as pas mangé depuis des heures.

— La chaleur ne me gêne pas.

— Peut-être, mais tu ne dois pas prendre le risque d'une insolation. De toute façon, j'ai d'autres tâches à te confier, si tu ne veux pas rester inactif le reste de la journée.

Le rouleau de peinture n'était pas complètement sec, et il suffit de le plonger dans l'eau de la cuvette pour le nettoyer. Elle lui demanda alors de refermer le pot vide et de le placer avec les autres : Ed les prendrait pour les recycler.

Liam alla ensuite se doucher et Sharon entreprit de confectionner des sandwichs pour leur déjeuner. Quand il revint, il portait des vêtements propres, qu'il avait mis la veille dans le lave-linge, mais qui avaient toujours quelques taches de peinture. Comme il était arrivé avec un simple sac à dos, il avait peu de rechange.

Accepterait-il d'aller faire du shopping ? Elle l'observa à la dérobée tandis qu'il mangeait son sandwich… Si tout était si compliqué, entre eux, c'était sans doute parce qu'elle tournait trop souvent autour du pot, avec lui ! Après tout, Liam était allé droit au but, quand il était arrivé, peut-être était-ce à son tour d'être directe…

— Il faut que j'aille en ville pour remplir mes placards, annonça-t-elle, tu pourrais peut-être en profiter pour acheter des vêtements.

Il baissa la tête pour regarder sa chemise, et elle poursuivit :

— Tu ne peux pas porter des vêtements tachés, et puis comme il fait chaud, tu as besoin de tenues plus légères.

Il ne répondit pas tout de suite, l'air pensif, puis déclara tout à trac :

— Si j'achète des vêtements, cela veut dire que je m'engage.

— Que tu t'engages ? Et à quoi ? répliqua-t-elle, fort surprise.

— Cela veut dire que j'ai l'intention de rester pour un bon moment.

Elle hésita, partagée entre la colère et l'éclat de rire.

— Et cela te pose un problème de rester ?

Ce fut à lui de paraître étonné.

— O.K., je me suis sans doute mal exprimé.

— Sans doute.

A cet instant, le téléphone sonna et elle bondit de son siège, trop heureuse d'échapper à la lourde atmosphère qui régnait entre eux. C'était la mère d'un de ses anciens élèves qui voulait savoir si elle accepterait de donner des cours de mathématiques à son plus jeune fils.

— Je ne sais pas s'il y met de la mauvaise volonté ou s'il n'y arrive vraiment pas, mais vous avez été si efficace avec Mike, plaida la femme. Je suis certaine que vous saurez également vous y prendre avec Andy.

— Je serais ravie de lui donner des cours, à condition que vous l'ameniez au ranch, répondit Sharon, peu désireuse de parcourir des kilomètres pour une ou deux heures de cours.

Deux ans plus tôt, pendant les vacances d'été, elle avait accepté de donner des cours à une petite fille, et elle s'était finalement retrouvée avec une demi-douzaine d'élèves, obligée de parcourir la région en tous sens. L'été précédent, elle était trop repliée sur sa douleur pour imaginer de donner des cours, mais cette année, cela la distrairait — si on lui amenait les élèves à domicile, bien sûr.

Quand elle raccrocha, Liam avait terminé son repas et il était en train de mettre son assiette dans le lave-vaisselle.

— Tu travailles aussi l'été ? demanda-t-il.

— Cela m'arrive. Juste des cours particuliers. Les interactions en tête à tête sont toujours très intéressantes.

— Comme m'apprendre à lire ?

— Tout à fait. Moi aussi j'y trouve mon compte, Liam.

Il plissa ses beaux yeux verts et un superbe sourire éclaira son visage.

— J'en suis ravi, dit-il.

— Je ne serais pas enseignante, sinon.

Il referma la porte du lave-vaisselle, puis demanda :

— De quoi est-ce que nous parlions quand le téléphone a sonné ?

— De la ville. Des vêtements.

— Ah oui, c'est vrai !

Elle se retint alors de lui demander ce qu'il avait voulu dire par « s'engager », tout à l'heure, car elle redoutait que sa réponse ne soit trop douloureuse à entendre. La compagnie de Liam lui était agréable, mais cela ne durerait pas toujours, elle le savait bien : il n'aurait aucune raison de rester, une fois qu'il aurait vraiment repris pied. Jour après jour, elle le voyait recouvrer sa confiance en lui, et elle s'en réjouissait, bien entendu…

Les travaux devaient l'y aider. Il se sentait utile et au fond, c'était sans doute ce dont il avait le plus besoin.

Il vivait une période difficile, elle en était bien consciente, mais elle n'aurait pas cru que ce serait à ce point compliqué pour elle aussi… Le Liam dont elle avait entendu parler était un soldat compétent, et un ami remarquable. L'homme qu'elle avait rencontré était toujours doté d'une indubitable force physique, mais devait faire face à des troubles d'ordre émotionnel tout aussi incontestables. Pour autant, il n'était pas replié sur lui-même. Il acceptait, même si cela lui coûtait visiblement de gros efforts, d'aller en ville, de manger dans un restaurant, de réapprendre à lire couramment…

Malgré tout, il était déchirant d'imaginer l'homme

qu'il avait été et de le voir aujourd'hui se battre pour retrouver sa personnalité d'avant.

— Des vêtements, j'ai besoin de vêtements, dit-il.

Le cœur de Sharon se serra. C'était comme voir un homme se rappeler où il était, alors qu'il ne s'était guère éloigné de son itinéraire.

— De quels vêtements est-ce que j'ai besoin ? poursuivit-il, les yeux fixés sur elle.

Elle hésita.

— A toi de voir… J'ai un lave-linge, donc il n'est pas non plus nécessaire que tu te ruines en shopping. Si je peux te donner un conseil, c'est de choisir des vêtements confortables.

— Et qui soient aussi antitaches, compléta-t-il avec humour. Toi aussi, tu as des courses à faire en ville ?

— Oui, je dois nous réapprovisionner.

— Je veux participer aux dépenses, Sharon, lui assura-t-il alors d'un ton sérieux.

— Ah bon ? Et tu crois que tu ne t'échines pas suffisamment au travail pour moi ? L'aide que tu m'apportes paie largement le gîte et le couvert.

— La question est tout de même de savoir qui aide qui !

Elle lui adressa un petit sourire.

— Pourquoi vouloir trancher ? Nous nous aidons mutuellement, sans doute. Bon, je vais chercher mon porte-monnaie et on y va !

Elle était contente d'aller de nouveau en ville. Pendant l'année scolaire, elle évitait de s'y rendre car elle effectuait suffisamment d'allers-retours en semaine, et l'été dernier, elle était restée terrée de douleur au ranch.

Les vacances estivales de cette année avaient pris la même tournure jusqu'à ce que Liam débarque... Elle lui était énormément redevable de l'aider à sortir peu à peu de sa coquille.

Evidemment, cela signifiait qu'elle redeviendrait vulnérable, qu'elle s'ouvrait aussi bien aux joies qu'aux déceptions que la vie réservait. Mais pour l'instant, elle s'enivrait de l'air frais qui entrait par les vitres ouvertes, de la vue des montagnes et des champs qui défilaient le long de la route... Il était grisant d'être sortie de la routine, même si c'était juste pour aller faire des courses.

Se garant sur le parking de Freitag's Mercantile, Sharon s'arracha à ses pensées et déclara :

— C'est ici ! Je te présente le seul endroit de la ville où tu pourras acheter des vêtements.

Liam ne descendit pas immédiatement du pick-up, observant d'abord la rue, les gens qui allaient et venaient, comme s'il cherchait à s'orienter. Devant son hésitation, elle faillit lui proposer de l'accompagner à l'intérieur, mais elle se rappela qu'il avait parcouru presque la moitié du pays pour lui apporter une lettre. Il n'avait donc pas besoin d'une assistante !

Elle se contenta de patienter, lui laissant tout le temps dont il avait besoin.

Il finit par lui sourire.

— Je t'attendrai sur le parking si j'ai terminé mes courses avant toi, lui dit-il.

— Entendu.

Elle le regarda descendre du pick-up, et laissa son regard glisser sur ses larges épaules. Quel homme imposant ! Elle en était toute troublée... Et elle devait aussi impérativement se ressaisir ! Joignant le geste à la pensée, elle se redressa sur son siège.

Force était de constater qu'elle avait largement sous-estimé Liam. C'était un homme qui n'avait peur de rien, à part de ses propres hésitations.

Il était tout à fait prêt à prendre la vie à bras-le-corps, en dépit des séquelles que lui avait laissées son traumatisme crânien.

Comme elle reculait pour revenir sur la route et parcourir les quelques mètres qui la séparaient de l'épicerie, elle passa en revue son propre comportement et ses opinions, depuis l'arrivée de Liam… Au fond, cela l'avait arrangée de voir en lui un homme diminué ! Cette pensée la choqua. Comment en était-elle arrivée là, à l'encourager dans ses progrès tout en souhaitant qu'il échoue ?

Sans doute pour se protéger de l'attirance qu'il avait provoquée chez elle depuis le premier jour et que, depuis, elle essayait à tout prix d'enfouir. Et quelle attirance ! Rien que d'y penser… Bref, elle préférait ne pas s'attarder, mais elle comprenait désormais bien mieux pourquoi elle avait choisi de se concentrer sur les carences de Liam.

Aujourd'hui, c'était la première fois qu'elle ne le maternait pas, et encore ! Elle avait dû lutter contre son impulsion pour ne pas lui proposer de l'accompagner dans la boutique de vêtements. Et elle devrait désormais continuer ainsi, était-ce bien compris ? Cette assistance permanente, qui était un moyen de se défendre contre elle-même, était préjudiciable à Liam, et devait cesser !

Alors qu'elle marchait dans les rayons de l'épicerie, remplissant son Caddie de provisions que Liam apprécierait, sans toutefois oublier des fruits et des légumes pour elle, elle le revit tout à coup sur l'échelle, la veille, quand la température de début d'après-midi avait subitement augmenté et qu'il avait retiré sa chemise…

La vue de son superbe torse brillant de sueur lui avait littéralement coupé le souffle ! Pas étonnant qu'elle ait cherché à dresser une barrière de sécurité virtuelle entre eux.

Allons ! Elle ne devait pas être obsédée par son propre besoin de se protéger, elle devait aussi penser à lui, l'aider à trouver son chemin, lui fournir des opportunités à explorer, comme la lecture ou la peinture.

Cependant, elle n'était pas responsable de lui, cela, il ne fallait pas non plus qu'elle l'oublie : il n'était pas l'un de ses élèves, mais un homme dans tous les sens du terme.

Quelques minutes plus tard, elle sortit de l'épicerie. Elle espérait avoir suffisamment de vivres pour les nourrir tous deux pendant une semaine — l'appétit de Liam croissant à mesure qu'il avançait dans ses travaux de peinture ! Et subitement, elle éprouva comme un sentiment de délivrance…

Elle eut un petit sourire songeur, sachant d'où lui venait cette impression : désormais, elle s'autoriserait à voir en Liam l'homme attirant qu'il était, et ne chercherait plus à étouffer le désir qu'il éveillait en elle.

Elle retint un rire nerveux quand elle déposa ses paquets à l'arrière du pick-up : Liam ne lui avait pas du tout laissé à penser qu'il ressentait la même attirance pour elle !

Bah ! C'était juste un petit fantasme qu'elle s'accordait et qui lui permettrait de se libérer de ses blocages mentaux, de se sentir de nouveau une véritable femme, au lieu de l'être asexué qu'elle était depuis la disparition de Chet. D'ailleurs, à bien y réfléchir, même quand il était encore en vie, elle avait appris à se passer de relations sexuelles pendant de longues périodes. Elle avait docilement mis de côté ses pulsions féminines, sauf qu'à présent elle n'avait plus aucune raison de le faire. Elle devait prendre ses besoins en compte. Et puis de toute façon, rêver n'était pas un crime.

Liam l'attendait sur le trottoir en face du Freitag's. Il y avait peu de flâneurs dans les rues, sans doute parce que c'était un jour ouvrable. Cela dit, les rares badauds qui étaient passés devant lui lui avaient souri et l'avaient salué. Il devait toujours fournir des efforts pour ne pas s'alarmer de ces échanges courtois, mais il arrivait malgré tout de mieux en mieux à s'adapter aux circonstances.

Il tenait deux paquets contenant des chemises, des shorts et des jeans, ainsi que des sous-vêtements. Il les avait choisis sans grande difficulté, ils n'étaient pas onéreux et tout à fait confortables. La vendeuse avait été sympathique et peu intrusive. Bref, il se sentait plutôt bien.

A part s'arrêter en route pour acheter de quoi se sustenter dans des supérettes, il n'avait pas fait de vrai shopping depuis sa sortie de l'hôpital, et il était heureux que tout se soit si bien déroulé chez Freitag's. Au fond, Sharon avait peut-être raison quand elle affirmait que ses capacités étaient plus étendues qu'il ne pensait et qu'il devait prendre le temps de les découvrir.

Tout à l'heure, il avait même trouvé une méthode pour

faciliter sa prise de décision, concernant les vêtements. A cette pensée, un sourire lui vint aux lèvres…

Cela faisait moins d'une semaine qu'il était arrivé chez Sharon, et déjà il se sentait bien mieux. Son travail de peinture lui plaisait énormément, il lui donnait la sensation d'être de nouveau utile. Il se refamiliarisait aussi avec la lecture, à son rythme bien sûr, mais d'une façon générale, il avait l'impression de réintégrer le monde.

Soudain, le pick-up de Sharon s'arrêta devant lui. Posant rapidement ses sacs à arrière, il monta dans la cabine, à côté d'elle. Elle redémarra aussitôt.

— Alors, tout s'est bien passé ? s'enquit-elle avec un sourire.

— Parfaitement bien ! dit-il.

La regardant, il lui rendit son sourire.

— Génial ! Qu'est-ce que tu as acheté, alors ?

Il eut un blanc…

— Des vêtements, dit-il enfin.

La réponse nécessitait d'être élaborée !

— Tu veux savoir quoi ? ajouta-t-il.

Elle lui lança un regard en coin.

— Bien sûr !

— En fait, ce n'est pas très passionnant, tu sais.

— Pour moi si, insista-t-elle. Tu as vraiment franchi une étape, Liam.

Son attention le toucha : depuis sa sortie de l'hôpital, il avait rencontré tant de gens qui le traitaient sans ménagement, voire avec un certain mépris. Sharon était un vrai bol d'air frais pour lui.

— J'ai juste renouvelé ma garde-robe, ce n'est pas non plus un exploit, mais…

— Si c'en est un ! Rappelle-toi combien il était difficile pour toi d'aller jusqu'au bout d'une tâche il y a peu encore.

— C'est vrai… Bon, j'ai dit à la vendeuse que je voulais acheter des vêtements, elle m'a conduit au rayon hommes et puis elle s'est éloignée. Soit dit en passant, heureusement qu'elle ne m'a pas donné des indications pour m'y rendre de derrière son comptoir, car je ne suis pas certain que j'aurais trouvé !

— Pour ce qui est du sens de l'orientation, tu t'exerceras avec moi, dit-elle.

— Entendu. Toujours est-il qu'ensuite j'ai choisi mes vêtements, comme un grand. Et tu sais ce qui était vraiment cool, Sharon ?

— Non. Quoi ?

— Eh bien, je me suis rappelé ce dont j'avais besoin en m'imaginant mentalement en train de m'habiller, le matin. Ainsi, je n'ai rien oublié.

— Remarquable ! s'exclama-t-elle.

— Tu vois, tu recommences avec ta condescendance ! répondit-il, avant de se ressaisir aussitôt : Oh ! pardonne-moi ! Je suis parfois encore très susceptible.

— Ce n'est pas grave, nous avons tous notre susceptibilité. Mais j'étais sincère, tu sais. Tu t'es rappelé une série d'actions, et tu les as utilisées pour faire autre chose. Il y a beaucoup de gens qui n'en sont pas capables. En tant qu'enseignante, je t'assure que je parle en connaissance de cause.

Il la vit sourire, tout en demeurant concentrée sur sa conduite. Sans qu'il comprenne pourquoi, cela lui fit du bien.

— Je dois dire que je suis fier de moi. Seulement

voilà : maintenant, je me demande comment je me sortirai de la prochaine épreuve. Si je ne suis pas à la hauteur, je serai terriblement déçu…

— Liam, il faut cesser de t'interroger sur tout. Les choses te reviennent instinctivement. Regarde pour la peinture. Est-ce que j'ai eu à te guider ? Non ! Tu t'es débrouillé tout seul. Fais-toi confiance, bon sang !

Elle avait raison. Même s'il ne savait pas encore pour l'instant à quoi servait la moitié des outils stockés dans la grange et si cette pensée l'angoissait parfois, il avait pu monter à une échelle et peindre. Il s'était même souvenu que l'on devait laver les pinceaux et les brosses.

Quand les médecins lui avaient prédit qu'il ferait encore des progrès, il ne les avait pas vraiment pris au sérieux, mais à présent il nourrissait de grands espoirs.

— Merci, lui dit-il.

— Pour quoi ? C'est moi qui devrais te remercier, oui !

Il secoua la tête.

— Quand je suis sorti de l'hôpital, je suis venu jusqu'ici grâce à une carte sur laquelle je marquais le chemin parcouru chaque jour, mais, au-delà de la lettre de Chet que je voulais te remettre, je n'avais ni projet ni futur. Pour manger, je devais repérer la nourriture dans les magasins, car je n'arrivais pas à lire ce qui était écrit sur les enseignes, je ne savais pas ce qu'on vendait…

Il s'interrompit, mais elle demeura silencieuse, et il lui en fut reconnaissant. Au bout de quelques instants, il reprit :

— Tu sais, il m'arrivait parfois d'oublier pourquoi j'étais sur les routes. Alors j'ai finalement écrit sur ma carte le but de mon voyage : me rendre chez la femme de Chet. La seule chose que je n'ai jamais oubliée, c'est cette lettre.

Elle s'éclaircit vaguement la voix, mais n'émit aucun commentaire.

— Parfois, j'étais si frustré que j'explosais de colère. Je m'arrangeais toujours pour que personne ne me voie et que cette colère ne soit pas dirigée contre quelqu'un. Ils m'ont au moins appris cela, lors de ma rééducation. A m'écarter pour donner libre cours à ma fureur en privé… Parfois, quand je ne pouvais pas lire un panneau, ou savoir ce qu'il y avait vraiment à l'intérieur d'un paquet de nourriture, j'avais envie de hurler. Certaines personnes se rendaient bien compte que je n'étais pas particulièrement brillant.

Il l'entendit alors prendre une large inspiration avant de demander :

— Est-ce que l'on t'a déjà fait des remarques désagréables ?

— Bien sûr ! On me prenait parfois pour un triple idiot.

— Et tu te mettais en colère ?

Il haussa les épaules.

— Ils ne pouvaient pas savoir ce qui m'était arrivé… Parfois je répondais, mais comme je te l'ai dit, j'évitais la confrontation directe, étant donné que je ne mesure pas toujours la portée de mes propos, comme tu as pu le constater par toi-même.

— Ce n'est pas vraiment flagrant.

— Evidemment, avec toi, tout est facile. Je ne sais pas si c'est parce que tu veux me ménager, mais tu me simplifies vraiment la vie. Et pourtant, il m'arrive encore de me demander si ce que je dis est sensé. Les mots se précipitent parfois dans mon cerveau, et je les prononce sans réfléchir… Ce n'est qu'après que je me demande si ce que j'ai dit avait un sens. Si mes propos te semblent quelquefois curieux ou déplacés, je t'en supplie, dis-le-moi ! Je préfère que tu sois franche plutôt que tu fasses comme si mes paroles étaient logiques alors qu'elles ne le sont pas.

— Entendu… Tu sais Liam, je suis désolée que tu aies dû subir des railleries. Les gens sont vraiment sans cœur.

— Bah, c'étaient des inconnus, c'est sans importance ! Moi non plus je ne suis pas toujours très subtil. Une fois, je me trouvais dans une station d'essence et j'achetais des sandwichs. Je me parlais à voix haute et je devais être plus fatigué que d'habitude…

Et soudain, il se tut. Il ne savait plus ce qu'il voulait dire. C'était tout de même incroyable, et tellement énervant que le fil de ses pensées lui échappe ainsi.

— Liam ?

— J'ai oublié ce que je voulais dire, répondit-il froidement.

Et dire que quelques minutes auparavant, il se sentait si bien ! Maintenant, la frustration le rongeait comme un acide redoutable, et il devait fournir un effort énorme pour ne pas exploser de colère.

— Quitte à éprouver de forts sentiments, j'aurais préféré qu'ils soient positifs ! marmonna-t-il.

— Pourquoi ? Qu'est-ce que tu ressens, au juste ?

— De la frustration. J'ai envie de casser quelque chose.

— Parce que tu as oublié ce que tu étais en train de dire ?

La question le prit de court et d'un coup sa tension régressa un peu.

— Je ne sais pas, finit-il par admettre. Je ne sais pas si c'est toute la situation ou simplement cet oubli qui me révolte. Comment est-ce que je suis censé faire la différence ?

— Je l'ignore, Liam.

Il se donna un coup de poing rageur sur la cuisse.

— Désolé, Sharon. Je ne dois pas me comporter ainsi, je le sais.

Il tourna alors la tête vers la fenêtre pour regarder le paysage défiler. Il avait même oublié l'objet de sa frustration, c'était un comble ! Et soudain, les mots sortirent malgré lui, tandis qu'il fixait toujours la vitre :

— C'est comme si j'étais prisonnier d'un sac transparent dont je ne peux pas me débarrasser !

Ce fut alors qu'il sentit une main chaude recouvrir son poing. Elle ne prononça pas un mot, et d'ailleurs il n'était pas certain qu'il l'aurait entendue. Mais son contact doux l'apaisa d'une façon incroyable.

Ils terminèrent le trajet en silence.

- 6 -

La semaine qui suivit, Liam travailla à corps perdu, et son rythme finit même par inquiéter Sharon. Elle craignait qu'il ne s'épuise à la tâche. C'était sans doute une forme d'exutoire pour lui, se disait-elle pour se rassurer et s'empêcher d'intervenir. Toujours est-il que la grange fut entièrement recouverte d'apprêt en un temps record ! Il se mettait au travail juste après le petit déjeuner, s'accordait une pause de dix minutes pour déjeuner, puis ne s'arrêtait que lorsque la lumière commençait à décliner.

De son côté, elle avait commencé à donner des cours particuliers à Andy, mais cette occupation ne lui prenait pas beaucoup de temps. De nouveau, les jours s'étendaient à l'infini devant elle, comme avant l'arrivée de Liam, à cette exception près que maintenant, elle avait de la compagnie au dîner, ce qui était très appréciable.

Cette semaine-là, elle n'avait pas hésité à annuler sa partie de cartes avec ses amies, ayant l'intuition que Liam ne se sentirait pas à l'aise au cours d'une telle soirée.

De la véranda, elle le regardait finir de badigeonner la grange, tout en laissant ses pensées vagabonder… Avant l'arrivée de Liam, elle était consciente que des changements s'imposaient dans sa vie. Et puis il avait surgi et tout avait été transformé. De nouveau, elle avait eu un but.

Seulement voilà : depuis quelques jours, elle avait l'impression d'être revenue à la case départ… Oh ! elle n'avait à s'en prendre qu'à elle ! C'était une erreur d'avoir voulu combler le vide de son existence en cherchant à aider un homme. Elle devait voir bien au-delà. Sa vie avait irrévocablement changé depuis le décès de Chet et, que cela lui plaise ou non, elle devait la reconstruire. La présence de Liam lui avait encore une fois fourni un prétexte pour reporter les prises de décision…

Que tout cela était dérangeant et peu flatteur !

Avait-elle trop dépendu de Chet ? Se pouvait-il que son mariage lui ait retiré ses propres ressources ? Si tel était le cas, la question était de savoir comment les récupérer.

Elle plissa les yeux, et pensa de nouveau à Liam qui s'activait à quelques mètres d'elle. Elle avait beau connaître ses difficultés, elle ne voyait pas en lui une personne affaiblie, mais un homme bon et courageux qui luttait pour s'en sortir.

A le regarder s'échiner sous le soleil de l'après-midi, elle sentit de nouveau le désir sourdre en elle, un désir chaque fois un peu plus insidieux, un peu plus fort…

Malheureusement, elle avait l'impression qu'il s'était recroquevillé dans sa coquille. Il travaillait sans relâche, passait du temps sur ses leçons de lecture, était certes toujours poli, mais distant. Qu'est-ce qui pouvait bien expliquer cette réserve ? Avait-elle, sans le vouloir, commis un impair ?

Il était si difficile à cerner. Ainsi, après son shopping, il avait paru très heureux et puis d'un coup, la frustration lui était tombée dessus comme un violent orage s'abat sur un après-midi d'été, et il s'était retiré très profondément en lui-même.

Pourquoi ?

Encore une fois, elle contempla ses muscles qui roulaient sous sa peau lisse et luisante. Quel homme magnifique ! Une autre vague de désir la souleva…

Allons ! La prudence s'imposait. Il ne fallait pas voir en lui une issue de secours. D'ailleurs, peut-être avait-il lui aussi perçu le danger et était-ce pour cette raison qu'il s'était éperdument lancé dans le travail. A moins qu'il ne cherche à se prouver qu'il était bien un homme, un dur, un vrai qui pouvait peindre toute la journée sous un soleil de plomb sans défaillir !

Poussant un soupir, elle se leva pour aller préparer le déjeuner.

— Sharon ?

Elle se retourna vivement et vit Liam descendre de l'échelle, son pot et ses brosses à la main.

Automatiquement, elle avança vers lui, et s'efforça de paraître aussi naturelle que possible en dépit des pensées qu'il lui inspirait.

Elle arriva à sa hauteur au moment où il mettait le pied à terre. De manière inattendue, il lui adressa un beau sourire, le premier depuis des jours.

— J'aurai terminé l'apprêt aujourd'hui, dit-il.

— Tu as fait un travail remarquable, s'exclama-t-elle avec chaleur. Tu es bien certain que tu ne t'imposes pas un rythme trop effréné ?

Le regard de Liam glissa au loin, mais elle eut l'impression qu'il ne voyait pas les montagnes sur lesquelles ses yeux s'étaient fixés.

— J'en ai besoin, finit-il par dire.

— Je comprends, seulement je ne voudrais pas que tu attrapes une insolation.

Il se mit à rire.

— Je suis solide, tu sais, et il ne fait pas si chaud que ça.

Il faisait sans doute allusion aux températures qu'il avait connues en Irak, où Chet et lui avaient servi pendant quelque temps. Toutefois, elle ne fit aucune observation.

— C'est gentil de te faire du souci pour moi, poursuivit-il. Mais rassure-toi, je connais mes limites.

Elle fut heureuse de l'entendre prononcer des paroles aussi positives, car c'était la première fois qu'il affichait une réelle confiance en lui.

— Tu voulais me montrer quelque chose ? demanda-t-elle alors.

Il porta de nouveau son regard sur elle.

— Te montrer quelque chose ? répéta-t-il.

— Oui, tu m'as appelée, lui rappela-t-elle.

— Oh ! effectivement… ! En fait, je voulais te présenter mes excuses, voilà.

Il poussa un soupir et passa la main dans ses cheveux. Ils avaient poussé depuis son arrivée, et cela lui allait vraiment bien.

— Des excuses ? Mais enfin pourquoi ? Tu as fait un travail génial, je ne vois pas en quoi tu me dois des excuses, Liam.

— Non, ce n'est pas pour ça…

Il ferma les yeux quelques secondes, comme s'il luttait contre lui-même.

— J'ai fait comme si tu n'existais pas, poursuivit-il d'une voix presque chuchotée.

Elle voulut objecter qu'il avait juste travaillé très dur, mais décida finalement de se taire et de le laisser continuer. Ce fut alors qu'il s'écria :

— Ce n'est pas convenable de désirer la femme de son meilleur ami !

D'instinct, elle se figea. On pouvait dire que Liam était direct… Et incontestablement honnête… Elle-même n'était-elle pas en proie aux mêmes questionnements ? Incapable de réagir, comme paralysée, elle attendit qu'il ajoute quelque chose, tandis que son cœur battait comme un fou dans sa poitrine… Son aveu avait fouetté le désir qu'elle éprouvait pour lui, réveillant toutes les émotions confuses qu'elle avait voulu maintenir endormies.

— Tu es tout à fait en droit de me renvoyer sur-le-champ de chez toi, articula-t-il alors.

Ces mots la firent bondir.

— Ah bon ? Et qu'est-ce que tu ferais ?

— Comment ça, qu'est-ce que je ferais ?

— Tu as un projet précis, pour après ?

— Assez, Sharon ! Je ne veux pas que tu m'adoptes comme un animal perdu !

Il avait presque hurlé. Mais elle n'était pas du genre à se laisser incendier sans broncher.

— Je ne t'ai pas secouru, Liam ! rétorqua-t-elle sur le même ton. C'est toi qui m'aides, tu comprends ça ? Ce que j'attends de toi, c'est que tu fasses des projets, c'est tout !

— J'en suis incapable, lui dit-il en plongeant son regard dans le sien.

— Tu étais le meilleur ami de Chet, reprit-elle. Tu crois qu'il t'aurait laissé repartir dans la nature sans projet, sans travail, sans endroit où aller ? Et toi, tu l'aurais laissé faire, s'il avait été à ta place ?

— Non, bien sûr que non !

— Alors arrête ! Tu fais un travail que j'aurais été incapable de réaliser, et je t'en suis infiniment reconnaissante. Le problème, c'est que je ne sais pas comment te dédommager.

Liam la regarda sans mot dire.

— Et puis éclaircissons un autre point, poursuivit-elle sur sa lancée. Je ne suis plus la femme de Chet, je l'ai été, mais ce n'est plus le cas. Aujourd'hui, je suis veuve, et il faut que tu te fasses à cette idée, tout comme je m'y suis faite, car c'est la réalité.

Là-dessus, Sharon pivota sur ses talons et courut vers la maison, en larmes. Pleurait-elle de chagrin ou de colère ? Difficile à dire… Sans doute éprouvait-elle de la peine pour Chet, mais aussi pour Liam. Et de la fureur contre elle-même car elle était incapable d'exprimer ses sentiments, de faire comprendre à Liam ce qu'elle éprouvait pour lui.

Pour se calmer, elle entreprit méthodiquement de préparer une salade au thon, puis fit réchauffer un pain de seigle. Liam devait être affamé, et d'ailleurs elle avait l'impression que le fait de manger l'apaiserait elle aussi.

Alors qu'elle mettait le couvert, la porte de derrière s'ouvrit et il entra dans la cuisine. Elle s'écarta de l'évier pour qu'il puisse laver ses mains maculées de peinture.

— Je suis désolé, lui dit-il.

— Arrête de t'excuser à chaque instant ! Tu n'as à t'excuser pour rien ! Tu…

— Bon, très bien, je me tais, coupa-t-il.

Elle s'assit alors à la table, et attendit qu'il la rejoigne pour déjeuner.

Ils se mirent à manger en silence, mais elle ressentait le besoin de parler. Et elle savait pertinemment qu'il ne fallait pas compter sur Liam pour initier la conversation !

— Tu sais que tu es souvent impénétrable, finit-elle par lui dire.

Levant les yeux vers elle, il cessa de mastiquer.

— Impénétrable ?

— Oui. Pour un homme qui prétend dire des choses qu'il ferait mieux de taire, tu te transformes souvent en sphinx.

Il parut d'abord surpris, puis un petit sourire éclaira son visage.

— C'est plutôt un compliment, observa-t-il alors.

— Ah bon, tu trouves ?

— Oui, parce que pendant ma rééducation, on m'a bien recommandé de ne pas dire tout ce qui me passait par la tête.

Immédiatement, elle repensa à l'aveu qu'il lui avait fait en descendant de l'échelle : « Ce n'est pas convenable de désirer la femme de son meilleur ami ! » Toutefois, elle ne jugea pas nécessaire de lui rappeler qu'il n'arrivait pas toujours à se maîtriser. D'ailleurs, ce n'était pas forcément pour lui déplaire…

— Il faut que nous parlions, reprit-elle. Je passe trop de temps à me demander ce que tu penses, ou si ce que j'ai fait t'a plu ou déplu.

— Ça, ce n'est pas bien.

— Je ne te le fais pas dire ! Bon, est-ce que tu as peur des disputes ?

Il lui lança un regard étonné, puis se mit à rire.

— Non, pas particulièrement.

— Alors discutons, au risque de nous quereller. Les mots sont souvent salvateurs.

— D'accord... Ecoute, je sens bien que tu veux savoir pourquoi je me suis mis à peindre de façon effrénée, l'autre jour, quand on est rentrés du centre-ville. L'explication est simple : je voulais te dire quelque chose, et tout à coup j'ai oublié ce que c'était. J'étais vraiment furieux contre moi et le travail m'a permis de me calmer... Parfois, je me dis que ce serait plus facile si j'étais complètement amnésique.

Il avait l'air si triste en prononçant ces ultimes paroles qu'elle sentit les larmes lui brûler les yeux.

— Liam, je suis heureuse que tu aies encore des souvenirs, et même si ta mémoire te joue parfois des tours, grâce à elle, tu peux encore être toi-même. Et tu me plais tel que tu es.

Il releva vivement la tête et elle se heurta à l'impact de son regard vert clair.

— Je ne suis pourtant pas particulièrement plaisant.

— Pourquoi est-ce que tu dis ça ?

— Parce qu'on me l'a déjà dit.

— Qui ? Tu peux me citer un nom ? le défia-t-elle.

— Je pourrais t'en citer de nombreux. Des tas de gens pensent que...

— C'est parce qu'ils ne te connaissent pas, Liam ! Ils ne savent pas de quoi ils parlent !

— Ils constatent, c'est tout.

— Eh bien ils se trompent ! dit-elle d'un ton nerveux.

— Tu crois ? rétorqua-t-il en la regardant droit dans les yeux.

— Evidemment !

— Je me sens parfois si perdu… En ce moment, je peins, mais après, qu'est-ce que je ferai ?

— Pour l'instant, tu as juste recouvert la grange d'apprêt. Il faudra ensuite appliquer la vraie peinture. Ed doit nous en livrer demain.

— Parfait. Et après ?

— Tu veux qu'on fasse une liste ?

— Oui, d'accord. Etablissions la longue liste des tâches que tu veux me confier. Plus elle sera longue et mieux ce sera.

— Bien sûr, dit-elle, à la fois surprise et heureuse qu'il n'évoque pas l'idée de repartir.

Soit dit en passant, elle devrait sans doute se faire une liste, elle aussi, afin de savoir où elle en était. Il n'était pas très sage d'avoir négligé la propriété parce que Chet n'était plus. Ce ranch, ce n'était pas uniquement le rêve de Chet, c'était aussi le sien…

Et sur une impulsion, elle lui demanda :

— A ton avis, est-ce que l'on doit renoncer à un rêve parce que la personne avec qui on le partageait est partie ?

La réponse fusa immédiatement.

— Non !

Elle leva les yeux vers lui et lui sourit.

— Et toi, Liam, quel est le tien ? demanda-t-elle avec douceur.

— Me sentir de nouveau normal.

— Je pense que c'est tout à fait réalisable.

— Je l'espère. Et toi, de quel rêve parlais-tu ?

— Faire de l'élevage, par exemple. J'ai bien envie d'élever quelques chèvres.

— Et le refuge pour animaux errants ?

— Non, je ne crois pas…

Elle poussa un vague soupir.

— Cela requiert trop de temps. C'était Chet qui s'en serait chargé. N'oublie pas que je reprends mes cours, à l'automne.

— C'est vrai, approuva-t-il. Lui, il aurait eu tout son temps, puisqu'il aurait été à la retraite de l'armée.

— Exact !

— Avoue tout de même que l'idée de ce refuge te plaisait, à toi aussi.

— C'est vrai… Mais c'était parce que Chet savait toujours me convaincre et m'entraîner dans ses projets. Il voyait si grand…

Liam se mit à rire.

— Tu as raison. Il avait aussi le don pour persuader les autres du bien-fondé de ses projets, notamment ceux concernant le ranch. Mais moi, je suis un enfant de la ville !

— Il n'empêche qu'en Afghanistan, tu as toi aussi aidé des éleveurs de chèvres, non ?

— Tout à fait. Il t'a raconté ? Je dois dire que l'expérience était assez agréable.

Elle lui sourit et reprit :

— En tout cas, je vais peut-être acheter quelques chèvres. Si je ne m'en sors pas, je pourrai toujours les confier à mon voisin.

Il lui sourit et elle eut alors la sensation qu'il avait retrouvé une certaine paix intérieure.

Quand il se leva pour se remettre au travail, elle se

remémora une fois de plus son cri du cœur : « Ce n'est pas convenable de désirer la femme de son meilleur ami. »

Ces paroles résonnèrent alors dans sa tête, puis dans tout son être, diffusant en elle un certain trouble... A dire vrai, elle non plus n'aurait pas imaginé désirer un jour le meilleur ami de son mari, mais ce qui s'était passé en Afghanistan avait irrémédiablement modifié le cours de leur existence.

— Nous n'avons pas eu d'enfants, déclara Sharon tout à trac, pendant le dîner.

Aussitôt, elle regretta son observation à haute voix. Que lui prenait-il ? La constatation lui avait sans doute échappé parce qu'elle venait de se dire qu'elle devait rappeler Ransom et comme ce dernier avait des enfants... Tous ses voisins, d'ailleurs, avaient des enfants.

— Pourquoi ? demanda-t-il.

Visiblement, il se régalait avec son poulet rôti aux petits pois, comme Chet autrefois. Cela lui fit chaud au cœur.

— Parce que...

Elle s'interrompit, soupira, et reprit :

— Tu sais, je me demande parfois si ce n'était pas par pur égoïsme de ma part.

Il lui lança un regard perplexe.

— C'est-à-dire ?

— Eh bien, je ne voulais pas d'enfant tant que Chet serait dans des zones de guerre. Je n'avais pas envie de l'élever toute seule.

— Et lui, il en aurait voulu ?

Apparemment, c'était un sujet que Chet n'avait

jamais abordé avec son meilleur ami. Au fond, elle était soulagée que certains sujets soient restés dans leur intimité.

— Il disait qu'il comprenait.

— Chet ne mentait jamais, tu le sais.

— Oui, je sais… Nous attendions des circonstances plus favorables.

Elle regarda dans le vide, se laissant submerger par les souvenirs. A l'époque, cela lui avait paru sensé, mais aujourd'hui, elle se questionnait sur le bien-fondé de leur décision. Si elle avait eu une petite version de Chet en train de courir autour d'elle, est-ce que cela l'aurait aidée à surmonter sa peine ? Sans doute aurait-elle été moins obnubilée par elle-même…

Mais à quoi bon ressasser ? Le fait était qu'il ne lui restait de Chet que ce ranch.

— Est-ce que tu le regrettes ?

La question la ramena sur terre.

— Je ne sais pas… Ç'aurait sans doute été bien qu'il laisse un fils derrière lui.

— Vous auriez tout aussi bien pu avoir une fille, souligna Liam d'un ton brusque. Et puis, l'enfant ne l'aurait jamais connu. Alors de quoi parle-t-on au juste ? De gènes ?

Ce qu'il pouvait être brutal, parfois ! Il l'avait avertie, elle le reconnaissait, mais tout de même…

— Je sais que ça peut paraître stupide, concéda-t-elle, irritée.

— Beaucoup de gens y accordent selon moi une importance démesurée. Il y a d'autres liens que ceux du sang ! Et puis, tu pourras toujours donner le nom de famille de Chet à ton enfant, si tu trouves un type qui ne s'y oppose pas. C'est aussi le tien.

Elle en resta bouche bée. Cette conversation prenait un tour qui lui échappait, l'emmenant dans une direction des plus inattendues.

— Tu as raison, finit-elle par dire.

Il haussa les épaules.

— Moi en tout cas, j'accepterais. C'est quoi, un nom ? Il y a des milliers de Majors, dans le monde. Pareil pour les O'Connor.

— Tu es vraiment un homme à part, Liam, observa-t-elle alors, à la fois amusée et étonnée.

— Pourquoi ? Parce que je me fiche des gènes ? J'ai lu quelque part que l'on ne peut pas remonter dans un arbre généalogique au-delà de quatre cents ans, car tout le monde devient alors parent avec tout le monde. Donc, les gènes de Chet sont partout sur cette planète. Lui aussi les a hérités de quelqu'un. Cela laisse un nom.

— Et aussi un lien émotionnel, observa-t-elle d'une voix tendue.

L'expression de Liam s'assombrit.

— J'ai encore mis les pieds dans le plat ?

Elle ne répondit rien, envahie par cette culpabilité envers Liam qui lui était, hélas, devenue bien trop familière, même si elle savait que ce sentiment n'était guère rationnel.

— Je suis désolé, ajouta-t-il précipitamment. Oui, je suis vraiment stupide, je n'aurais pas dû dire cela.

— Tu n'es pas stupide, répliqua-t-elle, d'un ton légèrement irrité pour mieux masquer sa peine. Arrête de dire ça !

— Je vois bien que tu es en colère. Et j'ai bien aussi conscience de t'avoir blessée.

— Non, tu ne m'as pas blessée, murmura-t-elle.

Elle avait envie d'enfouir son visage dans ses mains et que cesse cette conversation embrouillée. Mais, recourant à une technique de self-control, elle s'efforça de trouver le fameux palier en elle où elle pouvait rester calme, même quand dans une classe de vingt élèves tous se mettaient à parler en même temps.

Elle ajouta alors :

— Ton raisonnement était logique, je te le concède.

— Mais pas forcément approprié, n'est-ce pas ?

— Non, ce n'est pas ça... J'avais pris une décision, et Chet l'avait acceptée. Il est ridicule aujourd'hui de la regretter. C'est comme ça. Et d'un point de vue logique, encore une fois, tu as raison. Seulement, parfois, quand je ne vais pas très bien, je me dis que ce serait sans doute plus facile si j'avais un lien concret qui me relie à Chet. Mais je me rends bien compte aussi que, si aujourd'hui j'avais un enfant, il n'aurait pas de père... Ce serait peut-être moins compliqué pour moi, mais pas juste envers l'enfant.

Il mit un certain temps pour lui répondre. Cherchait-il simplement ses mots ou avait-il quelques difficultés à suivre le fil de ses pensées contradictoires ?

— Je ne sais pas, finit-il par dire.

— Moi non plus, soupira-t-elle. Quelquefois, je comprends les gens qui font congeler leur sperme ou leur ovule. Et à d'autres moments... Eh bien, je trouve que ce n'est pas une solution. J'oscille entre des sentiments si opposés.

Il se contenta de hocher la tête, sans répondre.

Puis il se remit à manger, tandis qu'elle chipotait dans son assiette sans grande conviction, repensant à leur échange. Pourquoi avait-elle évoqué ce sujet avec Liam ? Il était vrai que… Une évidence s'imposa soudain à elle, et sans réfléchir, elle reprit :

— Peut-être que j'éprouve un sentiment d'échec parce que je n'ai pas fait au moins ça pour Chet…

Il posa sur elle ses yeux verts et se mit à la fixer sans mot dire. Puis comme s'il venait soudain de se rappeler leur conversation, il répondit :

— Oh ! je te rassure ! Chet n'avait pas du tout l'impression que tu l'avais déçu en quoi que ce soit. Tu peux me croire, il s'est beaucoup ouvert à moi, et jamais il ne s'est plaint de toi. Jamais, tu m'entends ?

Ces paroles la rasséréněrent.

— Je suis désolé que vous n'ayez pas passé plus de temps ensemble, ajouta-t-il.

— C'est comme ça, les regrets n'y changeront rien, trancha-t-elle. Chacun n'a pas les mêmes chances, la vie est injuste… Pourtant, c'est ce sentiment d'injustice qui est le plus dur à avaler.

— Tu as raison.

Et il le savait sans doute mieux que personne… Elle résista à l'impulsion de lui saisir le bras, et déclara à la place d'un ton délibérément plus léger :

— Il est temps pour nous de penser aux chèvres.

Il prit une expression étonnée.

— Tu es sérieuse ?

— Très sérieuse. Et tu vas donc pouvoir m'aider grâce à ton expérience en Afghanistan !

Elle vit l'ombre d'une angoisse passer sur son visage, tandis qu'il répondait :

— Je me rappelle certaines choses, mais de là à t'être d'une grande utilité…

— Nous apprendrons ensemble.

— Tu m'as l'air très déterminée.

— J'ai besoin de retrouver celle que j'étais avant.

Il lui fallait avancer, se reconstruire. Elle en avait l'intention avant même l'arrivée de Liam, et elle avait l'impression que la présence de celui-ci avait renforcé ses intentions. Au fond d'elle-même, elle essayait de se libérer des fantômes du passé pour pouvoir de nouveau respirer. Peut-être qu'elle s'y prenait mal, en reprenant le projet des chèvres, mais elle devait bien commencer par quelque chose, se lancer.

— Tu sais, annonça-t-elle, je vais aller faire un tour du côté de l'enclos que Chet avait construit pour les chèvres, près de la grange. Il faut que je m'assure qu'il est solide.

— Je t'accompagne !

Quelques minutes plus tard, comme ils approchaient de la grange, l'odeur de l'apprêt frais chatouilla les narines de Sharon.

— Quel agréable parfum, après tout ce temps ! dit-elle d'un ton rieur. D'habitude quand je venais par ici, tout ce que je sentais c'est le bois moisi.

— A l'intérieur, c'est toujours le cas, tu sais. Peut-être que je devrais m'atteler à nettoyer la grange.

— Chaque chose en son temps, Liam !

Et elle sentit une joie subite l'envahir. L'idée d'élever des chèvres lui plaisait réellement. Dans la foulée, elle prendrait aussi un chien. L'heure était venue de renouer avec la vie.

Il faisait merveilleusement doux, la lumière était

moins vive, et tout semblait baigner dans une profonde quiétude.

— C'est une très belle soirée, s'exclama-t-elle avec entrain.

— C'est vrai.

Levant les yeux vers lui, elle surprit son sourire. Alors elle le lui rendit spontanément.

— Je suis heureuse d'être en vie, admit-elle dans un souffle.

Un léger voile assombrit alors l'expression de Liam et Sharon regretta vivement sa remarque. Peut-être l'avait-il ressentie comme un manque d'égard... Aussi fut-elle surprise de l'entendre approuver d'un ton sincère :

— Moi aussi.

— Parfait, dit-elle, rassurée. Je frissonne d'excitation en pensant à toutes ces années qui m'attendent.

— Toutes ces années ? Qu'en sais-tu ?

Cette fois, elle fut si déroutée qu'elle faillit trébucher. Bien sûr, personne ne pouvait savoir s'il serait en vie le lendemain, et pourtant la question de Liam l'avait bouleversée.

— Tu veux dire qu'il faut profiter du moment qui vient ? demanda-t-elle à mi-voix.

Il haussa les épaules.

— Je n'ai pas de leçon à te donner. Moi, je vis au jour le jour.

— Pour ma part, je crois que j'ai perdu trop de temps à vivre dans le passé ou à redouter le futur.

— Je te comprends.

De cela, Sharon ne doutait pas.

Ils venaient d'atteindre l'enclos que Chet avait construit lors de sa dernière permission : il s'agissait tout simplement de poteaux en métal reliés par des chaînons.

— C'est l'œuvre de Chet, lui dit-elle. Il avait fait cet enclos en disant que l'on choisirait plus tard les bêtes qu'on y mettrait. A mon avis, des chèvres, ce sera parfait.

— Et pourquoi plus particulièrement des chèvres ?

Elle leva les yeux vers lui.

— Parce que j'aime bien les biquettes ! Elles sont plus intelligentes, plus mignonnes et plus espiègles que les moutons, par exemple.

— Espiègles ? répéta-t-il étonné.

— Oui, elles sont plus drôles.

— En tout cas, elles nécessitent une grande vigilance car, vois-tu, ces charmantes bêtes débordent de curiosité, si toutes sont comme les Afghanes.

— J'en ai bien l'impression. Je me renseignerai auprès de Ransom.

— Il en élève aussi ?

— Il a surtout des moutons, mais son cheptel compte aussi quelques chèvres qu'il traite d'ailleurs presque comme des animaux domestiques. C'est peut-être pour ça, remarque, que j'ai envie de chèvres. Il en parle tout le temps.

— En tout cas, il est rassurant de savoir que l'on peut compter sur un expert.

Il regarda alors la surface enclose, puis ajouta :

— Le terrain est très broussailleux.

— Ça pose un problème ?

— Non, pas pour les chèvres.

Elle retint un sourire. Il était évident que Liam n'avait pas oublié la façon dont on s'en occupait.

— En tout cas, l'enclos a l'air solide, reprit-elle. Je ne prévois pas de travaux supplémentaires pour l'instant.

Tout en parlant, Sharon en fit le tour, vérifiant la stabilité des poteaux et la fiabilité des maillons.

Liam la suivait sans mot dire, et sa compagnie silencieuse lui apportait un certain réconfort. Cela faisait si longtemps qu'elle était seule... Chet avait passé si peu de temps à Conard County ! En dépit de ses journées bien remplies, le sentiment de solitude ne l'avait jamais lâchée, même quand son mari était vivant.

Sur une impulsion, elle déclara :

— Tu sais que l'on peut se sentir très seul même si on est occupé et entouré d'amis, simplement parce qu'un être cher est au loin ?

— Je n'ai pas beaucoup d'expérience en la matière, Sharon...

— Moi si ! J'ai passé tellement de temps toute seule, pendant mon mariage. Je l'ai accepté, mais je n'ai jamais pu m'y habituer.

— Je suis désolé. Tu manquais tant à Chet, toi aussi.

— C'est effectivement ce qu'il me disait, mais parfois, je me posais des questions à ce sujet.

— Pourquoi ?

— Parce que en tout, on a réellement vécu très peu de temps ensemble. En fait, j'étais plus habituée à son absence qu'à sa présence.

Il ne répondit rien, sans doute parce qu'il n'y avait rien à dire... Et puis pourquoi lui parlait-elle de ça, au juste ?

— Excuse-moi, ajouta-t-elle bien vite. J'essaie juste de mettre de l'ordre dans mes idées.

— C'est ce que nous passons tous notre vie à faire.

— Tu as raison. Je…

Ce fut alors qu'elle poussa un cri. Elle n'avait pas regardé où elle marchait et elle venait de trébucher contre une grosse pierre. Immédiatement, il lui saisit le bras… et la plaqua contre son corps dur comme un roc.

— Ça va ? s'enquit-il.

Non, ça n'allait pas du tout… Elle essayait de faire abstraction de lui, de ce qu'elle éprouvait, mais ses sens avaient pris le pas sur sa raison. Et le désir tout entier l'avait submergée…

Au fond, peut-être qu'après tout ce temps, elle aurait réagi de la même façon avec n'importe quel homme, mais en l'occurrence, c'était Liam qui la pressait étroitement contre son torse vigoureux et chaud, qui l'enlaçait de ses bras musclés, qui lui faisait l'effet d'un aphrodisiaque sans pareil… Chaque parcelle de son corps lui rappelait qu'elle était une femme et qu'elle avait des besoins !

Elle faillit céder à ses pulsions et enfouir son visage dans son épaule, mais dans un sursaut de lucidité, elle redressa la tête…

Elle se heurta alors à l'impact de son regard et vit un désir aussi violent que le sien couver dans les prunelles de Liam. En proie à l'émotion, le cœur battant, elle ne fit pas un geste, soucieuse de prolonger ce moment intense qui la consumait comme jamais…

L'attirance qu'elle éprouvait pour lui était si forte qu'elle en devenait douloureuse. Comment avait-elle pu oublier la magie de ce temps suspendu, lorsque le souffle se faisait plus court, et que l'espoir dansait sur le fil du rasoir ?

Et tout à coup, avant même qu'elle n'eut le temps de réagir, il pencha la tête vers elle et captura sa bouche...

Ses lèvres étaient à la fois chaudes et fermes, mais aussi hésitantes, comme s'il redoutait qu'elle ne le rejette. Pour le rassurer, elle agrippa ses épaules, se pressa un peu plus contre lui... Elle ne voulait pas d'effleurements, ni de préliminaires. Elle souhaitait que tout se passe avec intensité, rapidement, avant que quelque chose ne s'interpose, que l'un ou l'autre ne se ravise...

Elle désirait qu'il la prenne là, maintenant, dans la lumière du soir, sur l'herbe tendre...

Manifestement, il n'avait pas oublié comment interpréter les gestes d'une femme, puisqu'il se mit à titiller sa bouche pour que leurs langues se mêlent...

Le monde parut alors basculer dans un océan de sensations qui l'enveloppait comme une onde chaude, tandis que des frissons d'excitation lui parcouraient les reins... Jamais elle n'avait éprouvé un désir aussi foudroyant pour un homme.

Il continuait à l'embrasser, mais elle voulait plus, bien plus qu'un simple baiser... Elle mourait d'envie de sentir ses mains habiles, sa bouche fiévreuse parcourir son corps... Elle se languissait de caresses audacieuses comme elle n'en avait pas connu depuis une éternité.

Elle voulait tout simplement savourer de nouveau le bonheur d'être une femme !

Un grognement échappa soudain à Liam, et il resserra son étreinte. Oh oui ! Elle allait enfin obtenir ce qu'elle attendait...

Et puis soudain, elle vacilla presque.

Il venait de la relâcher.

Dans un ultime effort, elle ouvrit les yeux, et croisa

le regard horrifié de Liam. Une immense incompréhension, mêlée d'effroi, la saisit alors…

Elle l'entendit jurer, puis il pivota sur ses talons et s'éloigna à grands pas avant de disparaître dans l'obscurité qui s'épaississait à présent.

Elle en demeura abasourdie, impuissante, meurtrie…

- 7 -

Liam s'arrêta brusquement de courir, haletant…

Les montagnes se dessinaient au loin, et les arbres se dressaient comme autant d'ombres, à leurs pieds. Il était complètement désorienté. Il avait la sensation d'avoir épuisé tous les jurons qu'il connaissait — même ceux qu'il avait cru avoir oubliés.

Mais ce qui restait gravé au fer rouge dans sa mémoire, c'était que Sharon était la femme de Chet et qu'elle méritait bien mieux qu'un homme aussi perdu que lui.

— Bon Dieu, Chet ! murmura-t-il dans la nuit profonde. Ne me déteste pas, s'il te plaît.

Au fond de lui, il savait pourtant que Chet ne l'aurait pas détesté pour son impulsion…

Incroyablement las, il finit par se laisser choir sur l'herbe.

Fermant les yeux, il se rappela les nuits où Chet et lui montaient la garde dans les montagnes en Afghanistan, et où ils discutaient tranquillement dans l'obscurité. Souvent, ils étaient assis dos contre dos, avec leurs jumelles de vision de nuit pour observer la campagne alentour. Ils étaient à l'avant-poste, assurant la protection de leurs soldats, à l'affût du moindre bruit ou mouvement inhabituel. Et la nuit, un son pouvait porter très loin.

Mais ils parlaient aussi. Très doucement, par intermittence, avant de reprendre leur observation silencieuse.

— J'ai embrassé ta femme, Chet. Tu es au courant, n'est-ce pas ? dit-il à voix haute.

Qu'aurait bien pu lui répondre son ami ? Sans doute que Sharon était seule depuis trop longtemps et que jamais il ne lui aurait souhaité une telle solitude.

Chet se sentait en effet parfois coupable de la laisser seule pendant de si longues périodes et s'en ouvrait à lui. Il essayait alors de le réconforter en arguant que Sharon savait pertinemment à quoi s'attendre lorsqu'elle avait épousé un soldat.

— Sans doute, répondait alors Chet, mais entre savoir une chose et la vivre, il y a une grande différence. Le fait est que j'ai épousé une femme, une femme bonne, et que je la laisse toute seule.

Chet avait-il l'intuition qu'il rentrerait à la maison dans un cercueil ? Il s'était souvent posé la question *a posteriori*.

— S'il devait m'arriver quelque chose, je veux qu'elle s'en remette, lui avait dit Chet. Je veux qu'elle tourne la page et qu'elle mène une vie heureuse. L'idée qu'elle reste figée dans le malheur m'est insupportable.

Il s'était alors efforcé de le détourner de telles pensées que, de façon superstitieuse, il jugeait dangereuses.

— Arrête, Chet ! Tu vas rentrer à la maison, vous aurez six gosses ensemble et je ne viendrai pas vous rendre visite parce qu'ils me porteront sur les nerfs.

Chet s'était mis à rire.

— Non, pas six. Juste deux.

En fait, ce devait être aucun…

— Triple idiot ! s'écria-t-il soudain en s'adressant à lui-même.

Comment avait-il pu tenir à Sharon un discours aussi stupide sur les gènes et les noms de famille ? Ce qui lui manquait, c'était justement un enfant qui l'aurait définitivement attachée à Chet.

« Ce n'est pas grave que tu l'aies embrassée », lui sembla-t-il entendre son ami lui murmurer dans l'obscurité. « En revanche, ne joue pas avec ses sentiments. »

— Je n'ai rien à lui offrir, Chet, répondit-il à haute voix. Je suis une vraie épave.

« Ça dépend pour qui », répondit la voix fantôme.

— Assez ! lança-t-il à la brise qui se renforçait. Tu as toujours été un inébranlable optimiste.

Il eut l'impression d'entendre des rires dans la nuit.

— Ce n'est pas drôle ! ajouta-t-il.

Si Chet était rentré vivant à la maison, il aurait lui aussi rapporté sa part de traumatismes. La guerre ne laissait jamais un homme indemne et aucun soldat n'en revenait inchangé. Tous étaient brisés, d'une façon ou d'une autre, et à un degré différent, bien sûr. La question était aussi de savoir comment les autres vous percevaient, ainsi que la voix imaginaire de Chet l'avait souligné.

Liam poussa un soupir et, plaçant les coudes sur ses genoux, ouvrit les yeux. Il aimait la vie d'ici, à Conard County, elle l'apaisait. Il y avait retrouvé une certaine quiétude grâce au rythme régulier du travail, à la relative solitude. Il lui était toujours difficile de rencontrer beaucoup de gens à la fois, il s'en était rendu compte au restaurant, l'autre jour. Trop de stimulation le déstabilisait. Mais il aimait ce ranch, tout comme le labeur physique.

Et puis il y avait Sharon…

Alors qu'il avait pensé finir en ermite, incapable de communiquer avec quiconque, elle avait surgi sur son chemin. Il voyait bien qu'il l'agaçait, de temps à autre, mais cela passait toujours, et elle ne semblait pas pressée de le renvoyer sur les routes. Toutefois, la crainte qu'elle le congédie ne le lâchait jamais vraiment.

S'il ressentait moins de colère et de frustration, des accès de fureur ou des sautes d'humeur prenaient encore parfois possession de lui de façon inattendue, comme un violent orage perturbant un calme après-midi d'été. Il professait toujours à voix haute des vérités qu'il aurait mieux fait de taire, et il n'était pas certain que tout ce qu'il disait avait du sens. Mais Sharon semblait toujours trouver ses propos intelligibles, même quand leurs avis divergeaient, ou lorsqu'il proférait de véritables insanités, comme cette histoire de gènes et de noms. Et s'il lui arrivait de ne pas comprendre ce qu'elle voulait dire, elle avait l'élégance de faire comme si de rien n'était et d'aborder ce qui posait problème sous un autre angle.

Il ne se sentait plus en permanence à cran avec elle, inquiet de savoir s'il avait dit ou fait ce qu'il fallait. Elle lui avait laissé assez d'espace pour être lui-même, pour exister.

Evidemment, des questions restaient sans réponse. A l'hôpital, on lui avait assuré que tout un monde l'attendait à l'extérieur, qu'il finirait par trouver sa voie et mener la vie qui lui convenait. Ces paroles avaient été douces à entendre, bien sûr, mais le fait est qu'il avait éprouvé un réel sentiment de solitude, à sa sortie de l'hôpital, car il n'avait personne vers qui se tourner. Il ne pouvait pas compter sur sa sœur, et d'ailleurs il ne lui en tenait même plus rigueur. Ses parents étaient morts depuis longtemps ; quant à ses amis, ceux qui avaient survécu, ils avaient renoué avec leurs vies d'avant ou bien ils continuaient à parcourir le monde en uniforme. Impossible de se présenter sur le seuil de leur maison en leur demandant de l'héberger le temps qu'il reprenne pied.

Alors il avait pris la route pour effectuer la mission que Chet lui avait confiée et remettre la lettre à sa femme. Il s'était au moins trouvé un but, une destination. Après, il verrait bien…

Le chemin avait été long, il avait parfois eu l'impression d'aller à la dérive, même acheter de la nourriture était…

Décidément, il ressassait et toutes ces réflexions lui donnaient la migraine ! En réalité, s'il s'était remis à méditer sur son sort, c'était parce qu'il voulait se dérober au problème principal, c'est-à-dire l'attirance qu'il ressentait pour Sharon. Bon sang, ce qu'il pouvait la désirer… ! Et même si cela ne pouvait plus atteindre Chet, et que la conversation qu'il avait eue avec lui fût imaginaire, une phrase était restée gravée en lui : il ne devait pas jouer avec les sentiments de Sharon. C'était un impératif absolu !

Soudain, il revit le visage de Sharon, quand il l'avait brusquement relâchée…

Il devait réparer de toute urgence le mal qu'il avait commis, mais comment ? Il n'avait pas de réponse… De toute façon, il devait rentrer, la nuit était tombée et il ne pouvait pas s'attarder plus longtemps à l'extérieur. Nul doute qu'elle l'attendait, et qu'elle avait de nombreuses questions à lui poser sur la façon dont il venait de se comporter.

Si seulement il avait su faire autre chose que de la peinture ! Etre capable d'affronter ses actes, par exemple, au lieu de fuir à la moindre difficulté. Qu'avait bien pu ressentir Sharon ? Il n'osait même pas l'imaginer.

— Retourne à la maison ! s'ordonna-t-il à mi-voix.

Après tout, s'il devait se parler à voix haute pour agir, il le ferait. Ne disait-on pas que la fin justifiait les moyens ?

— Tu dois parler à Sharon, ajouta-t-il.

C'était à présent la lueur qui le guidait dans la nuit : s'expliquer avec Sharon.

Quand il rentra dans la maison, il la trouva assise à la table de la cuisine, une tasse de café devant elle. Elle avait l'air sombre, d'ailleurs elle lui jeta à peine un regard.

Il hésita… Alors, puisant dans son courage, il se ressaisit.

— Sharon, il faut que je te parle, déclara-t-il.

— De quoi ? Du baiser que tu m'as donné, puis de ta fuite, par peur que je te massacre à la hache.

— Ah bon ? C'était vraiment ce que tu avais envie de faire ?

Elle ouvrit la bouche, visiblement surprise, puis un petit rire lui échappa. Décidément, il ne comprenait pas cette femme.

— Qu'est-ce qu'il y a de drôle ? demanda-t-il.

— Tu prends vraiment tout au pied de la lettre, Liam. Allez, viens boire un café avec moi. Tu voulais parler, non ? Alors assieds-toi.

Avec lenteur, il obtempéra puis se servit du café. Et tout à coup, le souvenir de Sharon s'abandonnant à lui traversa son esprit avec une fulgurance inattendue. Il revit sa bouche ouverte, offerte, se rappela la douceur, la chaleur de leur baiser... Un élan de désir l'étreignit et il détourna les yeux de Sharon pour ne pas commettre de nouveau un acte inconsidéré.

— Ce n'est quand même pas très flatteur, cette image de me massacrer à la hache ! reprit-il.

— Mais tu avais l'air aussi horrifié que si j'avais eu une arme blanche à la main, expliqua-t-elle alors. Pourtant il était extraordinaire, ce baiser... Mais il n'empêche que c'était juste un baiser.

« Juste un baiser » ? Il ne savait pas comment le prendre. L'idée qu'elle n'avait peut-être pas ressenti la même chose que lui quand ils s'étaient étreints lui était insupportable... Bon, il valait mieux qu'il garde le silence, étant donné sa faculté à s'attirer les pires ennuis en quelques mots.

— Qu'est-ce qui s'est passé ? reprit-elle finalement. Pourquoi est-ce que tu t'es enfui ?

— Ce n'est pas à cause de toi, lui assura-t-il bien vite. Je suis désolé si je t'ai donné cette impression.

— Donc, je n'ai rien fait de mal ? Je ne t'ai pas subitement dégoûté ?

Il se figea, réellement choqué. C'était encore pire que ce qu'il avait imaginé.

— Certainement pas ! C'est juste moi... Je me suis senti coupable, sans doute...

— Coupable ? A cause de Chet, c'est ça ?

Il ne répondit rien, certaines évidences ne méritant aucun commentaire. Bien sûr qu'il avait soudain eu la sensation de trahir son meilleur ami, même s'il était certain que, de là où il se trouvait, ce dernier ne lui en voulait pas.

— Chet fera toujours partie de ta vie et de la mienne, Liam, reprit-elle d'un ton curieusement tranquille, en dessinant un motif invisible sur la table. Toujours.

— Oui.

Il fallait qu'il lui parle, se redit-il, mais il n'arrivait pas à trouver quoi lui dire. Comment gérer la situation ? C'était comme s'il se trouvait derrière une porte barricadée… Nom d'un chien, il devait fournir un effort ! Se concentrer sur Sharon, sur ce qu'il pourrait faire pour qu'elle se sente mieux !

Ce fut alors qu'il l'entendit dire avec lenteur :

— Tu devrais peut-être lire la lettre de Chet. Celle que tu m'as apportée.

— Mais… c'est personnel, protesta-t-il.

— Pourtant, j'ai l'impression que tu as autant besoin que moi de la lire !

D'un bond, elle se leva… pour aller manifestement chercher la lettre ! Une grande nervosité s'empara de lui. Elle le poussait sciemment à transgresser les règles, à s'aventurer sur un terrain interdit. Mais après tout, c'était son courrier et si elle voulait qu'il le lise… Etait-il capable de juger du bien-fondé de sa démarche ? Assurément non. Alors autant s'en remettre à elle, à son raisonnement.

Cette lecture lui apporterait peut-être une certaine paix, voire des réponses à des questions qu'il n'avait jamais osé formuler même en pensée.

Rentrant dans la cuisine, elle lui tendit la lettre, cette fameuse lettre qui venait de si loin, et qui portait même les traces de son propre sang. A la vue de l'enveloppe, une vague de fortes émotions le submergea… Des bribes de souvenirs lui revinrent alors : il revit Chet en train de l'écrire, de plaisanter à son sujet, puis il s'entendit rire à son tour, quand lui-même en avait rédigé une à l'intention de sa sœur. Il se rappela le moment où il l'avait retrouvée toute froissée, dans son sac, après que la mémoire lui était revenue, et l'énorme poids qui lui était tombé sur les épaules quand il avait compris qu'il avait une ultime mission à remplir pour son ami disparu.

— Je ne sais pas si je suis capable de la lire, murmura-t-il alors.

— Très bien, je vais t'en faire la lecture.

Un sentiment d'angoisse l'envahit aussitôt, une impression familière et pourtant toujours aussi terrifiante.

— Sharon…

Elle plongea ses beaux yeux vifs dans les siens.

— Bon, je vais te la résumer. Dans cette lettre, Chet me dit d'avancer. Que si je ne tourne pas la page, son ciel deviendra un enfer.

Voilà qui ressemblait bien à Chet ! La peine lui étreignait la gorge, tel un étau.

— Il était étonnant, parvint-il à murmurer.

— C'est-à-dire ?

Il secoua la tête, s'efforçant de déglutir, d'avaler ce nœud qui l'étranglait.

— C'était un homme bon, dit-il tout simplement.

Il se rappela la confiance que Chet accordait aux paysans afghans qui élevaient des moutons, alors que potentiellement, dans ce pays en guerre, tout homme était un ennemi. Mais une part de Chet voulait rester innocente, et c'était ce qu'il admirait chez son ami.

— Toi aussi, répondit-elle.

Il voulut protester, mais il s'abstint, car il ne se

sentait pas capable d'argumenter avec elle. A la place, il demanda sans réfléchir :

— Et tu avances ?

Il regretta immédiatement sa question mais encore une fois, il était trop tard pour revenir en arrière. Il ne lui restait plus qu'à attendre la réponse. Il se tendit.

— Je pense que oui, dit-elle d'un ton bas, très calme. Une partie de moi est morte avec Chet, mais il reste une grande part encore en vie. J'ai de longues années devant moi. Je commence à me sentir… Enfin, tu vois ce que je veux dire… Par exemple, j'ai envie d'acheter des chèvres, c'est plutôt positif. Je veux que nos projets deviennent réalité, car c'étaient aussi les miens. Ce n'était pas uniquement le rêve de Chet.

Du bout des doigts, elle effleura l'enveloppe qu'elle avait posée sur la table.

— Je ne te remercierai jamais assez pour m'avoir apporté cette lettre, Liam. J'avais besoin de lire ces mots.

Relevant la tête, elle planta ses yeux dans les siens.

— Et toi aussi, tu devrais les lire !

Il repensa à la conversation mentale qu'il venait d'avoir avec Chet. Il le connaissait mieux que personne au monde, aussi pouvait-il se permettre de lui prêter des réactions.

— Peut-être, marmonna-t-il, tout en sachant que telle aurait été aussi la volonté de Chet.

Il se mit alors à fixer un point à l'horizon, et ajouta :

— Nous vivions à toute allure, là-bas. Nous ne regardions jamais derrière nous, ni n'anticipions plus qu'il ne fallait, d'ailleurs. Et de temps en temps, nous parlions de la maison.

Elle semblait l'écouter avec grande attention.

Quand il se tut, elle reprit :

— Je connaissais les rêves de Chet, mais les tiens, quels sont-ils ?

— Je ne sais pas… Si j'en avais, je ne m'en souviens plus.

— Je comprends. La guerre ne se prête pas forcément aux projets.

— Sans doute… Je ne sais pas, je ne sais plus.

Il se sentait si confus, si étrange de ne pas avoir eu de projets pour l'avenir, pas de rêve.

— Et aujourd'hui ?

Son insistance lui déplut.

— Je trouverai, éluda-t-il.

— Je n'en doute pas un instant. Prends ton temps. Sache que je suis ravie que tu sois au ranch et que tu m'es d'une aide incroyable.

Réconforté par ces paroles, il lui adressa un petit sourire.

— Moi aussi je suis heureux d'être ici… Donc, je n'ai pas à me sentir coupable de te désirer ?

Cette fois il avait eu conscience qu'il allait poser une question embarrassante, mais il avait eu envie de la voir rougir. Elle était si ravissante, quand elle était gênée.

— Ce que tu peux être direct, parfois.

— Je t'avais prévenue.

Bien que toujours confuse, elle se mit à rire.

— Non, pas besoin de te sentir coupable, répondit-elle alors.

— Mais toi, ça ne te plaît pas…

— Je n'ai jamais dit ça. Seulement, j'ai besoin d'un peu de temps pour m'habituer à certaines choses. Je suis sans doute un peu compliquée. Inutilement, sans doute…

— J'essaierai en tout cas de ne pas te brusquer.

De nouveau, elle rougit, puis déclara tout à trac :

— Tu veux qu'on travaille un peu la lecture, ce soir ?

Son changement de sujet le déstabilisa. Mais au fond, n'était-il pas préférable d'en finir avec cette conversation stressante ? Il poussa un soupir.

— Qu'est-ce qui se passe ? demanda-t-elle.

— Je n'arrive pas à gérer mes émotions dans des situations d'angoisse ou de tension, et cela me pèse.

— Je comprends…

Comme elle paraissait hésiter, il l'encouragea :

— Vas-y. Dis-moi ce que tu voulais me demander.

Elle se mordit la lèvre, puis demanda :

— Est-ce que tu étais comme ça, avant l'accident ?

— Je ne sais pas, Sharon. On n'a rien pu m'affirmer de façon certaine. Je sais juste qu'aujourd'hui certaines choses concrètes me rassurent, comme peindre la grange, et d'autres me donnent des sueurs froides, comme cette porte que j'avais cassée et qu'il fallait réparer. J'avais l'impression de regarder mon impuissance droit dans les yeux.

— Mais, Liam, tu as réussi à la réparer, c'est ce qui compte.

— Sans doute, mais parfois cela me rend fou. Il faut que j'apprenne à appréhender la réalité avec toutes ces nouvelles limites.

— Et découvrir aussi qu'elles ne sont peut-être pas aussi nombreuses que tu le penses. Regarde la grange.

— Peut-être… En tout cas, je n'aurais pas dû t'embrasser, ça, c'est sûr.

Curieux ! Il lui arrivait d'oublier tout à coup ce qu'il était en train de faire ou de dire, mais ce baiser-là l'obnubilait. Impossible d'en faire abstraction.

— Ce n'est pas juste à cause de ma culpabilité envers Chet, continua-t-il. Evidemment, c'est déjà une raison suffisante, mais le fait est que je suis un homme brisé. Bien trop brisé pour embrasser une femme.

— Je t'interdis de dire une chose pareille, Liam O'Connor, s'insurgea-t-elle. Et je t'interdis aussi de le penser. C'est compris ?

Il croisa ses prunelles, à la fois furieuses et brillantes.

— Oui, c'est compris, ça ne peut être plus clair.

Et malgré lui, il lui sourit.

Manifestement, cela lui plaisait qu'elle se soit mise en colère et pourtant…

— Cela ne change rien aux faits, Sharon, ajouta-t-il.

— Quels faits ? On a tous des points faibles.

— J'en ai plus que la moyenne.

— Tout dépend de la façon dont tu les abordes, et dont tu les gères. Reprenons l'exemple de cette fichue porte. Tu as été capable de suivre les instructions pour la réparer. Arrête de penser à tes fameuses limites, mais explore plutôt tes possibilités !

— J'imagine que c'est le discours que tu tiens à tes élèves.

— Euh… oui, bien sûr ! Tout le monde a ses points forts et ses points faibles. Certains sont nuls en maths, mais doués pour la littérature et *vice versa*. Aucun ne vaut moins que l'autre.

Et tout à coup, sans prévenir, elle se leva, contourna la table et s'approcha de lui d'un pas décidé.

— Recule ta chaise ! ordonna-t-elle.

Il la regarda sans comprendre, mais s'exécuta. Alors, à son plus vif étonnement, elle s'assit sur ses genoux, noua ses bras autour de son cou et le regarda droit dans les yeux !

— Moi aussi, j'ai envie de toi, dit-elle sans ambages.

Et avant qu'il n'ait le temps de reprendre son souffle, il sentit les lèvres de Sharon sur les siennes…

— Alors accepte ce baiser, murmura-t-elle avec fièvre avant de mêler sa langue à la sienne.

Il était persuadé que ce n'était pas bien pour elle, mais comment quelque chose de mal pouvait-il procurer autant de plaisir ? Et pourquoi s'inquiétait-il tant, puisque c'était elle l'initiatrice du baiser ?

Un désir puissant noya subitement toutes ses questions, et il sentit l'excitation prendre possession de son être, au point d'en devenir presque douloureuse.

Elle l'embrassait avec ferveur, détermination… Il comprit qu'elle avait dit vrai : elle avait envie de lui ! Et cette fois, il n'y avait pas de place pour sa culpabilité envers Chet, ni ses points faibles : les besoins primaires avaient repris leurs droits, un feu ardent les consumait tous deux.

L'enlaçant à son tour, il l'étreignit, heureux de la tenir dans ses bras, dans le vertige de la passion qu'elle éveillait en lui. Cela faisait une éternité qu'il n'avait pas embrassé une femme, et grâce à Sharon ce moment serait mémorable…

Hélas ! Le rêve prit fin tout aussi brutalement qu'il avait commencé. Elle venait de le repousser !

Dans un suprême effort, il rouvrit les yeux : elle avait les lèvres gonflées, les yeux voilés et elle lui souriait. Elle n'affichait pas la moindre contrariété.

— Tu as compris, maintenant ? demanda-t-elle.

Puis, le plus tranquillement du monde, elle se leva et retourna s'asseoir à sa place.

Il en resta abasourdi, le corps endolori comme s'il venait de recevoir un coup qu'il n'avait pas vu venir. Comme un homme assoiffé à qui on aurait repris son verre d'eau fraîche.

Et pourtant, ce n'était pas tout à fait ça non plus… Elle lui avait offert quelque chose, puis lui avait laissé le soin de décider. Maintenant ? Plus tard ? Jamais ?

Il n'était plus celui qu'il avait été, certes, mais cela ne l'empêchait pas de reconnaître le danger quand il se profilait. « Ne joue pas avec les sentiments de Sharon. » Que ce soit sa propre mise en garde ou celle de Chet ne changeait rien à l'affaire. Il ne devait pas profiter d'elle, ni la faire souffrir, compris ?

Lui-même était-il prêt pour une relation durable et profonde ?

Bon sang, il ne détenait aucune certitude, aucune réponse… Quel champ de mines ! Tout ce qu'il savait, c'était que la passion ne suffirait pas, mais il voyait bien que ni l'un ni l'autre ne voulait l'admettre, et qu'ils étaient prisonniers d'un lacis de nœuds inextricables.

- 8 -

Sharon ayant choisi une couleur de peinture qui n'était pas disponible en magasin, Ed dut la commander à son fournisseur et les travaux furent momentanément suspendus. D'ailleurs, tout dans sa vie lui paraissait remis à plus tard. Liam était devenu plus distant, depuis qu'elle l'avait embrassé… Difficile de l'en blâmer ! Elle éprouvait du désir pour lui, c'était indéniable, mais la situation n'était simple ni pour l'un ni pour l'autre.

Et ce n'était pas uniquement parce que l'ombre de Chet planait sur leur relation. Non, il y avait d'autres raisons… Liam luttait toujours pour retrouver l'homme qu'il avait été, tandis qu'elle venait juste de se réveiller de la léthargie dans laquelle elle avait plongé après la perte de Chet : elle avait tant à reconstruire.

Liam et elle étaient deux blessés de la vie, et la réserve qu'il manifestait à son égard était sans doute plus raisonnable que l'audace dont elle avait fait preuve…

Qu'éprouvait-elle exactement pour Liam ?

Elle était demeurée seule trop longtemps pour se fier réellement à son jugement. Pourtant, jusqu'à son arrivée, elle n'avait ressenti aucun intérêt pour les hommes que les circonstances l'avaient amenée à croiser. C'était spécifiquement lui qui l'attirait, mais où menait une attirance ? N'était-ce pas un sentiment éphémère, dont on devait se méfier ?

Elle essayait de donner à Liam ce qu'il attendait d'elle, c'est-à-dire des tâches quotidiennes à effectuer manuellement. Elle avait établi une liste de petites réparations et il s'y consacrait avec zèle, n'hésitant pas à l'appeler quand il avait besoin d'aide.

Chaque jour, il reprenait un peu plus confiance en lui et elle était certaine que sa tendance à se sous-estimer disparaîtrait bientôt. Il détenait tous les éléments pour se reconstruire sur des bases solides ! Il s'efforçait par exemple d'écrire le plus possible. Il laissait de côté les schémas, leur préférant des Post-it sur lesquels il griffonnait les étapes à suivre pour son bricolage. Bref, il réapprenait tous les jours, et un homme qui se trouvait dans de telles dispositions d'esprit ne pouvait qu'accomplir des miracles.

Ses élans de frustration étaient bien moins fréquents. Dans ce domaine-là aussi, les progrès qu'il avait réalisés depuis son arrivée étaient considérables.

D'un côté, elle aurait aimé l'avoir connu avant l'accident, mais d'un autre, il était sans doute plus sage qu'ils ne se soient rencontrés qu'après. Ainsi, elle ne pouvait pas établir de comparaison, et Liam en faisait pour sa part bien assez ! Son cœur se serrait chaque fois qu'elle l'entendait pester entre ses dents parce qu'il ne parvenait plus à effectuer ce qui était une évidence auparavant, pour lui.

Elle le sentait souvent frémir de colère, et cela la tracassait mais comment évoquer le sujet sans le froisser ? Dieu sait qu'il avait déjà assez de motifs d'irritation pour qu'elle n'en rajoute un de plus. Après tout, tant que sa fureur n'était pas dirigée contre elle, ce n'étaient pas ses affaires, et il appartenait à Liam de trouver ses propres réponses.

Il n'en restait pas moins qu'il avait réalisé des quantités de travaux dans la maison, des petites réparations dont elle aurait tout à fait pu se charger si elle n'était pas devenue aussi indifférente : un robinet qui gouttait, des toilettes qui fuyaient, une plinthe à reclouer, des portes à huiler… Il avait également commencé à réparer la balustrade, certaines poutres nécessitant d'être remplacées.

En ce moment, il s'occupait de l'intérieur de la grange, et elle n'avait pas vraiment envie d'aller y mettre son nez. La grange n'était pas vide quand Chet et elle avaient acheté le ranch, et ils l'avaient laissée en l'état, encombrée de matériaux qu'elle aurait été bien incapable d'identifier. A l'époque, ni Chet ni elle n'avaient eu hâte de s'en débarrasser : on ne savait jamais ce qui pouvait servir !

Elle poussa un soupir. Chet, le passé, le présent, Liam, tout s'emmêlait… Rien n'était décidément clair dans sa tête, et les questions s'y bousculaient. Notamment sur l'attitude qu'elle devait adopter envers Liam… Mais c'était tout de même mieux que quelques mois auparavant, quand elle n'avait plus l'impression d'appartenir au monde des vivants. Quand la douleur était si forte qu'elle aurait encore préféré être morte, elle aussi…

Bon, assez ruminé ! Elle avait besoin de bouger ! Elle n'en pouvait plus de continuer à se tourner les pouces pendant qu'il travaillait.

Prenant son courage à deux mains, elle se dirigea vers la grange où elle trouva Liam assis sur l'aile d'un vieux tracteur rouillé. Quelle surprise de découvrir combien l'endroit paraissait spacieux à présent qu'il avait été déblayé, et que le tout avait été ordonné !

— Waouh ! Quel beau travail ! s'exclama-t-elle.

Il inclina la tête sur le côté.

— Une grange ne sert à rien si elle est pleine à craquer, dit-il.

— Il n'empêche que tu as accompli un prodige ! L'idée de la vider me paraissait insurmontable.

— Eh bien, maintenant, tu pourras l'utiliser ! Il suffisait de mettre un peu d'ordre.

— A t'entendre, on a l'impression qu'il n'y a rien de plus simple, mais je t'assure que tu as accompli un travail remarquable. Tous ces matériaux, tu sais à quoi ils servent ?

Un petit sourire éclaira les traits de Liam.

— Pas vraiment… Je crois que tu devrais demander à l'un de tes voisins de venir y jeter un coup d'œil. Tu peux sans doute jeter une bonne moitié de ce fatras, mais certaines choses te serviront probablement pour tes chèvres.

Elle se mit à rire.

— Oui, c'est bien ce qu'on pensait, Chet et moi. Mais on était vraiment désemparés face à ce chantier, on ne savait pas par quel bout le prendre.

— Mais tu voulais bien mettre de l'ordre ? s'enquit-il soudain.

— Evidemment !

Elle se tut quelques instants, avant de reprendre :

— Bon, Liam, j'ai besoin de changer d'air, d'aller en ville… Tu m'accompagnes ?

Son hésitation était palpable, mais il finit par descendre du tracteur.

— Entendu, dit-il. Si cela ne te dérange pas d'attendre que je me lave, bien sûr. Je suis tout sale.

Elle était soulagée qu'il consente à venir. Ils étaient trop refermés sur eux-mêmes et depuis qu'il avait repris ses distances avec elle, c'était encore plus insupportable.

En silence, ils revinrent à la maison.

Comment avait-elle pu survivre aux longs mois de solitude qui avaient suivi la mort de Chet ? Bien sûr, elle avait continué à inviter ses amies à jouer aux cartes, et ses cours avaient aussi occupé une bonne partie de son temps, mais il était resté de longues plages, comme les soirées, les vacances, l'été, où elle pouvait passer des jours et des jours sans parler à personne.

Combien d'invitations n'avait-elle pas déclinées pour Thanksgiving ou Noël, redoutant la douleur qu'elle éprouverait à se retrouver parmi des familles heureuses ? Elle n'avait pas envisagé que la compagnie des autres aurait pu la distraire.

Mais ce temps-là était révolu !

Montant l'escalier, elle enfila un jean propre et un polo en coton, puis entendit Liam se doucher. Comme il était rassurant que des bruits humains autres que les siens résonnent dans la maison !

Comme elle fut prête avant lui, elle alla dans la cuisine et l'attendit devant un verre de lait. De nouveau, ses pensées vagabondèrent…

Elle invoquait le changement comme une incantation, mais quel « changement » envisageait-elle, au juste ? Elle devait se fixer des buts bien précis. Bon, pour commencer, elle s'entretiendrait avec Ransom au sujet des chèvres. Elle appellerait aussi Mike Windwalker, le vétérinaire, pour lui demander son avis. Elle avait envie d'élever des chèvres, mais elle ignorait si un tel cheptel convenait à une débutante !

Elle se sentait tellement ignorante en la matière. Soudain, elle se mit à rire. Elle qui était enseignante n'avait même pas songé à se renseigner sur la façon de concrétiser le rêve qu'elle nourrissait. C'était dire à quel point elle s'était laissée aller…

Mais la vie lui avait appris qu'à toujours remettre au lendemain on finissait par ne rien faire. Il était donc impératif qu'elle se ressaisisse.

Après que Liam l'eut rejointe, ils regagnèrent le pick-up. Comme ils cahotaient sur les ornières pour rejoindre la route nationale, il demanda :

— Alors, ces chèvres ? Ton projet a un peu mûri ?

— Bonne question ! Il faut que je me renseigne enfin de manière concrète. Je vais discuter avec Ransom, et prendre conseil auprès du vétérinaire de Conard City. Qui sait ? Ils me recommanderont peut-être de choisir d'autres animaux, pour me lancer dans l'élevage. Je n'ai pas non plus envie d'être complètement débordée, d'autant que je devrai aussi assurer mes cours à la rentrée scolaire.

— Je pourrai t'aider.

Elle crut que son cœur allait s'arrêter de battre…

Lui proposait-il de s'installer définitivement chez elle ? Et si tel était le cas, pourquoi ?

Il avait dû se rendre compte de l'incongruité de sa proposition, car il ajouta de façon abrupte :

— Si tu souhaites que je reste, bien sûr.

— Mais toi, pourquoi en aurais-tu envie ?

La question avait jailli de sa bouche sans qu'elle réfléchisse et elle la regretta aussitôt. Elle essaya de rectifier le tir.

— Enfin, je veux dire, il ne faut pas te croire obligé de…

— Visiblement, je me suis encore mal exprimé. La vie ici me plaît, Sharon, c'est aussi simple que ça. J'aime le travail en plein air, c'est reposant. Et puis, je suis assez doué finalement pour les tâches manuelles. Du moins pour un enfant qui a été élevé en ville.

— Tu es *très* doué ! Ne cherche pas à relativiser tes compétences.

— Et toi Sharon, tu es une personne si facile à vivre, si compréhensive, enchaîna-t-il. La première en son genre que je rencontre depuis ma sortie de l'hôpital. A une exception près, remarque…

Son cœur fit un petit bond dans sa poitrine.

— Ah bon ? Qui ?

Il poussa un soupir.

— Une fois, à une station-service où je m'étais arrêté pour acheter de la nourriture, des types m'ont créé des ennuis. Tu sais, certains ont le don pour détecter les plus faibles et s'en prendre à eux.

Elle se mordit la lèvre, affectée par ses propos, mais se garda d'intervenir, désireuse de le laisser s'exprimer.

— Ne fais pas cette tête, reprit-il avec un petit sourire. J'ai survécu. Bref, ils ont commencé à se moquer de moi, à m'insulter. Et moi, je n'avais qu'une chose en tête : sortir de la supérette parce que je sentais que je devenais vraiment furieux.

— Il y avait de quoi !

— Peut-être, mais cela aurait eu de graves conséquences si j'avais perdu mon sang-froid... Nous avons une mémoire musculaire, tu sais ça ?

Il serra les poings avant de poursuivre :

— Le cerveau n'a pas besoin d'analyser cette mémoire-là avant de nous pousser à l'action. C'est elle qui m'a permis de recouvrir la grange d'enduit, et c'est aussi grâce à elle que je suis capable de me battre. Et j'ai beaucoup appris à l'armée, en la matière ! Si j'avais porté la main sur l'un de ces types, j'aurais sans doute fini en prison.

— Liam ! Ne dis pas des choses pareilles !

— C'est pourtant la vérité. Quand la colère monte en moi, il est préférable que je m'en aille. Le problème, ce jour-là, c'est que ces fauteurs de troubles m'ont suivi... J'étais vraiment à deux doigts de me retourner et de leur sauter au collet, et je crois vraiment que j'aurais pu leur faire très mal, quand j'ai croisé un camionneur d'une cinquantaine d'années. Il avait dû repérer ma veste militaire et observer la scène. Toujours est-il qu'il a dit aux trois provocateurs qu'ils devraient avoir honte de se moquer d'un vétéran, et qu'éventuellement la police pourrait les aider à comprendre.

— C'est invraisemblable... Comment ont-ils pu s'en prendre à toi sans raison ?

— Comme je te dis, j'avais l'air perdu, cela les amusait. Bref, ce redresseur de torts m'a plu, assura-t-il avec un petit sourire ironique. Les autres n'ont pas insisté et le camionneur m'a proposé de faire un bout de chemin avec lui, si j'allais vers l'ouest. Par chance, c'était aussi ma direction. Cela m'a fait un bien fou de retrouver de la chaleur humaine.

— Tu m'étonnes !

Il se tut brusquement, peut-être submergé par ses souvenirs.

Elle lui jeta un coup d'œil à la dérobée… Il avait toujours les poings serrés. Instinctivement, elle posa sa main sur l'un d'eux. Elle préféra demeurer silencieuse, elle aussi, toute parole paraissant superflue. Elle sentit ses doigts trembler sous les siens, puis elle eut la sensation qu'il se détendait peu à peu… Une minute plus tard, il retourna la main pour étreindre la sienne.

Quels effets psychologiques ces humiliations avaient-elles eus sur lui ? Sa gorge se noua… Pas étonnant que l'idée d'aller en ville ne le remplisse jamais d'une joie folle ! Il devait craindre de se retrouver dans des situations délicates.

Un valeureux militaire qui avait été au service de son pays n'aurait jamais dû subir un traitement pareil ! C'était honteux. Elle lui jeta de nouveau un coup d'œil, pleine d'empathie pour les épreuves qu'il avait traversées, pour ses efforts en vue de se lancer dans une nouvelle vie. Elle n'osait pas imaginer combien d'autres subissaient un sort semblable à celui de Liam…

Au fond, plus elle y songeait, et plus elle se disait qu'il s'en sortait remarquablement bien.

— Tu as envie de manger en ville ? demanda-t-elle pour se distraire de ses propres pensées. Si la réponse est non, pas de problème. On passe chez le traiteur.

— Tu ne m'avais pas dit que tu avais besoin de changer d'air ?

— Le restaurant n'est pas non plus la panacée. On peut changer d'air de mille autres manières. Je te demande juste si toi, tu as envie d'aller au restaurant, et tu n'es pas obligé de me dire oui.

— Allons chez Maude ! décréta-t-il avec une détermination qui lui plut. On verra si j'arrive à lire le menu, cette fois. Cela nous permettra de mesurer mes progrès. Tu te donnes tant de mal pour que je relise comme avant.

— C'est toi qui fais tout le travail, Liam, n'inverse pas les rôles, tout de même !

Elle se contentait de lui proposer des lectures, et l'aidait de temps à autre quand il butait sur un mot. Il avait une force de caractère formidable et il ne renonçait jamais. Enfin, sauf quand il s'éloignait parce que la colère le terrassait subitement…

C'était le cœur de l'été, et il y avait longtemps qu'il n'avait pas plu. Les rues étaient désertes quand ils arrivèrent en ville, comme accablées de soleil. Avec un peu de chance, ce ne serait pas trop bondé, chez Maude…

Dès qu'elle pénétra dans le restaurant, elle comprit qu'elle avait commis une erreur. Des amies enseignantes s'y trouvaient déjà ! Et bien sûr, elles lui firent immédiatement signe de venir à leur table.

Sharon échangea un bref regard avec Liam, qui hocha aussitôt la tête en signe d'acquiescement. Bon, puisqu'il était d'accord… Pourtant, ce trio de femmes devait représenter une véritable foule pour lui.

— Bonjour ! leur dit Alice Shepling, en reculant sa chaise pour leur faire de la place.

Cassie Blair se déplaça un peu elle aussi. Et Connie Jespon, la plus âgée des trois, se mit à étudier Liam avec la plus grande attention.

Sharon le présenta comme un ami militaire de Chet, qui était venu lui donner un coup de main pour s'occuper du ranch. Elles l'accueillirent avec chaleur, et il leur répondit par un large sourire. Lorsque Maude leur distribua les menus, il n'ouvrit pas le sien, mais commanda la même chose que la fois précédente. Excellente couverture, songea-t-elle… La présence de tiers aurait sans doute altéré ses capacités à déchiffrer l'écriture de Maude.

— Nous parlions du projet contre la violence que Cassie et Linc ont mis en place l'année dernière, les informa Alice. Nous avons besoin de l'améliorer et de lui donner une plus grande envergure. Toutes les idées sont les bienvenues.

Elle adressa alors un sourire à Liam pour l'inclure dans la conversation.

— Nous avons eu, au lycée, un cas de harcèlement épouvantable, poursuivit-elle. Un groupe d'élèves s'en est pris à un jeune garçon, et quand nous avons eu vent de l'histoire, la victime avait déjà commis une tentative de suicide.

Elle perçut la tension qui envahit tout de suite Liam. Ce n'était vraiment pas le sujet idéal de conversation pour lui ! Et si elle trouvait un prétexte pour partir sur-le-champ ? Mais il était trop tard, ils avaient déjà commandé. S'ils se dédisaient à présent, Maude allait en faire toute une histoire. Quelle barbe !

— C'est affreux, observa Liam d'un ton calme.

— Mais cet élève n'est pas le seul à subir de la violence, poursuivit Connie. Cassie a été elle aussi harcelée par un parent qui lui reprochait d'avoir rendu l'affaire publique.

— Ah bon ? Tu as été harcelée ? demanda Liam à Cassie, en se tournant vers elle.

— Oui, c'est le terme, répondit-elle.

— Et le moins que l'on puisse dire ! renchérit Alice, sur un ton indigné. Tu as reçu des menaces, on s'en est pris à ta voiture, puis à ta personne ! C'est pourquoi nous sommes déterminées à mettre en place un programme dès la maternelle pour sensibiliser les plus jeunes enfants à ce type de comportement intolérable.

— La pression sociale est primordiale, souligna Liam.

Sharon fut ravie qu'il prenne part à la conversation et en éprouva un certain soulagement. Quand Maude posa bruyamment son plat devant lui, il ne broncha pas… alors qu'elle était prête à bondir !

— Une pression sociale positive, précisa Connie. Nous ne voulons pas que notre démarche soit perçue de façon négative.

Liam se contenta de hocher la tête et se mit à manger.

Elle s'attaqua elle aussi à sa salade, attentive à la fois à la conversation de ses amies et au moindre signe d'alerte chez Liam. Mais il paraissait à l'aise, et prêtait une oreille vigilante à chacune, approuvant de temps à autre leurs propos d'un hochement de tête. Lorsque la discussion prit un tour plus banal, cela ne parut pas non plus lui déplaire, même si ses interventions ne furent pas plus nombreuses. Il craignait peut-être de prononcer des propos déplacés…

— Tu es en permission, Liam ?

Sharon se glaça. Alice venait de poser la question qu'elle redoutait depuis le début du repas. Elle s'apprêtait à répondre à sa place, quand il déclara sans détour :

— Non, l'armée m'a rendu à la vie civile, car j'ai subi un traumatisme crânien.

Les trois femmes poussèrent simultanément un petit cri de surprise, et Sharon hésita à jeter trente dollars sur la table pour régler l'addition et partir, fuir au plus vite. Elle surmonta finalement son impulsion et se mit à scruter ses amies d'un œil sévère, priant pour qu'elles ne posent pas des questions indiscrètes !

— Oh ! mon Dieu ! reprit Alice. Je suis désolée. Tu as dû vivre un enfer.

— Ce n'était effectivement pas une partie de plaisir, confirma Liam. Mais ça va, maintenant. Sharon m'a été d'un grand secours.

— On peut toujours compter sur elle, approuva Cassie.

— Liam m'a également beaucoup aidée, précisa rapidement Sharon. Il a entrepris de repeindre la grange !

— Tu veux dire que tu as ressuscité ce mammouth tout gris ? demanda Alice à Liam. Cette grange était dans un état déplorable. Quelques années encore, et il n'y aurait plus rien eu à repeindre.

— Je l'aimais bien, moi, ce bois argenté, observa Sharon en riant.

Alice roula les yeux.

— C'est vrai, elle a vraiment besoin d'aide, dit-elle en adressant un clin d'œil à Liam.

Ce dernier lui sourit, et Sharon fut surprise qu'il soit aussi décontracté.

— Au point où la grange en était, tu aurais pu revendre le bois à des fabricants de cadres ! insista Alice à l'adresse de Sharon.

Alors tout le monde se mit à rire et la tension s'évanouit tout à fait.

Vingt minutes plus tard, ils prenaient congé du petit groupe, et Liam fut convié au déjeuner du lundi suivant.

— Nous nous sommes baptisées le Groupe du lundi,

précisa Connie. Avant, Sharon participait toujours à nos déjeuners. Nous comptons sur toi pour la faire revenir.

Quand ils se trouvèrent seuls dans la rue, devant le pick-up, Sharon leva les yeux vers lui.

— Je suis désolée. Je ne pensais pas t'entraîner dans un tel traquenard. J'espère que ce n'était pas trop horrible.

— Au contraire, j'ai passé un moment agréable. Tes amies sont très sympathiques.

— C'est vrai ? Alors j'en suis ravie ! Comme tu n'as presque pas parlé, je me demandais ce que tu pensais.

— Tu sais bien que je ne mesure pas toujours la portée de mes propos, c'est pourquoi j'ai préféré adopter une certaine réserve. Regarde ce qui s'est passé quand j'ai évoqué mon accident... J'ai eu l'impression de lancer une bombe puante au beau milieu du repas.

— L'effet s'est vite dissipé, temporisa-t-elle.

De fait, elle se félicitait de la relative discrétion de ses amies, mais elle se garda de lui faire part des craintes qu'elle avait nourries pendant tout le repas.

— Avant, tu déjeunais avec elles chaque lundi ? reprit Liam.

— Pendant les vacances, oui. Quand il y a école, le groupe se réunit une fois par mois, le samedi. Il est à dimension variable, parfois il y a beaucoup de monde, quelquefois bien moins.

— C'est une belle initiative.

— En tout cas, je suis vraiment désolée, j'avais oublié qu'elles déjeunaient chez Maude aujourd'hui.

— Mais moi je suis ravi de les avoir rencontrées. Et puis au fond, tu n'avais peut-être pas tout à fait oublié...

— Je t'assure que si ! Sachant combien il est angoissant pour toi de rencontrer tout un groupe de personnes, je ne t'aurais jamais fait subir une telle épreuve délibérément.

Il eut une petite moue sceptique.

— Comme le disait le psy qui me suivait à l'hôpital, on est parfois plus intelligent qu'on ne le croit. Tu avais « oublié » le Groupe du lundi, mais quelque chose en toi t'a malgré tout poussée à répondre à une nécessité intérieure.

— Qu'est-ce que tu vas chercher ? Je n'avais aucun besoin particulier !

— Ce que je voulais dire, c'est qu'il était nécessaire pour toi de casser ta routine et de renouer avec ta vie d'avant. C'est tout à fait normal, je ne vois pas pourquoi cela te contrarie.

La colère montait pourtant en elle.

— Si j'avais eu envie de les voir, je serais allée en ville toute seule.

— C'est vrai. Mais peut-être que tu avais aussi besoin d'autre chose.

— Tu veux bien arrêter de me psychanalyser, oui ?

Il lui adressa un petit sourire.

— O.K., je me tais. On peut dire que je suis doué pour t'énerver.

— C'est bon, fit-elle en ouvrant le pick-up. Je te répète juste que je n'ai pas besoin de psy.

— Je ne prétends pas le contraire.

Il se glissa sur la banquette avant, et attacha sa ceinture de sécurité tandis qu'elle mettait le contact.

— Je suis désolé que tu te sois fait tant de souci pour moi pendant ce repas, continua-t-il. J'espère au moins que je ne t'ai pas gâché ton déjeuner.

— Arrête ! Tu étais parfait.

— En tout cas, je ne savais pas que les profs juraient comme des charretiers.

Elle tourna la tête vers lui. Et devant son petit sourire narquois, elle sentit son agacement fondre…

— Ce que tu peux être retors, parfois, dit-elle. Je ne peux jamais t'en vouloir longtemps.

Et puis elle éclata de rire.

— C'est toujours bon à savoir, dit-il. Et maintenant, où va-t-on ?

Bonne question. Conard City ne débordait pas d'activités et de divertissements. Il y avait bien une librairie, mais l'idée n'éveillerait sans doute pas un franc enthousiasme chez Liam.

— Je ne sais pas, admit-elle en toute franchise.

— Tu ne connais pas quelqu'un qui pourrait nous parler de l'élevage des chèvres ?

Il semblait obsédé par l'idée, mais n'était-ce pas parce qu'elle lui avait dit que c'était son rêve le plus cher ? Il cherchait sans doute à lui faire plaisir.

— Tu as raison ! décréta-t-elle d'un ton décidé. Allons voir le Dr Windwalker.

Alors qu'ils se dirigeaient vers la clinique vétérinaire et les chenils situés aux abords de la ville, Liam déclara tout à trac :

— Tu as laissé tomber ces déjeuners à cause de Chet ?

— Je n'avais plus envie de voir des gens.

— Peut-être que tu devrais recommencer à retrouver tes amies, le lundi. Et tu n'as pas besoin de m'y emmener, tu sais. Je comprends tout à fait qu'un type soit un rabat-joie à un déjeuner entre femmes.

— Apprends que nous, nous ne sommes pas sexistes, et que des hommes se joignent parfois à notre groupe !

Et je te garantis que mes amies n'étaient pas du tout contrariées par ta présence, Liam.

— Je te crois, elles n'en avaient pas l'air.

Il n'empêche que les langues allaient se délier... Et ce qui était le plus regrettable, c'était qu'on allait gloser sur des choses qui n'existaient même pas. Elle allait passer pour une femme légère alors qu'elle vivait encore comme une nonne ! Malgré elle, un petit rire lui échappa.

— Qu'est-ce qu'il y a de drôle ? lui demanda-t-il.

Elle se contenta de secouer la tête. Elle ne tenait pas du tout à partager ce genre de pensées avec lui.

Dès que Sharon eut expliqué son projet à Mike Windwalker, celui-ci déclara avec enthousiasme :

— Les chèvres, c'est une idée géniale ! Elles sont drôles, curieuses, indépendantes. Elles peuvent aussi donner la migraine, à force d'espiègleries, mais cela fait partie de leur charme. Est-ce que vous pensez les élever comme des animaux domestiques ?

— Oui, admit-elle, car je ne vois pas ce que je pourrais faire d'autre.

— Discutez-en avec Ransom Laird. Il vous donnera des conseils sur leur régime alimentaire.

— Ah bon ? Elles ont besoin d'un régime spécial ?

Le vétérinaire lui sourit.

— Comme tous les animaux qui vivent dans des enclos. Vraiment, vous devriez vous adresser à Ransom, il connaît tous les trucs et astuces pour les garder en bonne santé. Il vous sera de meilleur conseil que moi. Le seul contact que j'ai avec les chèvres, c'est pour les vacciner ou les soigner, cela reste restreint.

Au bout d'une petite demi-heure, ils prirent congé du Dr Windwalker. Puis, après un arrêt à l'épicerie, ils rentrèrent au ranch en fin d'après-midi, dans le poudroiement du soleil.

— Tu as suffisamment changé d'air ? lui demanda Liam.

— Tout à fait. Et toi ?

— Cette journée m'a beaucoup plu. Bien plus que je ne l'aurais cru.

Ce fut alors que, de façon inattendue, il posa la main sur sa jambe… Son contact chaud la surprit, mais le geste était amical, décontracté, et elle ne devait y voir aucun sous-entendu sexuel. C'était sans doute une façon de lui prouver qu'ils étaient devenus plus proches l'un de l'autre.

Elle s'efforça de rester concentrée sur sa conduite, et de faire abstraction du poids de sa main. Mais malgré tout, une chaleur intime envahit peu à peu son être… Une chaleur troublante…

Elle avait cru que l'attirance qu'elle éprouvait pour lui s'évaporerait comme par magie, si elle la reléguait au fin fond de son cerveau, et c'était ce qu'elle avait tenté de faire. Et puis, comme il n'avait pas cherché à aller plus loin après les deux baisers qu'ils avaient échangés, elle avait pensé qu'il s'était lui aussi raisonné.

Maintenant, elle n'en était plus si sûre, et elle sentait vaciller la barrière de protection qu'elle avait vaillamment dressée entre eux. Elle n'était pas dupe, elle avait vécu seule pendant très longtemps, et si elle était si sensible à l'attitude de Liam, c'était peut-être pour des raisons qui n'avaient rien à voir avec lui… Bref, il se pouvait qu'elle soit vulnérable, et pas en mesure de choisir ce qui était le mieux pour elle.

Et tout à coup, alors que le ranch se dessinait à l'horizon, elle eut comme une révélation : tout cela, au fond, elle s'en fichait. Elle était lasse de toujours réprimer ses sentiments et ses besoins au nom d'un prétendu… D'un prétendu quoi au juste ?

Elle ne savait même pas contre quoi elle combattait, ce qu'elle cherchait en étouffant ses désirs. Que redoutait-elle ? Qu'une brève liaison puisse la meurtrir à tout jamais ? Que Liam continue sa route et qu'elle se retrouve de nouveau seule, à pleurer un absent ?

Aïe ! Elle venait de mettre le doigt là où ça faisait mal : pour résumer la situation sans ambages, elle avait peur de revivre un chagrin comparable à celui que lui avait valu la perte de Chet. Alors, afin de ne pas souffrir, elle réfutait ses besoins de femme…

Etait-ce une situation tenable ?

Et tandis qu'elle se posait des questions existentielles, son trouble ne cessait de croître ! Elle devait fournir un gros effort pour garder les yeux fixés sur la route, car la main de Liam posée sur sa jambe occupait toutes ses pensées. Ce n'était pas un homme aux manières trop familières, aussi son comportement n'en était-il que plus étonnant.

Que devait-elle en déduire ? Avait-il pris une décision concernant leur relation ? C'était évidemment ce qu'elle aurait souhaité…

Allons, qu'allait-elle chercher à présent ? Elle aimait beaucoup Liam, c'était incontestable, et parfois elle se demandait même si elle n'éprouvait pas plus d'affection pour lui qu'elle n'aurait dû.

Elle ressentait par exemple un réel chagrin en le voyant se débattre avec les retombées de son TCC. Son empathie n'était-elle pas un brin démesurée ? Cela pouvait finir par devenir dangereux… Mais non ! Les choses avaient évolué entre eux, se rappela-t-elle, et ce qui était vrai les premiers jours de son arrivée ne l'était plus.

Liam n'était pas un homme qui éveillait la pitié. Il avait recouvré une bonne partie de ses facultés et était compétent dans de nombreux domaines. Et même si parfois encore il manquait un peu d'assurance, elle n'avait plus la sensation qu'il avait constamment besoin d'être guidé, comme au début.

Sa confiance en lui avait grandi à mesure qu'il s'était rendu compte, en accomplissant divers travaux, qu'il était à la hauteur, ou qu'il pouvait pallier d'éventuelles carences grâce à la mise en œuvre de certaines stratégies. Et c'était gratifiant pour eux deux.

Toutefois, que devait-elle en penser ? Qu'elle le désirait pour de bonnes ou de mauvaises raisons ? Il était urgent qu'elle démêle l'écheveau de ses sentiments et mesure toutes les conséquences de ses actes, pour prendre une décision qu'elle pourrait assumer.

Mais désirer une personne ne signifiait pas pour autant l'aimer. Cela, elle le savait mieux que quiconque. Elle avait aimé une fois, et elle ne pouvait tout de même pas prendre une simple attirance pour un sentiment aussi profond et durable que l'amour.

Dans ces conditions, de quoi avait-elle peur ? De découvrir que la vie valait encore la peine d'être vécue ?

Elle se souvint alors de la lettre de Chet… Il était si aimant qu'il ne voulait pas qu'elle glisse dans la tombe avec lui, qu'elle se refuse les joies qu'il ne pouvait plus connaître. Il souhaitait qu'elle profite pleinement de la vie, même s'il n'était plus à ses côtés pour les partager avec elle.

C'était cela, le véritable amour, et elle ne pourrait jamais le confondre avec autre chose, elle en était certaine.

Elle venait de s'engager sur le chemin de terre qui menait au ranch. La grange, toute blanche, se détachait comme un phare sur la campagne environnante, lui rappelant le travail que Liam avait accompli pour elle…

Lui aussi avait un grand cœur et luttait contre des démons qu'elle devait se contenter d'imaginer. Il se battait avec courage, bien décidé à reprendre son destin en main, à se construire un avenir. Quitte à mettre parfois sa fierté de côté, comme pour les leçons de lecture. Elle connaissait peu d'hommes qui auraient eu le cran de passer par cette épreuve, ce qui montrait à quel point il avait soif de connaissances. Oui, la démarche était tout à son honneur.

Il n'avait toujours pas retiré sa main de sa cuisse, et son trouble atteignait des sommets. A présent, elle était obsédée par son odeur, sa proximité… C'était comme si elle était sous l'emprise d'un sortilège.

Elle aurait voulu que ce moment dure toujours, mais elle ne savait pas jusqu'où elle avait envie qu'il les mène… Peut-être n'avait-elle besoin que de petits réconforts de ce type.

Il y avait si longtemps qu'un homme ne l'avait pas touchée. Si longtemps que personne ne l'avait étreinte, sauf pour lui manifester de la sympathie… Exception faite de Liam, bien sûr ! Récemment, ses bras vigoureux et forts l'avaient bouleversée...

— Je prends les courses, annonça-t-il quand elle coupa le contact.

Et il retira sa main de sa cuisse. Elle eut alors la sensation qu'il lui avait arraché un peu d'elle-même.

Assez ! Elle devait revenir sur terre, sortir de son monde imaginaire ! Il avait toutes les bonnes raisons d'être prudent, et elle devait lui en être reconnaissante, dans la mesure où sa propre volonté semblait rapidement s'effacer devant des désirs profondément enracinés en elle.

Elle le laissa porter les sacs et se dirigea vers la maison en s'ordonnant de se calmer, de ne plus penser à sa déception. Elle accordait trop d'importance au geste de Liam. Il recherchait juste un contact humain, rien de plus.

Tous deux, à leur façon, avaient connu de dures épreuves, et il était normal qu'ils voient en l'autre une épaule consolatrice, une occasion de retrouver leurs repères parmi les humains.

Ils étaient en quête d'affection, un sentiment nécessaire à tout homme, un point c'est tout !

Plantée devant la fenêtre de la cuisine, elle entendit le pas lourd de Liam derrière elle. Les sacs produisirent ensuite un froissement quand il les posa sur la table. Elle avait peur de se retourner... Peur d'affronter son éventuelle distance...

Elle l'entendit ranger les courses dans le réfrigérateur, mais elle ne fit toujours aucun geste. Elle essayait de se concentrer sur ce qu'elle allait préparer pour le dîner, mais Liam était bien trop proche d'elle pour qu'elle puisse ordonner ses pensées…

Et tout à coup, sans le moindre préavis, des bras puissants l'enveloppèrent. Un petit cri lui échappa, puis elle sentit le souffle chaud de Liam dans son cou…

— J'ai fait quelque chose de mal, Sharon ? demanda-t-il d'une voix rauque.

— Non, pas du tout ! se défendit-elle. J'étais juste plongée dans mes pensées.

Il ne la relâcha pas pour autant. Au contraire… Il resserra son étreinte.

— Je connais bien cet endroit, dit-il alors dans un murmure. Celui où l'on se perd dans ses pensées…

Elle voulut lutter contre les sensations qui l'envahissaient, contre l'excitation bien réelle qui avait pris possession de son être…

— Et est-ce que tu y trouves des réponses à tes questions métaphysiques ? demanda-t-elle sur le même ton.

— Si c'est toi la question métaphysique, alors la réponse est non…

Elle retint son souffle.

— Liam…

Elle s'interrompit. En prononçant son prénom, elle avait eu l'impression de lui dévoiler toute la force des désirs qui bourgeonnaient en elle.

— Je ne peux rien te promettre, Sharon, reprit-il. Est-ce que tu peux comprendre ça ? Je ne sais même plus comment gérer ma vie…

— Je ne recherche pas une relation pour la vie, Liam.

Et elle était sincère.

— Tant mieux, parce que je ne suis pas certain que je puisse t'offrir ce genre de choses.

Elle poussa un soupir, puis inclina la tête contre son épaule.

— Nous sommes des adultes, dit-elle.

— Ce qui veut dire que nous pouvons commettre de lourdes erreurs.

Cela faisait deux fois aujourd'hui que son discernement la désarçonnait. Non, Liam n'avait rien d'un homme diminué, il était en possession de toutes ses facultés.

Tout à l'heure, elle l'avait rabroué quand il avait sous-entendu que ce n'était pas par hasard qu'ils avaient fini chez Maude. Pourtant, il avait vu juste. Et si elle avait été agacée, c'était justement parce qu'il lisait en elle comme dans un livre ouvert, alors qu'elle était incapable de déchiffrer ses propres sentiments !

— Où cela va-t-il nous mener ? demanda-t-il avec une honnêteté désarmante. Tu le sais, toi ?

— Non, admit-elle. Je sais juste qu'il est parfois douloureux de renaître à la vie.

— C'est joliment dit, Sharon. Au diable nos hésitations ! décréta-t-il.

Et il la fit pivoter sur elle-même puis, sans ajouter un mot, laissa ses mains glisser sur ses reins, avant de la jucher sur le comptoir. Ses yeux brûlants plongés dans les siens, il l'enlaça.

— Juste un peu, juste pour goûter, murmura-t-il.

S'adressait-il à elle ou à lui-même ? Mais toute question s'envola quand la bouche de Liam captura la sienne. Elle se sentit fondre... La caresse de ses lèvres était si douce, si apaisante.

Comme un papillon recueillant son nectar, il effleurait sa bouche avec précision et délicatesse, et ce mélange la rendait folle, tant elle le désirait. Elle s'agrippa plus étroitement à lui…

— Doucement, chuchota-t-il.

Encore une fois, elle n'aurait su dire à qui il parlait. Bah, elle n'allait pas recommencer avec ses interminables questions ! Ce qui comptait, c'était le désir violent qu'elle sentait sourdre en elle. Rien cette fois ne se mettrait en travers de son chemin.

Quand Liam mêla sa langue à la sienne, un grand frisson la parcourut…

Puis il se mit à tâter ses hanches, et glissa bientôt la main sous son polo… La sensation de sa paume chaude et calleuse sur sa peau nue lui procura un trouble intense. Elle se cambra contre lui, enflammée par toutes les promesses que ses caresses lui assuraient. Sa respiration se saccada et une onde de chaleur la submergea…

Alors, d'un geste habile, il dégrafa son soutien-gorge et palpa délicatement ses seins, sans cesser de butiner sa bouche…

Un feu embrasa tout son être…

Quand Liam pressa ses hanches contre les siennes, elle mesura la puissance de son excitation à travers le denim de son pantalon. Cela renforça immédiatement la sienne… Son pouls battait si fort à ses tempes qu'il en était assourdissant. Elle enfonça ses doigts dans ses épaules…

Soudain, il pinça l'un de ses seins. Poussant un petit cri, elle rejeta la tête en arrière… Une première vague de volupté la saisit, d'une force inconnue. Délaissant ses lèvres, Liam captura ses seins avec sa bouche, et il se mit à les mordiller avec ardeur, jusqu'à lui arracher de petits gémissements… Elle avait la sensation grisante de chevaucher un étalon sauvage lancé au grand galop. Rien ne pouvait plus arrêter le désir qui cascadait en elle… Les caresses de Liam devenaient elles aussi frénétiques. Elle regrettait que des couches de tissu les séparent, mais ce qui montait en elle était bien réel, vital, explosif…

Le souffle du plaisir, d'une intensité presque insoutenable, balaya soudain tout son être… Et lorsque les braises ardentes de la jouissance l'eurent pleinement consumée, elle se sentit enfin comblée…

- 9 -

Blottie tout contre Liam, Sharon l'entendait respirer de façon irrégulière, et ces saccades faisaient écho aux siennes… Peu à peu toutefois, son cœur retrouvait dcs battements plus réguliers, tandis que les pulsions qui avaient traversé son corps refluaient, lentement elles aussi, comme à regret. Comme si elle était prête à tout revivre sur-le-champ.

Liam poussa un long soupir et elle le sentit frissonner.

« Juste pour goûter… », lui avait-il dit.

Ils venaient de vivre bien davantage ! Pour l'instant, elle savourait le confort de ses bras, heureuse d'avoir retrouvé une intimité avec un homme. Cela lui avait tant manqué ! Qui n'était pas passé par la dure épreuve de la solitude ne pouvait comprendre l'importance de se sentir tout proche d'un autre être humain, enveloppé par sa chaleur…

Cela dit, elle n'aurait pas aimé non plus être dans les bras de n'importe qui. Non, assurément pas. Le fait que ce soit Liam était déterminant. Mais cela la déconcertait et elle préférait pour l'instant ne pas trop s'attarder sur cet aspect, ni sur ses sentiments.

— C'était magique, murmura-t-elle en enfouissant son visage dans son cou.

Elle huma alors son odeur si particulière, une fragrance

de musc qui se mêlait à celle de son savon. Ce qu'il pouvait sentir bon !

De façon inattendue, il l'entraîna dans le salon… Quelques instants plus tard, elle se retrouva sur lui, le chevauchant, même si c'était lui qui menait la cadence… Quand elle le sentit trembler de plaisir, elle se laissa retomber sur lui, et il se mit à lui caresser sensuellement le dos. De nouveau, elle s'abandonna aux sensations merveilleuses qu'il lui procurait, tout simplement heureuse, se délectant de sa présence, de son corps sous le sien… Elle aurait pu rester des heures ainsi. Mais tout à coup, son estomac émit quelques petits grognements.

— On dirait que tu as faim, dit-il en riant.

— Oui, admit-elle. Il faut que je prépare le dîner.

— J'imagine qu'il est difficile de se faire livrer une pizza à domicile, dans la région ?

Elle eut un petit rire.

— Bien vu ! Je dois vraiment me mettre aux fourneaux.

— Il n'est peut-être pas nécessaire que tu te lances dans de la grande cuisine. On peut tout à fait réchauffer un plat au micro-ondes.

— J'avais l'intention de faire des hamburgers, ce n'est pas trop compliqué.

— Miam ! Bonne idée. Qu'est-ce que je peux faire pour t'aider ?

— Je veux bien que tu t'occupes du barbecue à gaz.

Et sur ces mots, elle se leva vraiment à contrecœur. Mais il était vrai qu'elle mourait de faim, la salade de midi étant loin. A moins que ce ne soit Liam qui avait éveillé son appétit…

*
* *

Postée près de la fenêtre de la cuisine, Sharon coupait des tomates et des oignons en tranches pour les hamburgers. De temps en temps, elle jetait un coup d'œil à l'extérieur, où Liam préparait le barbecue. Il retira sans problème le lourd couvercle, puis elle le vit hésiter. Il se disait sans doute qu'il devait y avoir un moyen de le replier, mais n'y parvenait pas.

Alors qu'elle s'apprêtait à reposer son couteau pour aller lui indiquer comment s'y prendre, il dut avoir un déclic car il se mit à le replier avec soin. De fait, il aurait pu le poser tout simplement contre le mur, mais il était méticuleux et aimait faire les choses selon les règles de l'art.

L'observer était un réel plaisir. Cela lui rappelait les minutes qu'elle venait de passer dans ses bras incroyablement musclés… Il lui avait démontré qu'elle était encore bien vivante et qu'elle avait refoulé ses désirs pendant trop longtemps.

Les souvenirs de ses caresses étaient encore si vifs qu'elle sentit de nouveau le désir l'envahir…

« Attention ! » lui souffla une petite voix. Elle s'était tenue à distance de toute forme d'émotion par peur de souffrir et si elle était prête à lâcher la bride à ses sentiments, la compensation devait être à la hauteur. Or, Liam avait été honnête avec elle : il lui avait bien dit qu'il ne pouvait rien lui promettre. Oh ! elle le comprenait tout à fait ! Il avait encore de nombreux problèmes à surmonter et force était d'admettre qu'elle aussi.

Tous deux se trouvaient à la croisée des chemins : il voulait se construire une nouvelle vie, alors qu'elle était en train de sortir d'une longue période de deuil.

Ils étaient fragiles, et devaient se méfier des réponses faciles.

Elle poussa un soupir, puis disposa dans un plat les rondelles de tomates et d'oignons, ainsi que des feuilles de laitue. Non, ils ne devaient pas s'engager de façon insouciante dans une relation qui pourrait les meurtrir, même si la tentation de s'abandonner était grande.

Mon Dieu ! La vie était bien plus simple quand elle était tombée amoureuse de Chet. Elle avait alors plongé dans un formidable océan d'émotions d'où toute question épineuse était absente.

Hélas, le destin l'avait privée de cette légèreté et de toute certitude, elle avait appris que l'amour pouvait aussi faire souffrir. Qu'il pouvait être merveilleux comme douloureux. Si c'était cela la sagesse, elle aurait préféré n'en rien connaître.

Un nouveau soupir lui échappa, puis elle sortit pour faire cuire les steaks des hamburgers. Elle prit son temps en allumant le barbecue afin que Liam puisse voir comment on s'y prenait.

— Je ne connaissais pas le barbecue à gaz. Quand j'étais enfant, ces appareils marchaient au charbon, dit-il.

— Aujourd'hui, on ne se casse plus la tête. Nous avons opté pour le gaz plutôt que l'électricité, parce que c'est plus pratique en hiver, quand il y a des coupures de courant. S'il n'y a pas trop de vent et qu'on n'est pas trop frileux, on peut faire des grillades dehors.

— Est-ce qu'il y a souvent des coupures d'électricité, dans la région ?

— Quelquefois. Il faut stocker le contenu du frigo à l'extérieur quand celui-ci ne fonctionne plus.

Elle lui jeta un regard oblique.

— Mais j'imagine que tu as dû vivre dans des endroits où il n'y avait pas de courant du tout, ajouta-t-elle.

— C'est vrai, cela m'est arrivé. Sur certaines bases, nous avions tout de même des groupes électrogènes.

— La vie devait être rude.

— Pas plus pour nous que pour les habitants du pays.

— Touché ! Je raisonne comme une femme trop gâtée.

Il ne répondit pas et, quand elle regarda de nouveau dans sa direction, elle vit qu'il scrutait le ciel. Pourvu qu'elle ne l'ait pas renvoyé en pensée en Afghanistan ! Mais sentant sans doute son regard posé sur lui, il tourna la tête vers elle pour lui adresser un sourire. Il ne fit aucun commentaire sur son observation.

D'ailleurs, ce soir-là, ils ne communiquèrent guère. C'était comme si leur intimité s'était évaporée et que la distance eût repris ses droits. Ils mangèrent chacun à un bout de la table, puis regardèrent un DVD. C'était une comédie qui ne parut pas beaucoup intéresser Liam ; une fois qu'elle fut terminée, il se leva pour regagner sa chambre.

Les barrières étaient bel et bien de nouveau dressées entre eux ! Elle se sentait comme dépossédée… Une fois au lit, elle se tourna et se retourna jusqu'à ce que, de guerre lasse, elle se relève pour aller s'asseoir près de la fenêtre.

Situé dans une vallée, le ranch n'offrait pas de grands panoramas, le regard se heurtait rapidement aux montagnes qui se dressaient contre le ciel de la nuit. La lune éclairait toutefois le paysage de sa lumière argentée, ce qui créait une atmosphère propice à l'invasion des souvenirs…

Elle avait passé tant de nuits près de cette fenêtre, pendant les missions de Chet, que ce petit recoin était devenu son refuge.

Après la mort de Chet, elle avait continué à venir s'asseoir ici, mais tout projet l'ayant désertée, elle ne pouvait plus rêver en regardant le ciel, comme autrefois. Elle était devenue un automate, et sa vie avait perdu toutes ses couleurs.

Mais aujourd'hui, des nuances semblaient peu à peu revenir, des rêves refaisaient surface. Tout était encore bien timide, mais les étreintes intimes qu'elle avait partagées avec Liam, pour limitées qu'elles aient été elles aussi à cause de leurs vêtements, avaient fait renaître un peu de chaleur dans son cœur.

Elle frissonna en repensant au plaisir qu'il lui avait donné... Elle aurait sans doute dû se sentir coupable, pourtant elle ne ressentait pas l'ombre d'un remords.

En revanche, la souffrance serait inévitable, elle le savait. Il était impossible qu'après tout ce temps, elle savoure sa féminité sans en payer le prix...

Puis une autre pensée lui traversa l'esprit, et ce fut là que le chagrin submergea tout son être : quand Chet rentrait à la maison, autrefois, elle avait toujours l'impression qu'il écourtait ses permissions.

Jamais ils n'en avaient discuté ouvertement, et elle ne possédait aucune certitude, mais au fond d'elle-même, il lui semblait que, pour Chet, le sens du devoir passait avant tout, et par conséquent avant elle... Lorsqu'ils évoquaient tous les deux leurs projets, lors de ses congés, elle savait que son esprit n'était pas complètement avec elle, et qu'il ne cessait de s'inquiéter pour ses amis restés en Afghanistan. De temps en temps, il lui faisait part de ses inquiétudes et même si elle considérait alors que c'était la preuve que Chet était un homme bon et soucieux des autres, elle ne pouvait s'empêcher de lui en vouloir.

C'était quand même incroyable de penser que lorsqu'il rentrait à Conard City, une part de lui-même restait au Proche-Orient ! N'avait-elle donc jamais été sa priorité ? La question était extrêmement douloureuse... Ils avaient passé si peu de temps ensemble. Elle avait vécu avec les yeux braqués sur l'avenir, dans l'attente du moment où il quitterait l'armée. Mais si elle regardait en arrière... Eh bien, pour tout dire, elle avait la sensation d'avoir été trahie !

La colère l'envahit alors, une colère amère. Jamais ils n'avaient eu une vie de couple normale, ils avaient juste fait semblant... Ils partaient une fois par an en lune de miel, pendant les permissions, et entre chaque visite de Chet, ils remplissaient les gouffres par des e-mails et par Skype. Elle acceptait cette situation parce qu'elle savait qu'il ne serait pas éternellement militaire : quand il était mort, il lui restait six ans à accomplir, et après, ç'aurait été la délivrance. A moins que la guerre n'ait pris fin avant. Alors il serait rentré aux Etats-Unis.

Mais rien ne s'était passé comme escompté et elle se sentait à la fois amère, dupée et désillusionnée. Sa vie avait plus été fondée sur des chimères que des réalités.

Se levant d'un bond, Sharon enfila un jean et un sweat-shirt et descendit à toute vitesse l'escalier. Au rez-de-chaussée, elle mit ses bottes et s'emmitoufla dans une veste bien chaude puis elle sortit, mue par le besoin de courir. Mais bien vite, à travers ses larmes, elle comprit qu'il n'était pas très judicieux de faire un footing nocturne sur un terrain inégal.

— Dupée, répéta-t-elle à voix haute tandis qu'elle avançait d'un pas lourd dans la nuit froide, parmi les herbes jaunissantes.

La colère et la douleur formaient un nœud atroce dans sa gorge. Dieu soit loué, elle n'avait pas eu d'enfant ! Chet aurait manqué sa première dent, ses premiers pas, son premier mot… Il aurait tout manqué et aurait été un étranger pour son enfant.

D'ailleurs, d'une certaine façon, il l'avait été pour elle, sa propre femme.

— C'est injuste ! hurla-t-elle.

Elle criait sa douleur à la nuit, en son nom et au nom des autres femmes de militaires qui n'étaient jamais revenus des zones de guerre. Au nom de tous les sacrifices qui alimentaient la machine de guerre, de toutes les pertes, les souffrances, les… Elle ne savait même plus quoi invoquer, elle était à bout. Le prix à payer était tellement élevé…

Accablée, elle se laissa tomber sur les genoux, puis se mit à frapper le sol avec ses poings, pour exorciser sa colère toujours tue, et peut-être aussi se libérer un peu de son immense chagrin.

Ce fut alors qu'elle sentit une main vigoureuse se poser sur ses reins. Elle poussa un cri perçant et se redressa vivement… Liam se tenait à ses côtés, agenouillé lui aussi. Ce qu'il avait pu lui faire peur ! Son cœur cognait à toute vitesse dans sa poitrine.

— Je sais, dit-il simplement.

Et puis il s'assit en tailleur et l'attira sur ses genoux, comme si elle était aussi légère qu'une plume.

— Pourquoi ? demanda-t-elle, à travers de lourds sanglots. Pourquoi ?

Il l'enlaça et commença à la bercer gentiment.

— Ça va aller, lui dit-il. Pleure tout ton soûl, et tu te sentiras mieux.

— Mais pourquoi ? répéta-t-elle.

— C'était notre devoir.

— Non, cette explication ne suffit pas.

— Parfois, c'est tout ce que l'on a.

Sans répondre, elle enfouit sa tête dans l'épaule de Liam et pleura longuement. Elle ne répéta plus sa question. Quelque part, au plus profond d'elle-même, elle s'était délestée d'un poids, mais il lui semblait aussi que cette délivrance lui avait déchiré le cœur…

Un bon moment plus tard, une fois qu'elle eut épuisé toutes les larmes de son corps, elle sentit la peine et la colère refluer. Alors, comme s'il avait senti que le moment était opportun, Liam reprit la parole :

— Nous pensions que notre mission consistait à aider les populations qui habitaient dans ces zones de guerre. Ce n'était pas toujours facile, mais nous y croyions malgré tout. Parfois, le monde nous semblait en proie à la folie, mais nous restions fidèles à nos engagements. Chet n'a jamais cessé de croire que nous nous battions pour un monde meilleur. Notre position nous valait les sarcasmes de certains, mais nous défendions nos convictions.

— Je n'en doute pas, dit-elle d'une voix voilée par les larmes versées.

— L'histoire nous dira si nous avons eu tort.

— Le prix à payer est tout de même énorme.

— Il y a toujours un prix à payer. Nous le savions. Et toi aussi, Sharon.

Ces mots s'enfoncèrent comme un couteau dans son cœur... Oui, elle l'avait su, bien sûr, mais de façon tout à fait irresponsable elle avait cru que Chet et elle n'en subiraient jamais les conséquences. Elle avait vécu dans le déni, dans un monde imaginaire.

— Sur sept ans de mariage, reprit-elle d'une voix tremblotante, nous avons juste passé quelques mois ensemble. Nous ne restions jamais assez longtemps l'un avec l'autre pour nous disputer en bonne et due forme !

— Ce n'est peut-être pas plus mal... Comme ça, tu n'as pas de mauvais souvenirs de lui.

Il n'avait pas tout à fait tort, mais elle se rappelait surtout sa terrible solitude, l'éternel sentiment de frustration qu'elle s'efforçait toujours de réprimer. L'envie d'un *vrai* mariage...

— J'avais besoin de bien plus.

— Lui aussi, j'en suis sûr.

— Je n'ai même pas l'impression de l'avoir véritablement connu.

— Tu aimais l'homme qui t'aimait, et cet homme-là était pour toi et rien que pour toi.

Elle frissonna, et elle eut la sensation que l'ultime tension qui l'habitait venait de se dissiper, elle aussi... Elle se blottit alors dans ses bras, épuisée.

Liam sentait l'air froid lui pénétrer les os. Un long moment s'était écoulé et il souhaitait qu'ils rentrent, à présent. En même temps, il ne voulait pas bousculer Sharon, elle était en train de passer par une phase douloureuse mais essentielle.

Bon Dieu ! Il était déchirant de la voir dans cet état. Lui aussi avait un cœur rempli de gouffres, il avait perdu tant d'amis, et notamment Chet, mais il ne pouvait imaginer les abîmes dans lesquels s'était perdue Sharon.

— Notre mariage n'était pas un vrai mariage.

Il fut frappé par la déclaration, mais que lui répondre ? Il n'en avait pas la moindre idée.

A cet instant, elle se releva et se mit à faire les cent pas devant lui.

— C'était un rêve, Liam ! Du vent, des châteaux en Espagne. Nous en bâtissions beaucoup. Nous disions toujours : « Un jour… » « Un jour, nous ferons ceci et cela », « Quand je ne serai plus à l'armée, nous ferons ça. » Oui, nous n'arrêtions pas de construire des châteaux de cartes, mais ils se sont tous écroulés. L'espoir est mort…

— Non…

C'était tout ce qu'il avait pu lui dire. Tétanisé, il n'arrivait pas à trouver les mots qui auraient pu la consoler. Elle était en train de vivre une prise de conscience très personnelle, tout ce qu'il pouvait faire, c'était compatir.

Il se leva à son tour, sans mot dire.

— Je me sens dupée, reprit-elle.

Les mots le choquèrent, mais encore une fois, il ne commenta pas. Au fond, il comprenait très bien ce sentiment de trahison.

Elle pivota alors sur elle-même et planta ses yeux dans les siens.

— Tu dois penser que je ne suis qu'une pleurnicheuse. Je me plains d'avoir été trompée, mais toi aussi tu l'as été.

— C'est comme ça, on n'y peut rien.

— Mais Liam, je suis tellement en colère ! Cela me rend même injuste.

— Injuste ?

— Oui, envers Chet et moi-même. Envers notre vie… En tout cas, je suis sûre d'une chose : si je me remarie un jour, ce sera un vrai mariage, cette fois. Un mariage à plein temps. Je veux un homme qui soit à mes côtés chaque matin quand je me réveille, et chaque soir quand je me couche. Je ne veux plus de châteaux en Espagne.

Redressant les épaules, elle se mit en marche vers la maison, et il lui emboîta le pas.

— Tu sais, la plupart de nos projets sont des châteaux en Espagne, dit-il au bout de quelques instants.

Elle s'immobilisa et lui fit face.

— C'est *réellement* ce que tu crois ?

Il soupira.

— Sharon, on ne sait jamais de quoi demain sera fait.

— C'est vrai, concéda-t-elle d'une voix tendue.

Et il dut résister à l'envie de la serrer dans ses bras, préférant encore une fois ne rien précipiter.

— Et toi ? demanda-t-elle.

— Quoi, moi ?

— Est-ce que tu vas de nouveau échafauder des projets ?

— L'espoir fait vivre, Sharon, et tu le sais comme moi.

Elle resta un bon moment silencieuse.

— Sans doute, répondit-elle enfin.

Puis elle accéléra le pas pour regagner la maison.

Ils rentrèrent par la porte arrière.

— Je n'ai pas sommeil, décréta-t-elle. J'ai envie d'un chocolat chaud. Je t'en prépare un, à toi aussi ?

— Volontiers.

Quelques instants plus tard, comme elle prenait une casserole, il se rendit compte que ses mains tremblaient. Nul doute qu'elle était encore toute retournée.

Il fallait en passer par là pour surmonter un deuil. Par la colère, les pleurs… Parfois, on pensait s'en être sorti, et puis des éclats de douleur et de fureur vous revenaient comme un boomerang.

Elle n'avait personne à qui confier sa souffrance, personne à qui parler, tout simplement. A cet égard, il avait été plus chanceux puisque, à l'hôpital, de nombreux médecins l'avaient écouté raconter son histoire, ses peurs, ses doutes, sa colère… Il aurait aimé faire la même chose pour elle.

— J'ai honte d'éprouver cette impression de tromperie.

Il leva les yeux vers elle. Elle semblait si vulnérable, si délicate. Pourtant, elle avait vécu de lourdes épreuves et elle était bien plus forte qu'elle n'en avait l'air.

— Mais tu as été dupée, dit-il sans ambages.

Et zut ! Voilà qu'il recommençait à parler sans réfléchir. De toute façon, c'était la vérité, inutile de chercher à lui mentir.

Levant les yeux de sa casserole, elle le regarda.

— C'est affreux, Liam !

— Ce n'en est pas moins vrai. Beaucoup de mariages de militaires ne survivent pas à l'épreuve de la guerre, car la notion de devoir l'emporte même sur la famille. Comme tu l'as dit, tu n'as passé que très peu de temps avec Chet. Et cette absence était pour toi une oppression constante.

— C'était la même chose pour lui.

— Naturellement ! Mais il est peut-être plus difficile

de rester seule à la maison… Tu éprouvais une peur plus forte et une incertitude plus grande parce que tu ne savais pas ce qui se passait. Votre mariage reposait sur un malentendu, c'est indéniable.

Liam eut l'impression que des larmes brillaient de nouveau dans les yeux de Sharon, mais elle détourna bien vite la tête pour se concentrer sur le chocolat qu'elle leur préparait. Décidément, il était un vrai idiot. Voilà qu'il allait la refaire pleurer !

— Sharon, reprit-il bien vite, comme je te l'ai dit, j'ai passé le plus clair de ma vie d'adulte avec des hommes, des soldats pour l'essentiel. Je ne suis pas doué pour les relations avec les femmes, donc, si je passe les bornes, n'hésite pas à me remettre à ma place.

— Je sais, je l'ai déjà fait, d'ailleurs… Cela dit, je suis un être humain, comme toi. Nous n'appartenons pas vraiment à une espèce différente.

Il fut soulagé de percevoir une certaine ironie dans ses propos. Il n'y avait jamais réfléchi auparavant, mais il était indéniable qu'elle avait été dupée. Pas délibérément, pas par un salaud, mais juste par le destin.

— La vie est injuste, Sharon, reprit-il. Elle nous trahit, nous blesse, et tout ce que nous pouvons faire, c'est essayer de recoller les morceaux. Evidemment, c'est facile à dire, et bien plus difficile à faire.

— Toi aussi, tu as dû recoller beaucoup de morceaux, Liam.

— Oui, mais que faire contre le destin, à part l'accepter ? Bien sûr, ça ne marche pas toujours… Tu m'as vu me mettre en colère plus d'une fois. Je me sens tellement gauche, je dis toujours des choses que je ferais mieux de taire, je perds le fil de mes pensées, je…

— Allons, Liam, tu as réalisé d'énormes progrès, tu t'en sors plutôt bien !

— Merci, mais tu m'as beaucoup aidé, tu sais. Et tu m'aides toujours, d'ailleurs. Et toi, sur qui peux-tu compter ?

— J'ai des amis…

— Combien de fois les as-tu vus, ces amis, depuis la mort de Chet ? Je parie que tu as tout fait pour les éviter. Moi aussi je me suis tenu à l'écart du regard d'autrui, je n'aime pas que l'on me questionne sur mon TCC. Pourquoi est-ce que tu aurais envie qu'on te rappelle ce que tu as perdu ?

Il la vit se raidir et serrer les mâchoires.

Il soupira. Qui était-il pour lui faire la leçon ? Il la connaissait depuis quelques semaines à peine, autant dire qu'il ne savait rien d'elle. Et il ignorait tout de la façon dont elle avait géré le deuil de Chet.

— Je suis donc si transparente ? fit-elle d'un ton amer.

Un élan de frustration le saisit et il se leva d'un bond. C'était incroyable ! Il était incapable de communiquer avec autrui.

— Je vais faire un tour, annonça-t-il d'un ton brusque.

Elle se retourna vivement vers lui.

— Ah non ! Pas question ! Tu vas rester là et discuter avec moi.

— Sharon, je…

— Je me fiche que tu te sentes mal à l'aise. J'ai besoin de ton aide, tu comprends ça ?

— Peut-être, mais je suis très énervé et je n'ai pas envie d'exploser de colère devant toi.

— Je ne suis pas la seule à avoir le droit d'être furieuse. Allez, vas-y, énerve-toi autant que tu veux, et compte sur moi pour te répondre. Tu es tout à fait libre d'exprimer tes ressentiments au lieu de systématiquement fuir pour les cacher. Tu prétends que je n'ai pas su gérer la mort de Chet, mais tu ne…

— Je n'ai jamais dit ça, Sharon ! la coupa-t-il.

— Pas exactement, c'est vrai, mais au fond tu as raison. Je me suis retranchée chez moi, à l'abri du regard des autres, et pour le bien que cela m'a fait… ! Liam, je me fiche pas mal que tu donnes un coup de poing dans le mur, mais je t'en prie, ne t'en va pas.

Sharon était décidément animée d'une détermination inébranlable… Il reprit place sur sa chaise, à cran.

Quelques minutes plus tard, elle revint avec des mugs de chocolat chaud, et elle en posa un en face de lui.

— Bon, il faut que nous recollions les morceaux, alors.

Mais que lui disait-elle ? Ah oui ! Elle reprenait la conversation là où ils l'avaient laissée…

— J'imagine, fit-il.

— Comment va-t-on s'y prendre, Liam ?

— Pour ma part, j'ai déjà commencé, tu sais. Depuis que je suis ici, je me sens revivre. Les choses me reviennent et j'en apprends de nouvelles.

Un beau sourire illumina le visage de Sharon.

— Cela me fait plaisir… Je ne te remercierai jamais assez, tu sais, d'avoir entrepris ce périple pour venir jusqu'à moi… Je ne sais pas si j'aurais été capable d'en faire autant.

— Eh bien moi, je n'en doute pas un instant ! lui assura-t-il.

De nouveau, elle lui sourit, puis parut hésiter.

— Tu n'as pas de famille, Liam ? finit-elle par demander.

C'était un sujet qu'il n'aimait pas aborder. Il avait accepté le comportement de sa sœur, mais cela ne signifiait pas qu'il le laissait indifférent.

— J'ai une sœur, répondit-il au bout de quelques secondes. Mais elle s'est détournée de moi dès qu'elle a compris l'étendue des séquelles de mon traumatisme. Difficile de lui en vouloir. Quand on lui a annoncé la nouvelle, je n'étais plus capable de rien, je ne pouvais même pas manger tout seul… Qui aurait voulu assumer une telle charge ?

Le visage de Sharon s'assombrit.

— Est-ce que tu as essayé de reprendre contact avec elle, depuis ?

— A quoi bon ? Elle n'a pas besoin d'une personne susceptible de lui créer un problème supplémentaire. Elle a déjà trois enfants, un travail…

— Je trouve que tu prends la chose remarquablement bien.

— Aujourd'hui, oui, mais au départ, je peux te garantir que non…

Il préférait ne pas repenser à la rage qui l'avait saisi quand il avait découvert que son seul parent refusait de s'occuper de lui. C'était trop douloureux.

— Depuis mes dix-huit ans, âge auquel je me suis engagé, on se voyait rarement, reprit-il. J'allais lui rendre visite quand j'étais en permission, mais je ne m'attardais jamais très longtemps. J'aimais mieux passer mon temps avec mes amis. De toute façon, même à l'époque, je voyais bien que ma présence la dérangeait rapidement.

— Et tes parents ?

— Ils sont morts, il y a bien des années, renversés par un chauffard ivre... Et de ton côté ?

Il fallait absolument qu'il détourne la conversation. Il détestait tant qu'on l'interroge sur sa famille.

— Je suis fille unique et aujourd'hui, j'évite mes parents. Ils ont pris leur retraite dans l'Arizona. Ma mère est alcoolique et mon père a un caractère impossible. Je ne peux les supporter que quelques heures. Pas davantage.

Ni l'un ni l'autre ne dressaient un portrait flatteur de leur famille. Et s'il était effectivement préférable qu'elle ne fréquente pas les siens, il n'empêche que, tout comme lui, Sharon devait en souffrir.

Ils étaient deux êtres que la mort d'autrui avait entraînés à la dérive et il était impératif qu'ils reviennent vers le rivage...

— Est-ce que tu as une petite idée de la façon dont on pourrait avancer ? lui demanda-t-elle alors.

Il secoua la tête, accablé.

— Je crains que tu ne t'adresses à la mauvaise personne. J'essaie encore de retrouver mes repères... Je suis incapable d'anticiper. Et toi ?

— J'ai la sensation que je suis en train de sortir d'un long et noir tunnel. C'est parfois douloureux, mais tu m'es d'un grand secours, Liam.

— Tu parles de nos étreintes ? S'il te plaît, Sharon, ne commence pas à te faire des idées. C'était purement physique.

— Comment ça ?

Elle venait de bondir de sa chaise, ses yeux lançaient des éclairs.

— Si c'est tout ce que tu en penses, alors tu peux

partir sur-le-champ, Liam O'Connor, ajouta-t-elle en détachant chaque syllabe.

Là-dessus, elle sortit de la cuisine et il l'entendit monter l'escalier à vive allure. Puis sa porte de chambre claqua. Aïe... ! Il l'avait sérieusement blessée. On pouvait toujours compter sur lui pour tout gâcher !

Il se mit à fixer la porte par laquelle elle avait disparu, réprimant l'envie de casser quelque chose.

Jamais il n'avait autant détesté l'homme qu'il était devenu.

Sharon faisait nerveusement les cent pas dans sa chambre. « Purement physique » ? Bien sûr que non ! Liam se trompait. Leurs étreintes ne se réduisaient pas à ça... Elles avaient brisé la coquille qui emprisonnait son cœur depuis longtemps, elles l'avaient mise à nu. Et elle ne doutait pas un instant que l'expérience avait bien plus secoué Liam qu'il ne voulait l'admettre.

A moins qu'elle ne soit encore en train de construire un château de cartes...

Cette pensée souleva une vague d'amertume en elle. Ce n'était pas parce que Liam lui avait donné du plaisir qu'elle devait s'attendre à un engagement durable de sa part ! Non, elle n'était pas naïve à ce point... Et pourtant... Leurs corps n'avaient pas été seuls en jeu, leurs cœurs aussi avaient été touchés... Evidemment, tout s'était déroulé très vite, mais l'entendre réduire ce beau moment à une expérience « purement physique » la rendait folle.

La fureur la saisit de nouveau.

Elle avait été profondément troublée par les sensations qu'il lui avait procurées. Celles-ci lui avaient redonné sa vitalité perdue, et cela, Liam ne pouvait pas l'effacer d'un simple trait, parce qu'il l'avait décidé.

Bon sang ! Etait-ce tout ce que cela avait signifié pour lui ? De brèves étreintes de fin d'après-midi ? Rien qui ne l'ait bouleversé, qui ne lui ait fait comprendre que la vie pouvait être belle, malgré tout ? Qu'il était même possible qu'elle le soit plus qu'avant !

Soudain, on frappa à sa porte.

Elle se figea.

Elle voulut d'abord ignorer les coups, mais elle connaissait suffisamment la maison pour savoir que Liam avait dû l'entendre arpenter sa chambre, d'en bas. Aucune chance qu'il pense qu'elle dormait.

— Quoi ? demanda-t-elle d'un ton peu aimable.

Puis elle ouvrit la porte et se retrouva face à lui.

— Je n'ai pas voulu dire ça…

Elle croisa les bras et se mit à le fixer avec dureté.

— J'ai bien compris que tu ne pouvais rien me promettre, Liam, mais ne qualifie pas nos merveilleuses étreintes de *purement physiques*.

— Je ne le pensais pas, Sharon. Je te le jure.

— Qu'est-ce que tu voulais dire, alors ? Explique-moi, je t'écoute.

Il resta silencieux quelques secondes, avant de reprendre :

— Je n'ai pas dit que ce n'était pas merveilleux… Je pense tout le contraire. Seulement, c'est dangereux. Je n'ai pas envie de te briser le cœur parce que je suis incapable de maîtriser mes pulsions, le désir que tu m'inspires. Voilà, c'est tout.

« Le désir que tu m'inspires »… Ces mots ricochèrent en elle comme un frisson de pure sensualité… Pourtant, elle ne devait pas se laisser influencer par ces belles paroles. Il ne s'agissait que de désir. Rien de plus.

Poussant un soupir, il reprit :

— J'ai eu l'impression que nous allions rouvrir nos blessures, en nous accordant du bon temps. Or, je ne veux surtout pas te faire souffrir.

Elle se raidit.

— Parfois, les blessures suppurent sous les tissus cicatrisés, répondit-elle. Les rouvrir est une bonne chose. Et c'est ce qui s'est passé tout à l'heure.

— Parce que nous avons… ?

— Oui, en partie. Je me suis sentie de nouveau en vie. Je me suis rendu compte que j'étais belle et bien vivante et que j'avais envie de profiter de nouveau de l'existence. Puis je me suis mise à penser à tout ce que j'avais manqué… Et j'ai cru étouffer.

Un petit silence s'ensuivit.

— Pour moi aussi, ce moment était vraiment spécial, Sharon, finit-il par dire.

Il se tut un instant, avant d'ajouter :

— Mais tout cela nous a vraiment bouleversés, et je crois qu'on aurait dû s'épargner.

De nouveau, il bottait en touche.

Une part d'elle-même lui soufflait de ne pas insister, mais une autre voulait aller jusqu'au bout… Décidément, ce « purement physique » lui restait en travers de la gorge !

— S'épargner ? répéta-t-elle. Tu as eu l'impression de commettre quelque chose de répréhensible ?

De nouveau, il poussa un soupir.

— Non, pas vraiment… Dernièrement, je me suis senti très seul. Je me suis rendu compte que je n'avais jamais connu une relation comme celle que Chet et toi avez pu avoir. J'espérais toujours que cela viendrait un jour et puis… Bref, cela n'est jamais arrivé. Et je suppose que maintenant, c'est trop tard.

— Mais pourquoi ?

— Ne fais pas l'innocente, Sharon. Je n'ai pas recouvré toutes mes facultés ! Et puis j'ai toujours des sautes d'humeur. Qui sait comment je peux réagir, si on me pousse à bout ?

— Qu'est-ce que tu pourrais faire, à ton avis ?

— Je ne sais pas, moi… Devenir incontrôlable, casser des choses, tout détruire… Tu crois qu'une femme voudrait vivre avec une bombe à retardement comme moi ? Ou même envisager d'avoir des enfants ? Je t'assure que moi-même je n'arrive parfois plus à me supporter.

Elle le scruta attentivement pendant quelques secondes.

— Ecoute, reprit-elle avec lenteur, tu n'as pas agressé ces trois imbéciles, sur le parking.

— Parce qu'une autre personne est intervenue.

— Et tu ne t'es jamais dit que malgré tout, tu aurais pu te jeter sur eux ?

Il ne répondit pas.

— Si tu t'es calmé, c'est parce que tu l'avais décidé, et non pas parce qu'un tiers s'est interposé.

Il secoua la tête.

— Non, Sharon, tu ne peux pas savoir le nombre de fois où j'ai eu envie de céder à la violence. Cela ne m'arrive plus très souvent ici, mais je sais que c'est latent. Et je m'en veux tellement… Bon, j'étais monté dans ta chambre pour parler de toi, pas de moi.

— Il semblerait que ce soit le même sujet…

Elle lui adressa un petit sourire, sentant que la tension liée à leur conversation était en train de retomber.

— Tu crois que notre chocolat est froid ? ajouta-t-elle.

— Cela ne fait aucun doute.

— Alors je vais le réchauffer. Tu viens, on descend ?

Et elle l'entraîna hors de la chambre, car son lit lui avait paru soudain bien tentant…

La cuisine était plus rassurante, encore que, vu ce qui s'était passé sur le comptoir, on ne pouvait jurer de rien…

Elle reversa le chocolat dans la casserole et le remit sur le feu. Tout en remuant doucement le lait, elle entendit Liam faire les cent pas derrière elle. Puis il finit par s'asseoir sur une chaise.

Remplissant les mugs, elle revint vers la table.

— Nous sommes vraiment déboussolés, dit-elle avec un petit sourire triste.

— Allons, il ne faut pas non plus exagérer ! Du moins te concernant…

— Détrompe-toi, Liam ! Quand tu as débarqué chez moi, je tentais de me secouer, de sortir de la léthargie dans laquelle j'étais tombée après la mort de Chet. Tout allait à vau-l'eau et je devais agir, mais j'en étais incapable… Et puis tu as surgi, et tu as commencé à faire des travaux.

— Des travaux bien modestes, précisa-t-il.

— Arrête de toujours te dévaloriser ! Et pour l'amour du ciel, cesse de te détester parce que tu as été blessé. Je comprends que tu sois en colère ou frustré, mais par pitié, ne te déteste pas pour cet accident. Tu n'y es pour rien.

— Peut-être, mais quand je repense à celui que j'étais avant…

— Je comprends. Cela dit, tout le monde n'est pas non plus Superman. Et dans la réalité, on doit surmonter de nombreux obstacles. Il est parfois nécessaire de faire le deuil de celui qu'on était, pour mieux renaître à la vie.

— Encore faut-il en être capable.

— Fais confiance au temps, Liam. Regarde : moi-même, il m'a fallu un an et demi pour comprendre que Chet ne reviendrait jamais. Et encore tout à l'heure, tu as vu la crise que j'ai eue ? Cela ne m'était jamais arrivé.

— Ah bon ?

— Non, pas depuis mon enfance. Mais cela m'a fait un bien fou. Je t'assure que tu devrais toi aussi te laisser aller parfois…

— O.K., la prochaine fois, je frapperai le sol, pas un mur.

Il lui sourit, puis but un peu de chocolat chaud.

Elle lui rendit son sourire, sans répondre.

La soirée avait été si riche en émotions… Elle avait pris conscience de réalités qu'elle n'avait pas voulu voir jusque-là, comme la supercherie qu'avait été son mariage. Jamais une telle pensée ne lui avait traversé l'esprit auparavant.

— Tu sais, reprit-il, à la guerre, on met en place des tactiques de façon presque automatique. Quand on perd deux ou trois copains, on décide de ne plus s'en faire. Du moins de véritables. C'est une façon de se protéger.

Elle hocha la tête.

— Toi aussi, tu as recouru à la même technique, non, même si tu n'as pas fait la guerre ? demanda-t-il alors.

— Oui, tu as raison.

— Donc, tu vois, je ne suis pas certain que nous deux, ce soit une bonne idée, décréta-t-il avec brusquerie.

Et sans attendre sa réponse, il se leva et se dirigea vers la porte arrière.

Et voilà, il fuyait encore !

Lasse, Sharon se mit à fixer son mug. Liam avait encore plus de raisons qu'elle de caparaçonner son cœur. Il avait tant perdu !

D'après ce qu'elle comprenait, leurs étreintes avaient éveillé de profonds désirs en lui, avaient fait remonter à la surface des projets de vie qu'il avait envisagés avant, mais qu'il semblait désormais se refuser.

C'était encore pire que sa propre situation. Elle devait certes surmonter son passé, mais elle ne redoutait pas le futur, elle espérait encore beaucoup de la vie. Liam estimait pour sa part qu'aucune femme ne voudrait plus de lui…

Il était décidément incapable de porter un regard objectif sur lui-même. Contrairement à ce qu'il pensait, son comportement n'avait rien d'asocial ! Bien sûr, il lui serait peut-être difficile de retrouver un travail stable, d'en supporter toutes les contraintes, mais qu'est-ce qui l'obligeait à chercher un emploi ? Il était très utile, ici, et elle était prête à le garder pour toujours sur le ranch…

Elle se figea, choquée par ses propres pensées et par une intuition soudaine… Liam allait repartir, elle le sentait. « Je ne suis pas certain que nous deux, ce soit une bonne idée »… Ces mots résonnèrent comme une menace dans sa tête.

Oh ! mon Dieu ! Elle ne pourrait jamais supporter son départ…

Bondissant sur ses pieds, elle sortit par la même

porte que lui. La lune avait beau déverser sa lumière glacée sur le paysage, elle n'éclairait pas suffisamment le paysage pour qu'elle puisse le repérer. Elle scruta les champs. Pas l'ombre de Liam à l'horizon… Et s'il s'était réfugié dans la grange ?

Alors qu'elle allait s'élancer, elle se ravisa.

Il avait besoin d'espace ! Elle ne pouvait pas l'en priver. Mais il avait intérêt à rentrer car elle ne savait pas ce qu'elle ferait, sinon…

Poussant un lourd soupir, elle rentra et s'assit à la table, bien décidée à l'attendre. La nuit allait être longue.

- 10 -

Sharon somnolait plus ou moins devant son mug. Pour tenter de rester éveillée, elle avait remplacé le chocolat par du café, mais les heures s'étaicnt étirées et l'aube pointait déjà. En été, les nuits étaient courtes dans cette région des Etats-Unis. Quand elle entendit Liam rentrer, elle tressauta et tourna son visage vers lui.

Elle devait avoir des cernes de fatigue, car il demanda d'un ton choqué :

— Tu n'as quand même pas veillé toute la nuit ?

— J'étais inquiète, admit-elle.

— Je me suis déjà retrouvé dans des endroits bien plus dangereux que les prés de Conard County, répondit-il.

Elle ne parvint même pas à lui sourire.

— Je n'en doute pas.

— Il faut que tu dormes.

— Je sais... Plus tard.

Il se servit lui aussi du café et s'assit à la table, en face d'elle.

— Quand est-ce que l'on va nous livrer la peinture, pour la grange ? demanda-t-il.

— Aujourd'hui, normalement. Tu es impatient ?

— Oui, j'ai besoin de travailler.

Elle hocha la tête, baissant les yeux vers son mug.

— Le ciel est rouge, reprit-il. Ça veut dire qu'il va pleuvoir, non ?

— Je ne crois pas. Le vieil adage des marins ne se vérifie pas toujours. Sauf s'il y a des nuages.

— Je n'en ai pas vu.

Elle ne répondit pas. Ce qui l'intéressait, c'était de savoir à quoi il avait bien pu penser alors qu'il errait seul, dans la nuit. Car elle, elle n'avait cessé de ruminer, et tout lui avait semblé bien sombre.

— Tu ne t'es quand même pas inquiétée pour moi ? demanda-t-il alors.

Franchement, comment osait-il lui poser une telle question ? Elle posa sur lui un regard agacé.

— A ton avis, je suis restée debout toute la nuit parce que j'étais en pleine forme ?

— Dans ces conditions, pourquoi tu ne me dis rien ?

— Et toi, pourquoi est-ce que tu ne me dis pas ce qui t'a poussé à passer la nuit dehors ? Qu'est-ce qui t'inquiète ?

Ils échangèrent un regard tendu, jusqu'à ce que Sharon n'y tienne plus.

— Tu es un véritable sphinx ! lança-t-elle. Tu ne dis jamais ce que tu penses vraiment. Je me pose tout le temps des questions sur toi. Je sais qu'à l'hôpital, on t'a conseillé de te contrôler, mais là, ce n'est plus de la maîtrise de soi. Tu t'es enfermé dans une cage, Liam !

— J'ai mes raisons.

— Peut-être, mais je ne les connais pas. J'ignore ce que tu penses ou ce que tu ressens.

— Et pourquoi est-ce que tu as envie de savoir ce genre de choses ?

Elle se mordit la lèvre, sentant de nouveau cette

petite douleur qu'il éveillait si facilement en elle, cette nostalgie pour des choses qu'elle n'osait nommer… Et elles n'étaient pas juste d'ordre sexuel, c'était bien cela qui l'effrayait !

— Parce que c'est important pour moi, admit-elle alors.

Il poussa un juron.

— Toi non plus, tu ne me laisses pas indifférent, Sharon, mais est-ce que tout cela est raisonnable ? Je ne peux t'offrir aucun avenir…

— Pourquoi ? Parce que tu as été blessé à la guerre ?

— A cause de mon TCC, je suis devenu un autre homme que je connais moi-même à peine.

— Je pense que tes valeurs n'ont pas changé, objecta-t-elle.

Il la considéra, puis déclara :

— Autrefois, je n'aurais jamais dit à une femme de but en blanc que je la désirais.

— Et alors, où est le problème ? Tu trouves qu'il est préférable de dissimuler ses sentiments en recourant à des subterfuges ?

— Des subterfuges ?

— Oui, comme des dîners, des promenades main dans la main, des fleurs, des chocolats, que sais-je ? Pourquoi ne pas être d'emblée honnête ?

— Parce que ce n'est pas ainsi qu'un homme est censé se comporter. On ne dit pas d'emblée ce qu'on ressent, ça ne se fait pas. Si mon incapacité à respecter les us et coutumes ne te montre pas à quel point je suis dérangé…

— J'en ai vraiment assez de t'entendre dire ça,

Liam ! le coupa-t-elle. Tu ne peux donc pas voir les bons côtés de ta personnalité ?

Il parut tout abasourdi.

— Tu vois ? continua-t-elle. Ma question te paraît absurde. Et tu sais pourquoi ? Parce qu'à l'hôpital, on a uniquement mis l'accent sur ce qui n'allait pas chez toi. O.K., ton humeur est changeante, et alors ? Même ceux qui n'ont pas eu de TCC peuvent être versatiles. Tu as encore des difficultés à lire un roman, soit. Mais tu sais peindre une grange. Et je suis sûre que tu sauras comment t'y prendre avec les chèvres, bien mieux que moi.

— Si je n'ai pas oublié…

— Mais tout le monde oublie des choses, c'est normal, c'est l'habitude qui nous permet de les fixer.

Il la regarda soudain curieusement, puis déclara :

— Tu ne sais pas tout, Sharon.

— Dans ces conditions, éclaire-moi !

— Je fais des cauchemars horribles… Parfois, je me réveille, et je ne sais plus où je suis… D'ailleurs, même en plein jour, il m'arrive tout à coup de me demander où je me trouve. C'est pourquoi j'ai besoin de travailler, cela me donne une ancre à laquelle me raccrocher. Ce ne doit pas être drôle de vivre avec un homme comme moi, tu sais.

— Ah, assez ! Tu dois aussi penser à tes qualités, Liam. Tu as traversé le pays pour me remettre une lettre, tu accomplis des miracles sur le ranch…

— J'ai quand même besoin de ton aide.

— Et alors ? Tu n'as jamais pensé que cela me donne l'impression d'être utile ? Je ne me contente pas de te regarder réparer le ranch. Je me sens active, moi aussi.

De nouveau, il lui adressa un regard sceptique.

— Sharon, qu'est-ce que tu cherches au juste, en moi ? Un homme à tout faire qui te permettra d'avoir un ranch impeccable ?

Ce qu'il pouvait être blessant, parfois ! Bien sûr que ce n'était pas la seule raison, mais les autres, elle n'était pas vraiment en mesure de les lui expliquer… Etait-ce parce qu'elle était restée seule trop longtemps et qu'elle avait peur d'affronter de nouveau la solitude ? Ou bien y avait-il plus ? Elle redoutait de devoir répondre par l'affirmative à cette question…

— Je ne sais pas, finit-elle par dire. Ce que je sais, c'est que j'apprécie ta présence ici.

— Et c'est bien ce qui m'inquiète, répondit-il tranquillement. Que cette situation nous plaise pour de mauvaises raisons.

Elle ne pouvait le contredire. Cependant, elle avait beaucoup réfléchi durant cette nuit blanche…

— Nous devrions peut-être arrêter de nous faire du souci pour l'avenir, mais prendre les choses au jour le jour. Sauf si tu es vraiment pressé de t'en aller.

— Te quitter est la dernière chose que je souhaite, répondit-il d'un ton sincère.

— Parfait ! Alors reste, trancha-t-elle, épuisée par leur discussion. Et maintenant, je vais aller piquer un petit somme sur le canapé avant qu'Ed n'arrive. Il apportera aussi le pistolet à peinture, si tu veux t'épargner un peu de travail.

— Non, je n'ai pas envie de m'alléger la tâche. J'ai vraiment besoin d'exercice, de ressentir une fatigue physique, à la fin de la journée.

— Comme tu voudras, dit-elle avec un petit sourire.

Puis elle se leva. Quand elle passa devant lui, il lui saisit la main et, à son grand étonnement, il la pressa contre ses lèvres pour y déposer un baiser.

— Tu es une femme si étonnante, Sharon, lui dit-il d'une voix rauque.

Après cette longue nuit blanche, elle eut la sensation que son cœur était incroyablement léger quand elle s'allongea sur le sofa.

Liam aussi aurait dû aller se coucher, mais il se sentait encore trop tendu pour dormir. Il s'assit à la table, espérant qu'Ed arriverait vite et qu'il pourrait s'atteler aux travaux de peinture.

Il serra les poings, puis les rouvrit, cherchant à se libérer de la tension qui crispait son corps. Dans quel guêpier s'aventurait-il, en restant chez Sharon ? Pouvait-il seulement en juger ?

Elle avait raison sur un point : à l'hôpital, on l'avait peut-être trop mis en garde contre ses propres faiblesses, mais c'était surtout pour l'inciter à se protéger. On lui avait également dit qu'avec le temps, il ferait de gros progrès.

Seulement, combien de mois cela prendrait-il ? Et se rendrait-il même compte de ces progrès ? Pour l'instant, il avait toujours la nostalgie de celui qu'il avait été, et ses cauchemars, ses oublis, ses pertes récurrentes de la notion du temps, tout cela était encore bien présent.

Pourquoi une femme aurait-elle eu envie de s'encombrer d'un homme comme lui ? Et pourtant, Sharon paraissait sincère en disant que son état lui était égal. Tout à coup, un sentiment de panique le saisit…

Elle commençait elle aussi à le rendre fou.

Mais avec elle, c'était un autre genre de folie…

Il se rendait bien compte qu'elle s'attachait peu à peu à lui, et *vice versa*. Où cela allait-il les mener ? Cette question le tourmentait énormément.

Au ranch, il avait trouvé un havre de paix. Il ne ressentait aucune pression, il était en bonne compagnie… Sharon l'attirait, c'était indubitable, mais tout cela n'était-il pas temporaire ?

Il ne voulait pour rien au monde la rendre malheureuse.

Plus il la côtoyait, plus son désir pour elle grandissait. C'était un sentiment qu'il n'avait éprouvé pour aucune des femmes à l'hôpital, et pourtant Dieu sait s'il en avait croisé de jolies, là-bas. Non, c'était bel et bien Sharon qu'il désirait et il finissait par se dire que la solution la plus raisonnable, serait peut-être de partir.

Mais la fuite aurait été un acte égoïste. Il devait aussi penser à elle. Ah, quel cercle vicieux !

Elle lui plaisait, il ne pouvait le nier, mais était-ce assez pour s'engager dans une véritable relation avec elle ? Il craignant tant de ne pouvoir lui donner tout ce qu'elle était en droit d'attendre…

Il était aussi possible qu'il se fasse une montagne pour rien…

Que ressentait vraiment Sharon ? Il aurait aimé le savoir, même s'il se doutait qu'elle était sur ses gardes, comme lui.

Décidément, la situation était indémêlable et ingérable pour lui : dès qu'il aurait fini de peindre la grange, il s'en irait ! Tous deux avaient besoin de temps et d'espace pour réfléchir en toute objectivité. La situation devenait trop confortable pour qu'ils puissent prendre une bonne décision en toute connaissance de cause.

Peut-être qu'après un mois de séparation, tout s'éclairerait pour eux. Peut-être qu'il se rendrait compte qu'il n'était pas aussi différent qu'il le croyait.

Et puis il y avait les chèvres !

Cette pensée subite le déconcerta. Il aurait tant aimé l'aider à s'en occuper, à construire ce rêve qu'elle avait partagé avec Chet…

Décidément, dans la vie, rien ne se passait comme on l'aurait voulu !

Emergeant d'une sorte de brouillard, Sharon entendit qu'on l'appelait… Elle cligna les paupières, finit par ouvrir les yeux… et découvrit Liam penché au-dessus d'elle. Son cœur fit un bond dans sa poitrine, et elle se mit à scruter son beau visage, ses épaules rassurantes. Toutefois, elle aurait préféré être réveillée par ses caresses, par son corps sur le sien…

Elle se redressa vivement ! Elle éprouvait des sentiments bien dangereux pour un homme qu'elle soupçonnait de vouloir repartir le plus vite possible. Ne lui avait-il pas dit et répété qu'il n'avait aucun avenir à lui offrir ?

Elle aurait été bien folle de ne pas l'écouter.

— Ed est arrivé, dit-il.

— Merci.

Elle se leva, le corps tout engourdi. C'était sa faute si elle avait passé une nuit blanche. Rien ne l'avait contrainte à attendre Liam assise sur une chaise, il était assez grand pour prendre soin de lui.

Mais au plus profond d'elle-même, elle savait que ce n'était pas la raison qui l'avait empêchée de se mettre au lit. Ce qu'elle redoutait, c'était qu'il ne revienne pas… Quelle poisse ! Elle avait l'impression que ses émotions s'étaient embarquées sur des montagnes russes sans lui demander sa permission.

Elle vit Liam s'écarter d'elle, soucieux visiblement qu'ils ne se touchent pas. Comme si jamais il ne s'était rien passé entre eux ! De mieux en mieux ! Elle retint un soupir d'agacement.

Irritée, elle sortit pour accueillir Ed. Il paraissait joyeux et alerte, ce qui eut le don de renforcer sa mauvaise humeur. Tandis que Liam restait sous la véranda, elle indiqua à Ed où déposer la peinture, puis signa le reçu.

— Alors, ton ami s'en sort comment ? questionna celui-ci.

— Très bien. A propos, il est inutile que tu laisses le pistolet à peinture.

— Pourquoi ? Cela lui facilitera grandement la tâche. Je n'arrive pas à croire qu'il ait passé le badigeon à la main.

— J'aime ce travail.

L'intervention inattendue de Liam la fit sursauter. Elle pensait qu'il se trouvait toujours sous la véranda.

— Comme vous voudrez, fit Ed. Bon, tu as besoin d'autre chose, Sharon ?

— Pas pour le moment, répondit-elle en s'efforçant de prendre un ton enjoué. Mais je sais où te trouver si je m'aperçois qu'il me manque des fournitures.

— Entendu. J'effectuerai une prochaine livraison de peinture dans trois jours. Ça te convient ?

— Oui, merci.

Ed lui fit un signe de la main et s'en alla, les laissant, elle et Liam, devant la grange où s'alignaient les pots de peinture qu'il venait de livrer.

— Je vais m'y mettre tout de suite, déclara Liam.

— Pas question ! Tu n'as pas dormi, et si tu tombes, les secours devront venir jusqu'ici en hélicoptère. Nous avons besoin de dormir et de manger. La peinture peut attendre.

Et, sans lui jeter le moindre regard, elle se dirigea immédiatement vers la maison. Quelques secondes plus tard, elle entendit qu'il lui avait emboîté le pas.

Mais, comme elle montait l'escalier de la véranda, elle trébucha contre une marche. Il la rattrapa avant qu'elle ne tombe.

Au contact des bras vigoureux et rassurants de Liam, le désir rejaillit en elle avec une force surprenante. Les événements s'enchaînèrent alors très vite et le contrôle de la situation lui échappa…

Dès qu'elle se retrouva tout contre lui, elle comprit que la raison n'aurait plus prise sur elle. Levant les yeux vers lui, elle se heurta à son regard fiévreux… Lui aussi la désirait, et la faim qu'elle lisait dans ses prunelles alimenta la sienne comme du petit bois que l'on jette dans un feu.

Sans un mot, il la souleva de terre, poussa la porte et se dirigea vers l'escalier qui menait à l'étage. Cela n'allait pas être des étreintes fugitives comme la première fois… A cette pensée, une folle excitation la saisit…

Elle noua ses bras autour du cou de Liam, savourant d'avance son abandon. Quel que soit le prix à payer, elle était bien décidée à voler ces moments de bonheur à la vie. Et tant pis si elle le regrettait le restant de ses jours !

Une fois sur le palier, Liam la porta sans hésiter jusqu'à la chambre qu'il occupait et elle le remercia en silence pour ce choix stratégique : elle aurait été gênée de partager avec lui la même couche que celle où elle avait dormi avec Chet. Mais cette pensée traversa son cerveau sans s'y attarder. Ses besoins charnels grondaient en elle, comme les roulements dans le ciel avant un orage d'été.

Il la reposa par terre.

— Tu ne m'en voudras pas ? demanda-t-il.

— Jamais.

Alors, après avoir laissé glisser sur elle un regard convoiteur, il embrassa sa bouche. Et puis, incapables d'attendre plus longtemps, ils se déshabillèrent mutuellement dans l'urgence, la respiration saccadée, leurs habits volant aux quatre coins de la chambre…

Soudain, ils se firent face, entièrement nus.

— Laisse-moi te regarder, dit-il d'une voix rauque.

Elle se figea lorsqu'il s'écarta pour mieux la contempler, mais quand elle croisa son regard, toute sa timidité s'envola.

— Comme tu es belle, Sharon !

Lui aussi était magnifique. Il avait une musculature parfaite, mais aussi quelques cicatrices. De toute évidence, il avait reçu des balles… Elle décida de remettre les questions à plus tard. Pour l'instant, rien, absolument rien, ne devait se mettre en travers de leur chemin. D'autant que ces stigmates renforçaient sa virilité…

Un petit sourire aux lèvres, les yeux légèrement brumeux, il lui demanda tout à trac :

— Tu veux bien te retourner pour moi ?

Elle obtempéra, et un soupir de satisfaction échappa alors à Liam.

— Tu es parfaite.

S'il le disait ! Elle était prête à tout croire ! Elle pivota de nouveau vers lui en se cambrant un peu.

Dans un léger grognement, il l'attira à lui, avant de la faire gentiment basculer sur le lit…

Quelle merveilleuse sensation de sentir enfin la peau de Liam contre la sienne ! Et quoi de plus extraordinaire que l'enchevêtrement de leurs corps, que la musique de leurs halètements mêlés…

L'entendre prononcer son prénom d'un ton essoufflé stimula son désir, ainsi que le froissement de l'étui du préservatif. Comme elle, il était visiblement en proie à une faim impérieuse, mû par une passion fiévreuse, désespérée… Sans prévenir, il roula sur le dos et la jucha sur lui… Rivant ses yeux aux siens, il s'introduisit alors en elle… Un prodigieux frisson la parcourut, et elle rejeta la tête en arrière pour savourer pleinement les délices de leur intimité…

Il lui saisit les poignets.

— Chevauche-moi, Sharon, chuchota-t-il d'une voix rauque.

Sans hésiter, elle se mit à onduler fougueusement sur lui, tandis que Liam palpait ses seins, en pinçait les pointes, renforçant son plaisir…

Bien vite, trop vite, elle sentit un formidable souffle soulever tout son être. Liam agrippa alors ses hanches, et accéléra encore le rythme de leurs ébats. Elle respirait de plus en plus fort, au bord de l'extase…

Quelques instants plus tard, un orgasme intense lui arracha des cris de volupté, puis elle se laissa choir sur lui… A la façon dont il palpitait sous elle, elle comprit qu'il venait d'être emporté par le même ouragan.

Plus rien n'avait d'importance que les doux frissons qui parcouraient encore leurs corps. Elle était comblée.

*
* *

Sharon avait toujours les yeux clos quand elle sentit le baiser de Liam sur son front.

— Reviens sur terre, lui murmura-t-il en faisant glisser une main audacieuse sur ses seins. On ne va pas s'arrêter là, ma chérie.

Ces simples paroles suffirent à rallumer instantanément son désir. Oui, elle aussi avait envie de faire l'amour toute la journée avec Liam... Toute la journée, toute la nuit... Avec fièvre, passion ! Elle rêvait de nouveau d'étreintes rapides, primaires, comme celle qu'elle venait précisément de vivre avec lui, et comme elle n'en avait jamais connu avant lui.

Tiens, il l'avait appelée « ma chérie », pensa-t-elle. Et un sourire naquit spontanément sur ses lèvres... Elle aimait ce mélange de tendresse et d'impétuosité chez lui.

Soudain, Liam se leva pour revenir quelques secondes plus tard avec de nouveaux préservatifs. Elle lui adressa un regard malicieux.

— Tu es vraiment magnifique, Sharon, lui dit-il une fois rallongé près d'elle, la tête appuyée sur sa paume.

Du regard, il caressa son corps.

Elle frissonna sous ses prunelles langoureuses, puis se mit à palper tendrement son torse, ses épaules. Encore une fois, elle se retint de le questionner au sujet des cicatrices. Rien n'aurait su rompre ce moment de bonheur.

— Tu es exquise, chuchota-t-il en tâtant lui aussi ses courbes, comme s'il cherchait à en fixer les contours.

Liam ne semblait pas du tout aussi pressé que tout à l'heure ! Il était en train d'explorer ses seins, de les prendre en coupe, de les embrasser... Quand il releva la tête, l'air frais qui passa sur leurs pointes humides la fit délicieusement frémir.

— Tu es une femme si sensuelle, Sharon, dit-il d'une voix râpeuse.

Puis il mordilla un de ses seins, lui arrachant un petit cri. Peu à peu, il fit glisser sa bouche vers son ventre... Instinctivement, elle s'accrocha à ses épaules, et arqua ses reins de façon lascive. Elle se sentait pareille à une rose du désert qui s'ouvrait sous une pluie miraculeuse...

Par ses caresses intimes, sa bouche, sa langue, il excitait savamment son désir, la rendait folle...

— Liam ! cria-t-elle.

Et puis un violent frisson balaya tout son être. Elle ne se contrôlait plus... Il venait de trouver le point le plus vulnérable, le plus délicat de son corps. Un nouveau cri lui échappa. Il l'avait propulsée au septième ciel...

Alors qu'elle se remettait du plaisir inouï qu'il venait de lui donner, elle sentit de nouveau sa langue sur les plis gonflés de sa chair... Non, elle ne pouvait pas, pas tout de suite...

Et pourtant... Un plaisir d'une force prodigieuse fit de nouveau trembler tout son corps, et elle hurla encore une fois son prénom, vaincue.

Liam avait posé la tête sur son ventre, et une grande sensation de calme l'avait envahi. Jamais il n'avait éprouvé une telle sérénité.

Il avait rarement fait l'amour avec une telle intensité à une femme. Quel soulagement de constater qu'il n'avait pas été atteint dans sa virilité par l'accident ! Un soulagement immense... D'un coup, tous ses autres problèmes semblaient passer à l'arrière-plan.

Sharon était fantastique, généreuse, affranchie… Une femme exceptionnelle.

« Ne joue pas avec ses sentiments », lui rappela subitement une petite voix.

Etait-ce ce qu'il venait de faire ? Il espérait bien que non ! Depuis son arrivée, la tension sexuelle avait progressivement monté entre eux ; il la percevait parfois à un éclair dans les yeux de Sharon, à un tressaillement de son corps. Tous deux avaient bien tenté de résister à leurs pulsions, mais finalement elles avaient été plus fortes qu'eux. Il ne regrettait rien et il aurait pu demeurer pour le restant de ses jours dans ses bras…

Malheureusement, il ne devait pas se leurrer : Sharon avait besoin d'un autre homme que lui ! Pas d'une personne qui lui compliquerait sans cesse la vie.

Mais comment aurait-il pu continuer à lutter contre le feu qui brûlait en lui ? Il avait éprouvé du désir pour elle dès l'instant où il avait croisé son regard…

Comme un idiot, il avait cru que leurs brèves étreintes de la veille suffiraient, et qu'une fois leurs besoins assouvis, ils pourraient faire comme si de rien n'était.

Il s'était trompé sur toute la ligne. Ces effusions n'avaient servi qu'à renforcer sa faim… Maintenant qu'il avait laissé libre cours à toutes ses pulsions, il aurait voulu que demain ne vienne jamais. Les lendemains n'étaient-ils pas toujours désenchantés ?

— Liam ? dit soudain Sharon de sa voix envoûtante. Serre-moi dans tes bras…

Il l'attira aussitôt contre lui, passant nonchalamment une jambe sur la sienne.

— C'était fabuleux, ajouta-t-elle. Je ne savais pas que je pouvais…

Curieux, pourquoi rougissait-elle ?

Et soudain, il comprit !

— Comment ça ? Tu n'avais jamais…

— Non, jamais… Je pensais que je n'étais pas comme les autres femmes.

Cet aveu suscita chez lui un réel bonheur et il lui adressa un grand sourire. Elle l'embrassa sur la joue et, comme pour masquer son embarras, déclara bien vite en riant :

— On a la même odeur !

— Oh ! comme c'est bizarre ! fit-il d'un ton pince-sans-rire. Tu veux que j'aille me doucher ?

— Ne t'avise surtout pas de bouger, Liam O'Connor !

Elle enfouit alors son visage dans son épaule, et l'enlaça par la taille.

— Voilà encore une chose que tu fais merveilleusement bien…

Il voulut protester, mais elle posa un doigt sur sa bouche.

— Non, tu ne vas pas recommencer, pas maintenant. Comment est-ce que tu te sens ?

— Honnêtement ? Je suis heureux. Jamais je n'ai été aussi heureux.

Un sourire rayonnant éclaira alors le visage de Sharon.

— Tu m'as épuisée, tu sais.

— Alors dors un peu.

— Ah non ! Pas question de perdre une minute de ta présence, protesta-t-elle mollement.

Cette observation l'alarma quelque peu, mais il se trouvait dans un tel état d'euphorie qu'il ne réagit pas. On verrait bien demain… Il devait accepter les beaux moments que lui offrait la vie sans se poser d'incessantes questions. La nuit avait été longue pour tous les deux et il finit par se laisser emporter par le sommeil.

Sharon résista un peu plus longtemps que Liam au sommeil, le regardant dormir, toute songeuse… Il lui avait montré un coin de paradis et elle entendait le savourer jusqu'à épuisement, pour qu'il reste bien gravé dans sa mémoire.

Mais elle était épuisée elle aussi, et elle céda à son tour à l'appel de Morphée. Elle glissa alors dans des rêves merveilleux, où les champs étaient inondés de soleil, et l'azur d'un bleu vivifiant…

— Liam !

Le cri strident l'arracha à un affreux cauchemar et le ramena dans un bel après-midi ensoleillé, dont la lumière commençait doucement à décliner. Il s'assit sur le lit, en alerte, s'attendant à tout.

Ce fut alors qu'il découvrit Sharon agenouillée à côté du lit, le scrutant d'un air soucieux.

— Tu étais en train de faire un cauchemar, lui dit-elle. Ça va ?

— Non, marmonna-t-il.

Il ferma les yeux, les rouvrit. Puis, tel un automate, il se leva et commença à rassembler ses vêtements épars.

— Liam ?

— Bon sang, Sharon, j'ai tenu Chet dans mes bras alors qu'il mourait.

Il s'habilla rapidement, puis enfila ses chaussettes, ses boots…

— Ne t'en va pas, Liam ! s'écria-t-elle. Tu ne peux pas me faire ça… Je t'en prie !

Mais, sans écouter ses supplications, il sortit de la chambre.

Sharon se vêtit en toute hâte, ses doigts fébriles se trompant à chaque bouton. Elle était encore sous le choc. *Liam avait tenu Chet dans ses bras alors qu'il se mourait…* Il était hors de question qu'il s'en aille après cet aveu !

Tremblante, elle descendit l'escalier, et fut prise de panique en découvrant qu'il n'était pas dans la cuisine, ni dans le salon… Et tout à coup, elle le découvrit sous la véranda. Ouf… ! Il n'était pas parti.

La porte grillagée grinça quand elle l'ouvrit pour se glisser à l'extérieur. Elle ne prononça pas un mot, mais prit simplement place à ses côtés. Il aurait été vain de le brusquer. Au bout d'un très long moment, après que le soleil eut disparu derrière la montagne, elle sentit la fraîcheur du soir tomber sur ses épaules. Il était temps qu'elle l'arrache à ses pensées, qu'elle le ramène à Conard County…

— Tu m'avais dit que sa mort avait été instantanée.

Son ton était presque accusateur, elle en avait bien conscience, mais au moins, cela le fit réagir.

— En fait, il a sombré dans l'inconscience et il ne s'est jamais réveillé. Il n'a rien senti. Pour moi, ça a été plus long…

Elle porta son poing à sa bouche et l'y pressa nerveusement.

— J'ai essayé de le sauver par tous les moyens, Sharon. Je te le jure ! Mais rien ne marchait. Quand le docteur est arrivé, il a fait son possible lui aussi…

Hélas, c'était trop tard ! Alors je l'ai tenu dans mes bras jusqu'à ce qu'il s'en aille définitivement…

Elle sentit une première larme rouler sur sa joue, puis une deuxième, et elle comprit qu'elle ne pourrait pas contrôler ses pleurs. Comme s'il se ressaisissait, Liam se tourna vers elle et la serra très fort dans ses bras.

— Je suis désolé de n'avoir pas pu le sauver, je suis désolé de t'avoir fait une telle confession, Sharon.

— Et moi, je suis navrée pour tout ce que tu as dû endurer. Mais je suis contente que tu aies été à ses côtés quand il a rendu son dernier souffle.

— J'étais bien là, tu peux me croire.

— Cela me soulage tellement de savoir qu'il n'était pas tout seul.

Elle l'enlaça alors par la taille et pensa à tout ce qu'il avait perdu : son ancienne vie, son meilleur ami et qui sait combien d'autres camarades encore…

— Je suis si heureuse que tu sois ici, poursuivit-elle d'une voix essoufflée. Si heureuse…

Il avait surmonté de nombreuses épreuves, c'était un homme résistant, solide. Blottie dans le creux de ses bras, elle prit d'instinct son beau visage entre ses mains… Il ouvrit alors les yeux et elle se heurta à la force de son regard vert clair.

— Tu es un homme bon et vaillant, lui dit-elle d'un ton ferme. Je suis si contente que tu sois ici, avec moi.

Il secoua la tête, comme s'il voulait nier.

Se sentait-il coupable envers Chet parce qu'ils avaient fait l'amour ? Etait-ce pour cette raison qu'il venait d'évoquer sa mort ?

Pour sa part, elle ne ressentait aucune culpabilité, son corps vibrait encore de la joie qu'il lui avait procurée.

Tout être humain avait droit au bonheur, il fallait qu'il l'admette.

— Rentrons, dit-elle. Je vais faire du café et préparer à manger. Si tu veux parler, nous parlerons. Mais nous pouvons tout aussi bien rester silencieux.

Il parut hésiter, puis finit par la suivre.

Après avoir mis la cafetière en marche, elle confectionna des sandwichs au jambon. Elle avait l'impression qu'ils étaient au bord d'un précipice, mais qu'une bonne issue n'était pas non plus exclue s'ils y mettaient chacun de la bonne volonté.

— Qu'est-ce que tu veux, en accompagnement ? De la laitue, de la mayonnaise, de la moutarde ?

— Ce que tu veux.

Ah non ! Elle n'aimait pas du tout cette réponse. Un sentiment d'angoisse commença malgré elle à l'envahir… Elle ne pouvait plus imaginer la vie sans lui. Si l'idée de repartir le prenait, elle ne savait pas ce qu'il adviendrait d'elle…

Elle posa les sandwichs sur la table. Elle devait agir, trouver quelque chose pour les ancrer dans le concret…

Ce fut alors que, sur une impulsion, elle décrocha le combiné et appela Ransom Laird.

— Ransom ? Je cherche à acheter une ou deux chèvres pour me faire la main. Le Dr Windwalker m'a dit que tu pouvais… Oui, entendu. Demain matin, alors. Merci.

Un peu soulagée, elle s'assit à la table. Liam était toujours silencieux, mais il mangeait son sandwich, ce qui était sans doute bon signe.

— Il m'arrive quelquefois de faire des cauchemars

qui me replongent dans les horreurs de la guerre, dit-il enfin.

— Je suis vraiment désolée pour toi…

— C'est ainsi, je dois vivre avec. Mais je regrette de t'avoir effrayée.

Elle secoua la tête.

— Tu ne m'as pas fait peur, je me suis inquiétée pour toi, c'est différent.

Il ne répondit rien, et elle se leva pour servir le café. Elle avait la sensation qu'une nouvelle longue nuit s'annonçait. Et comme par miracle, il parut se ressaisir.

— Alors, tu t'es décidée, pour les chèvres ? demanda-t-il tout à trac.

— Oui, et je compte bien sur ton aide !

— Evidemment, je serai là pour toi. Je n'ai l'intention d'aller nulle part, tu sais.

Un immense soulagement la traversa. Toutefois… Avait-elle bien entendu ? Elle avait du mal à le croire…

— Tu es sûr ? Parce que tout à l'heure, j'ai eu l'impression que tu voulais t'en aller.

— J'y ai pensé, c'est vrai.

Et bien sûr, il ne fallait pas attendre des explications, ni des excuses, d'ailleurs ! Non, Liam s'en tenait toujours au fait.

— Qu'est-ce qui t'a fait changer d'avis ?

— Il est temps pour moi d'arrêter de fuir… Si tu veux bien de moi ici, s'entend.

— Comment peux-tu en douter ? demanda-t-elle sur un ton indigné.

Soudain, elle se rappela son cauchemar…

Peut-être que sa compagnie était néfaste à Liam !

Choquée, elle lança sans réfléchir :

— Liam, j'ai l'impression que me côtoyer ne te fait pas de bien.

— Je t'interdis de dire une chose pareille ! s'écria-t-il. Cela n'a rien à voir avec toi.

— Je te rappelle Chet.

— Forcément. Ni toi ni moi ne l'oublierons. Il était comme un frère pour moi.

— Je sais…

Elle attendit qu'il poursuive, mais il se remit à manger son sandwich, et à boire du café, de temps à autre.

Où tout cela allait-il les mener ? se demanda-t-elle, de plus en plus perplexe.

Liam se leva alors pour leur resservir du café.

— Désolé de t'avoir bouleversée, dit-il. Il semblerait malheureusement que ce soit ma marque de fabrique. Tu crois que tu pourras t'y habituer ?

— Oui, c'est tout à fait dans mes cordes, dit-elle d'une petite voix.

— L'avenir nous le dira.

Fallait-il y voir un signe encourageant, ou pensait-il au contraire qu'elle allait rapidement se fatiguer de lui ?

Elle ne supportait plus toutes ces incertitudes !

Ah, et puis zut ! Au lieu d'être à l'affût des moindres réactions de Liam, elle devait elle aussi sonder son cœur. Souhaitait-elle *vraiment* qu'il reste ?

Ce qu'elle savait, c'était qu'elle était complètement perturbée chaque fois qu'elle le croyait disparu, parti. Quant aux conséquences de son traumatisme, elle s'en fichait. Elle avait eu la preuve récemment qu'il n'en gardait aucune séquelle physique…

Il se refermait parfois sur lui-même, mais c'était un homme foncièrement bon. Chet n'était pas aussi sensible, il pouvait être bien plus dur ; Liam était en revanche d'une gentillesse désarmante.

Raison de plus pour être sûre d'elle-même, pour ne pas le blesser…

— Donc tu t'es décidée, pour les chèvres ? lui redemanda-t-il tandis qu'ils faisaient la vaisselle.

— Je vais parler à Ransom. Et toi, tu te sens prêt ?

— Je n'ai pas vraiment mon mot à dire. C'est ta décision.

Eponge à la main, elle se tourna vers lui.

— Mais tu dois tout de même donner ton avis, puisque tu vas m'aider. Tu ne m'as jamais vraiment dit ce que tu en pensais !

— L'idée me plaît…

Il hésita puis ajouta :

— Sharon, réfléchis bien. Je t'en prie… Si je reste, je ne veux pas être un parasite. Malheureusement, je ne crois pas que je pourrai retravailler un jour, je veux dire, occuper un véritable poste dans une entreprise. Cela dit, j'ai beaucoup d'économies, une pension de l'armée, et il va de soi que je t'aiderai à t'occuper du ranch. Mais toi, est-ce que cela te conviendra ?

Elle crut tomber à la renverse.

— Liam, commença-t-elle avec lenteur pour maîtriser sa colère, tu as travaillé comme un forcené depuis ton arrivée chez moi, comment peux-tu penser un instant que je vois en toi un « parasite » ? A toute autre personne, j'aurais dû verser un salaire, c'est donc moi qui te suis redevable ! Sans compter que je ne me serais pas vue héberger un étranger. Sans toi, le ranch aurait continué à se dégrader et… Et qui sait ce qui serait arrivé ?

Il secoua la tête.

— Si je reste chez toi, il faudra que je contribue aux frais.

— Mais c'est ce que tu fais déjà, par ton travail !

Il prit alors un air têtu, qu'elle ne lui connaissait pas.

— Non, ce n'est pas assez, selon mes critères.

Elle ne répondit pas tout de suite. Elle venait de se rendre compte qu'il était un homme très fier et qu'elle avait sans doute négligé cet aspect, jusque-là. Il voulait être un vrai partenaire, pas un journalier à qui l'on accordait le gîte et le couvert.

Elle le considéra longuement. Elle avait besoin de son aide, pas de son argent, mais il ne resterait que si elle acceptait sa participation financière, elle le sentait bien. C'était l'être le plus honnête qu'elle ait jamais rencontré.

— Tu es un homme remarquable, finit-elle par dire.

— Pas spécialement, répondit-il.

— Il ne t'est jamais venu à l'idée que je pourrais avoir l'impression de profiter de toi ?

Il eut un petit rire.

— Le travail physique est une sorte de thérapie pour moi. Donc, si je reste, je travaille. Cela fait partie du contrat.

Il parlait soudain comme un homme d'affaires, et cela la blessa. Elle n'avait pas envisagé leur relation sous cet angle.

— C'est tout ce que je suis pour toi ? Une partenaire en affaires ?

Il poussa un juron.

— Certainement pas, Sharon ! Décidément, je

n'arrive jamais à m'exprimer comme il faut. Tu vois, ça ne peut pas marcher. Je ferais mieux de partir…

Elle sentit sa poitrine se serrer douloureusement, et le souffle lui manquer. Son cœur se mit alors à cogner comme un fou… Elle manquait d'air…

— Ecoute, Liam, il va falloir une bonne fois pour toutes que tu cesses de me menacer de partir, martela-t-elle d'une voix tremblante.

— Te menacer ? Mais je voulais juste te dire que…

— Je me fiche de ce que tu voulais dire ! Pour moi, cela sonne toujours comme une menace. Chaque fois que tu trouves une nouvelle raison de partir, cela me meurtrit, tu comprends ? *Cela me meurtrit affreusement…*

Il parut déconcerté.

— Je ne voulais absolument pas te faire du mal.

— Eh bien c'est raté ! Est-ce que je t'ai demandé de partir ? Non. Mais toi, tu n'arrêtes pas de chercher des prétextes pour me fuir. Je n'en peux plus, Liam, c'est invivable.

— Je pensais juste à ton bien !

Sans l'écouter, elle continua :

— Je n'ai pas envie de me réveiller un beau matin pour m'apercevoir que tu as fait tes valises et que tu es parti ! Cela me tuerait !

Elle disait vrai, ce n'était pas du mélodrame ! Elle avait atteint le point où la vie sans lui n'était plus envisageable.

Les larmes aux yeux, elle ajouta :

— Il faut que tu arrêtes de dire que tu vas partir, que tu cesses aussi d'y penser… Je t'en prie, Liam.

Un long silence s'ensuivit, un terrible silence, puis il déclara :

— Entendu, Sharon, je ne m'en irai pas et je ne ferai plus aucune allusion à mon départ, sauf si tu me dis de partir, bien sûr.

Elle se sentit soudain affreuse.

— Mais je ne veux pas non plus te forcer à rester si tu n'en as pas envie ! se récria-t-elle. Ce n'était pas ce que je voulais dire.

— Et zut ! soupira-t-il.

Puis il se frotta le menton et se mit à faire les cent pas, dans la cuisine.

— Je n'arrête pas d'enchaîner les bourdes, commença-t-il. Je n'arrive pas à exprimer ma pensée correctement, c'est un véritable dialogue de sourds. Bon, je peux repartir de zéro ?

Elle hocha la tête en signe d'acquiescement.

— Très bien, dit-il en se plantant devant elle. Je n'ai pas envie de partir. Cela ne fait aucun doute. Le seul problème, c'est de savoir si c'est bien pour toi… Tu souhaites vraiment que je reste ?

A cette question, la chaude douceur de la certitude l'envahit…

— Oui, Liam, j'en suis certaine, prononça-t-elle avec détermination.

— Alors, je reste, dit-il avec un sourire. Mais tu dois m'autoriser à participer financièrement, sinon je ne me sentirai pas très à l'aise.

— Entendu !

— Parfait. Je ne te dirai plus jamais que je veux partir et tu peux me croire : je n'en ai *aucune* envie ! Tout est clair, maintenant ?

Non, ça ne l'était pas vraiment. Il lui avait fait l'amour comme si sa vie en dépendait, mais il ne lui avait pas *parlé* d'amour… Il avait juste promis qu'il resterait. Mais à quel titre ? Instinctivement, elle s'avança vers lui, puis s'immobilisa. Ce n'était tout de même pas à elle de faire le premier pas ! Elle leva les yeux vers lui… Comme s'il venait de lire dans ses pensées, Liam enchaîna sur un ton qui ne laissait aucun doute sur sa sincérité :

— Je suis de plus en plus épris de toi, Sharon. Je te désire plus que jamais, tu sais…

Alors son cœur put se remettre à chanter comme un oiseau libre, tandis que, sans ajouter un mot, Liam l'entraînait vers l'escalier…

La lumière déclinante baignait leurs corps nus et elle avait la sensation qu'ils étaient nimbés d'or. Quand il plongea en elle, elle comprit qu'elle était redevenue une femme à part entière. Une sensation de satisfaction totale l'envahit. Tout semblait de nouveau à sa place, c'était fantastique.

Plus tard, quand ils furent en sueur et comblés, et que les draps furent tout froissés, elle se lova contre lui. Elle voulait que leur histoire ne finisse jamais… La voix de Liam s'éleva alors dans le silence :

— Je ne devrais sans doute pas te dire ça… Mais voilà : je t'aime, Sharon.

Son cœur manqua un battement.

— Et pourquoi est-ce que tu ne devrais pas me le dire ?

— Ne te mets pas en colère. Je viens de prononcer un aveu plutôt doux à entendre, non ?

— Mais pourquoi a-t-il fallu que tu t'en excuses

presque ? Bon, puisque c'est comme ça, redis-le-moi encore une fois !

— Je t'aime, Sharon…

— Tu m'aimes, Liam ? Cela tombe bien, tu sais, car moi aussi je t'aime. Je veux vivre avec toi. Je ne peux plus imaginer me réveiller sans toi à mes côtés, ni même envisager une journée sans toi. Je ne plaisantais pas quand je disais que je mourrais si tu partais.

A ces mots, il la prit dans ses bras et l'étreignit si fortement… qu'elle poussa un petit gémissement car elle ne parvenait plus à respirer.

— Désolé, lui dit-il en la relâchant un peu, un sourire aux lèvres.

Elle se mit à rire. Un rire léger et joyeux. Jamais elle n'aurait cru connaître de nouveau une telle légèreté, une telle allégresse.

Il plongea ses yeux dans les siens.

— Je veux juste que tu me fasses une promesse, Sharon, dit-il.

— Laquelle ?

— Si nous avons un enfant, appelons-le Chet.

Un enfant… Mon Dieu, quelle douce pensée !

— Entendu, répondit-elle d'une voix émue. Cela aurait plu à Chet.

— Mais c'est à toi que je pose la question, c'est toi qui dois me répondre honnêtement.

— Cela me convient à moi aussi.

— Et toi, qu'attends-tu de moi, Sharon ?

— Que tu sois tous les jours à mes côtés.

— Je m'y engage solennellement.

— Vraiment ? Alors je prends cette promesse pour une demande en mariage.

Il se mit à rire.

Elle ne l'avait jamais vu aussi détendu, aussi heureux.

— Dans ces conditions, quelle est ta réponse ? renchérit-il.

— C'est oui ! Définitivement, oui !

De nouveau ils s'étreignirent tendrement, et la passion les emporta bientôt vers de divins rivages…

Chacun avait trouvé son havre en l'autre, pensa-t-elle en revenant des brumes de l'amour. Elle pouvait désormais s'abandonner sans réserve à l'avenir.

Passions

— Le 1er juillet —

Passions n°476

La fiancée secrète - Maureen Child

Trop riche, trop sûr de lui, trop beau pour être honnête... Voilà en quelques mots ce que Mia a toujours pensé de Dave Firestone. Mais le jour où il se présente à sa porte pour lui proposer un curieux marché, elle ne se reconnaît plus. Fascinée par son regard gris acier, subjuguée par le son rauque et sensuel de sa voix, elle écoute jusqu'au bout sa proposition : si elle accepte de devenir sa fiancée pour quelques mois – le temps pour lui de décrocher un gros contrat accessible seulement à un homme marié – il paiera ses dettes et lui permettra de prendre un nouveau départ dans la vie...

Comme une promesse troublante - Andrea Laurence

En acceptant de devenir la secrétaire particulière du richissime Brody Eden, Samantha sait à quoi s'en tenir : son patron, pour dissimuler au monde extérieur son visage couvert de cicatrices, vit en ermite dans son bureau et a la réputation d'être à la fois revêche et distant. Pourtant, lorsqu'elle le rencontre pour la première fois, elle est subjuguée par sa stature d'une grande noblesse et son regard d'un bleu profond. Un regard qu'elle a senti sur elle durant quelques secondes, comme une caresse, comme une promesse troublante...

Passions n°477

Le bébé du désir - Sarah M. Anderson

Le cœur battant, Bobby couve du regard la femme élégante qui s'avance vers lui, le visage grave, la démarche décidée. Pourquoi Stella a-t-elle décidé de revenir dans sa vie ? Elle sait pourtant que la nuit d'amour qu'ils ont partagée deux mois plus tôt était sans lendemain et que jamais son père, le puissant magnat des médias, ne la laissera s'engager dans une relation durable avec un de ses employés. Mais alors qu'il meurt d'envie de la prendre quand même dans ses bras, Stella lui révèle d'une voix sourde qu'elle attend un enfant de lui...

Dans le secret de mon cœur - Kathleen Eagle

Rebelle, farouche, plus sexy que jamais... Emue aux larmes, Bella dévisage Ethan qui vient, après deux ans d'absence, de réapparaître dans la petite ville où elle travaille comme journaliste. Encouragée par le sourire tendre qui se dessine sur ses lèvres et la joie qu'elle lit dans son regard, elle se prend à rêver : et si le destin lui offrait là une deuxième chance de lui révéler les sentiments qu'elle cache depuis toujours au plus profond de son cœur ?

Passions n°478

Un rêve à partager - Susan Crosby

Méfiante, Karyn écoute l'homme à la stature imposante et au regard clair qui vient de sonner à sa porte. A l'en croire, le frère de Karyn, mort trois ans plus tôt, avait une petite fille prénommée Cassidy dont il ignorait l'existence. Mais en découvrant la photo de l'enfant, Karyn sent ses doutes s'évanouir et une intense émotion l'envahir. Elle va adopter cette adorable fillette que sa mère a abandonnée, et s'en occuper comme si elle était sienne... Un rêve balayé en quelques mots par l'inconnu qui se trouve en face d'elle : « Cassidy ne vivra pas avec vous car je l'ai élevée depuis sa naissance... »

La passion d'un Westmoreland - Brenda Jackson

En revenant à Denver, Chaning savait bien qu'elle risquait de revoir Zane Westmoreland, mais elle n'imaginait pas que cela la troublerait autant. Puissant, magnifique, il est encore plus beau que dans son souvenir, et elle ne peut s'empêcher de frissonner devant lui, comme captivée par ce parfum intense et masculin qu'elle n'a jamais oublié. Pourtant, elle le sait : pas question pour elle de tomber de nouveau sous le charme de Zane Westmoreland. Il ne fait plus partie de sa vie désormais. Il ne doit plus faire partie de sa vie. N'est-elle pas fiancée à un autre ?

Passions n°479

Pour l'amour de Willa - Christine Rimmer

Renfrognée, la mâchoire serrée, Willa ne décolère pas. Dire que de tous les hommes qui auraient pu l'aider à fuir la rivière en crue, il a fallu que ce soit ce voyou de Collin qui lui sauve la vie... Dans la grange où ils se sont réfugiés, l'institutrice sérieuse et l'incorrigible séducteur s'observent en silence en attendant que la pluie cesse et que le jour se lève. Et tandis que Willa garde ses distances et tente en vain de se réchauffer, Collin songe avec amusement qu'elle ne lui a toujours pas pardonné de l'avoir repoussée quelques années plus tôt...

Une si belle mariée - Jules Bennett

Pour rien au monde Victoria ne reconnaîtrait qu'elle est jalouse de la fiancée du prince Stefan. D'ailleurs, des années plus tôt, ne se sont-ils pas juré une amitié éternelle lorsqu'ils se sont rencontrés, lui le futur roi d'une île grecque, et elle la jeune Américaine en vacances ? Un serment précieux qui, elle le souhaite sincèrement, survivra au mariage de Stefan. Aujourd'hui cependant, c'est le cœur serré qu'elle accepte de concevoir la robe de la future princesse, comme il le lui a demandé. Car cette robe, elle l'a déjà imaginée cent fois et, dans ses rêves, c'est toujours elle qui la porte...

Passions n°480

Le serment menacé - Katie DeNosky

Alors qu'elle s'apprête à prononcer ses vœux de mariage, Victoria se demande comment elle a pu se lancer dans une aventure pareille : épouser un homme rencontré sur Internet, un inconnu dont elle ne connaissait même pas le visage... Mais lorsque Eli prend sa main pour lui passer une alliance, son anxiété fait place à un calme inattendu. Car cet homme aux larges épaules et au sourire lumineux semble capable de lui offrir le refuge dont elle a besoin. Et, qui sait, peut-être lui pardonnera-t-il de l'avoir épousé pour fuir les drames et les secrets de sa vie passée...

Le rendez-vous de l'amour - Brenda Harlen

Ces cheveux châtain, cette bouche sensuelle, ces yeux verts émeraude... Kelly ne les a jamais oubliés, pas plus qu'elle n'a oublié la nuit d'amour passée dans les bras de Jack Garrett, treize ans plus tôt. Un moment de folie dont est née une petite fille, Ava, et qui l'a contrainte à quitter la ville sans rien dire à personne... Balayant ces douloureux souvenirs, Kelly regarde Jack s'avancer vers elle et sent son cœur se serrer : comment va-t-il réagir lorsqu'il saura qu'il a une fille de douze ans ? Une adolescente qui n'a qu'une idée en tête : réunir ses deux parents sous le même toit ?

Passions n°481

Plaisirs sensuels - Kate Hoffmann

Une peau lisse et bronzée, des abdos parfaits, une bouche sensuelle et, enfin, un regard rieur et sexy... En laissant son regard remonter le long du corps de Logan Quinn, l'éleveur de chevaux qui a fait étape dans le ranch familial pour la nuit, Sunny sent un trouble puissant l'envahir. Avec cet homme, elle le sent, toutes les aventures sont possibles. Et une aventure, n'est-ce pas justement ce dont elle a besoin pour oublier que tous ses rêves de médaille olympique viennent de s'envoler ? Et qu'importe si elle sait que, demain, son bel amant aura repris la route...

Une tentation inattendue - Kate Hoffmann

En acceptant d'accompagner sa mère pour le week-end à San Francisco, Jack Quinn avait un plan : ne pas la lâcher une seule seconde du regard pendant ses « retrouvailles » avec un vieil ami qu'elle n'a pas vu depuis trente ans, avant de la remettre dans un avion pour Chicago dès que possible. Car cet ami surgi du passé ne lui inspire aucune confiance. Mais, à peine pose-t-il les yeux sur la fille de leur hôte, que Jack devine que ces deux jours risquent fort de ne pas se dérouler selon ses plans. Mia McMahon est la femme la plus sexy qu'il ait jamais rencontrée. Et pour la tenir dans ses bras, pour parcourir son corps de ses mains, il se sent prêt à toutes les folies...

A paraître le 1er mai

Best-Sellers n°605 • suspense

La coupable parfaite - Laura Caldwell

A Chicago, une femme est accusée d'avoir empoisonné sa meilleure amie dans le but de lui ravir son mari. Aux yeux de la police, la culpabilité de la prévenue ne fait aucun doute. En revanche, pour l'intrépide et brillante avocate Izzy McNeil, qui se lance alors dans sa première affaire pénale, rien n'est moins sûr. Sa cliente a beau se montrer étrangement secrète, Izzy n'est pas du tout convaincue par la thèse du crime passionnel. A tel point qu'elle décide de mener sa propre enquête pour éclaircir les zones d'ombre et découvrir la vérité. Mais ce qui s'annonce comme l'affaire de sa carrière ne pouvait pas tomber plus mal car la vie personnelle d'Izzy est en plein chambardement : son ex-fiancé fait un retour retentissant alors même qu'elle tente de construire une nouvelle histoire d'amour.
Entre sombres secrets et passions inavouables, Izzy plonge peu à peu dans un monde où les relations aux allures inoffensives peuvent se révéler dangereuses…

Best-Sellers n°606 • suspense

Dangereux faux-semblants - Heather Graham

Pétrifiée, Madison Darvil ne peut détacher son regard de l'épaisse flaque de sang qui macule le sol. Qui rôdait cette nuit dans les sous-sols sinueux des studios de cinéma où elle travaille, et a sauvagement égorgé la belle Jenny Henderson, une jeune actrice dont la carrière était en train de décoller ? La police soupçonne le petit ami de Jenny, mais Madison, elle, refuse de croire à sa culpabilité : jamais celui qu'elle considère comme son petit frère n'aurait pu commettre un crime aussi odieux ! Parce qu'elle veut à tout prix qu'il soit innocenté, mais aussi parce qu'elle veut faire enfermer le criminel qui peut de nouveau – et à tout instant – frapper, Madison accepte d'apporter son aide à Sean Cameron, l'agent du FBI dépêché sur place. Un homme auréolé de mystère qu'elle peine à cerner… et dont la présence la trouble plus encore quand il lui révèle qu'il connaît son secret et que, comme elle, il a le pouvoir de communiquer avec les morts.

Best-Sellers n°607 • roman

L'héritage des Granger - Brenda Jackson

Des années plus tôt, Jace, Caden et Dalton Granger ont laissé derrière eux Charlottesville, la maison de leur enfance, et les terribles souvenirs qui y sont attachés. Mais, aujourd'hui, ils sont de retour pour exaucer le dernier souhait de leur défunt grand-père : sauver l'entreprise dans laquelle des générations de Granger ont mis toute leur énergie et leur passion.

Lorsqu'il découvre que *Granger Aeronotics*, qu'il a toujours connue florissante et à la pointe du progrès, est aujourd'hui au bord de la faillite, Jace n'a qu'une envie : claquer la porte et retourner à la vie qu'il s'est construite loin de Charlottesville. Hélas, comment le pourrait-il alors qu'il a solennellement juré à son grand-père, sur son lit de mort, de reprendre les rênes de l'entreprise familiale ? S'il veut sauver *Granger Aeronotics* et démasquer le traître qui a vendu certains de leurs secrets de fabrication à leur plus grand concurrent, Jace n'a qu'une solution : faire appel à Shana Bradford, la meilleure consultante de la ville.

Mais à peine pose-t-il les yeux sur la jeune femme qu'il pressent que cette collaboration sera bien plus difficile qu'il ne l'avait envisagé. Comment consacrer toute son énergie à sauver *Granger Aeronotics*, comme la situation l'exige, alors que les formes pulpeuses, la voix douce et le regard lumineux de Shana l'obsèdent jour et nuit ?

Best-Sellers n°608 • historique

La scandaleuse - Nicola Cornick

Londres, Régence

Susanna, en chair et en os ? Impossible ! Et pourtant… James Devlin, stupéfait, doit se rendre à l'évidence : c'est bien sa première épouse qui rit et danse avec insouciance au bal le plus prisé de la saison, et qui fait mine de ne pas le reconnaître ! Comment Susanna ose-t-elle réapparaître ainsi comme si de rien n'était, après avoir disparu sans laisser de traces, neuf ans plus tôt, au lendemain de leur nuit de noces ? Et comment peut-elle croire que se présenter sous un faux nom suffirait à le tromper, lui ?

Alors que la colère le submerge avec la même force qu'autrefois, James se jure que Susanna ne quittera pas ces lieux sans lui avoir donné l'explication qu'il attend depuis neuf ans. Ni sans lui avoir avoué ce qu'elle fait aujourd'hui au bras de l'un des célibataires les plus en vue de Londres. Car même s'il refuse de se l'avouer, il ne peut supporter l'idée que Susanna soit à un autre homme que lui…